Wariwulf, Les hyrcanoï

Dans la même série
Wariwulf, Le premier des Râjâ, roman, 2008.
Wariwulf, Les enfants de Börte Tchinö, roman, 2009.

Du même auteur chez le même éditeur
Mon frère de la planète des fruits, roman, 2008 [2001].
Marmotte, roman, 2008 [2001].
Pourquoi j'ai tué mon père, roman, 2008 [2002].
Créatures fantastiques du Québec, tomes 1 et 2, ouvrage de référence, 2009.

Dans la série jeunesse Amos Daragon
Amos Daragon, porteur de masques, roman, 2003.
Amos Daragon, la clé de Braha, roman, 2003.
Amos Daragon, le crépuscule des dieux, roman, 2003.
Amos Daragon, la malédiction de Freyja, roman, 2003.
Amos Daragon, la tour d'El-Bab, roman, 2003.
Amos Daragon, la colère d'Enki, roman, 2004.
Amos Daragon, voyage aux Enfers, roman, 2004.
Amos Daragon, Al-Qatrum, hors série, 2004.
Amos Daragon, la cité de Pégase, roman, 2005.
Amos Daragon, la toison d'or, roman, 2005.
Amos Daragon, la grande croisade, roman, 2005.
Amos Daragon, porteur de masques, manga, 2005.
Amos Daragon, la fin des dieux, roman, 2006.
Amos Daragon, la clé de Braha, manga, 2006.
Amos Daragon, le crépuscule des dieux, manga, 2007.
Le guide du porteur de masques, hors-série, 2008.

Aux Éditions des Glanures
Horresco referens, théâtre, 1995.
Contes Cornus, légendes fourchues, théâtre, 1997.
Louis Cyr, théâtre, 1997.
Marmotte, roman, 1998.

Aux éditions Michel Brûlé
Fortia Nominat Louis Cyr, théâtre, 2008 [1997].

Aux éditions De la Bagnole
En mer, roman, 2007.

BRYAN PERRO

WARIWULF

3. Les hyrcanoï

LES ÉDITIONS DES INTOUCHABLES
512, boul. Saint-Joseph Est, app. 1
Montréal (Québec)
H2J 1J9
Téléphone : 514 526-0770
Télécopieur : 514 529-7780
www.lesintouchables.com

DISTRIBUTION : PROLOGUE
1650, boul. Lionel-Bertrand
Boisbriand (Québec)
J7H 1N7
Téléphone : 450 434-0306
Télécopieur : 450 434-2627

Impression : Transcontinental
Illustration de la couverture : JEIK
Maquette de la couverture et logo du titre : Geneviève Nadeau
Infographie : Marie Leviel
Conception de la carte : Pascal Barriault
Photographie de l'auteur : Karine Patry
Direction éditoriale : Marie-Eve Jeannotte
Révision : Élyse-Andrée Héroux, Nicolas Therrien
Correction : Élaine Parisien

Les Éditions des Intouchables bénéficient du soutien financier
du gouvernement du Québec — Programme de crédit d'impôt
pour l'édition de livres — Gestion SODEC et sont inscrites au
Programme de subvention globale du Conseil des Arts du Canada.

Nous reconnaissons l'aide financière du gouvernement du Canada
par l'entremise du Programme d'aide au développement de
l'industrie de l'édition (PADIÉ) pour nos activités d'édition.

Membre de l'Association nationale des éditeurs de livres.

Dépôt légal : 2010
Bibliothèque et Archives nationales du Québec
Bibliothèque nationale du Canada

ISBN : 978-2-89549-429-4

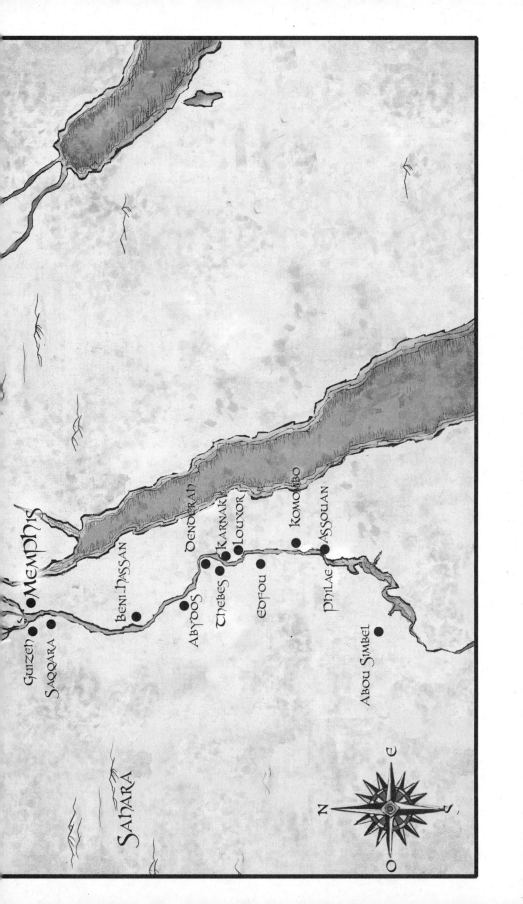

Première partie

Le lac

I

Il était de retour…

De nombreuses années s'étaient écoulées depuis son départ pour l'Égypte. Aujourd'hui, il rentrait à la maison. Il retrouverait bientôt ses endroits préférés pour la chasse au lapin. Tout en s'enivrant de l'odeur des conifères et des doux parfums émanant des mousses humides de son pays, le Râjâ reprendrait contact avec sa terre.

Bien des choses avaient changé depuis son départ. Le royaume fleurissant qu'il avait laissé derrière lui n'existait plus. Sa capitale, Veliko Tarnovo, avait été reprise par les Thraces, et il ne restait rien des anciens territoires, à l'exception du sanctuaire de la montagne, au centre duquel le lac de Börte Tchinö trônait toujours. C'est dans ce dernier refuge, tandis que le Râjâ regardait l'eau frissonner sous le vent, qu'un serviteur venait de se présenter pour l'informer de la mort de sa mère, la reine Électra. La femme était décédée de nombreuses années avant son retour, en accouchant de son demi-frère.

Dans cet immense royaume où il avait grandi, des centaines d'hommes qui composaient ses armées, il ne restait plus qu'une poignée de fidèles. Tous rassemblés près du lac sacré pour saluer le retour de leur souverain, ces hommes et ces femmes n'avaient plus l'allure des guerriers d'autrefois. Amaigris, leurs visages étaient marqués par la peur. L'angoisse de se voir découverts par les ennemis thraces, ceux-là mêmes qui les avaient chassés de leur ancienne capitale, transpirait dans la nervosité de leurs mouvements. Le Râjâ avait quitté un peuple de loups et revenait aujourd'hui prendre les rênes d'une nation d'écureuils.

— Bienvenue, maître…, fit l'une des femmes, qui se trouvait près de lui. Nous vous attendions depuis longtemps. Votre retour est une bénédiction… Avec vous, l'espoir renaît.

— En effet, fit un autre habitant du sanctuaire. Depuis des années, nous survivons ici. Les patrouilles thraces sont partout et la chasse est devenue difficile. C'est à peine si nous arrivons à nous mettre quelque chose sous la dent.

— Nous sommes restés fidèles à votre mère, Électra, et vénérons le lac! lança un homme plus loin. Nous l'avons protégé pour vous… pour que la prophétie se réalise. Je sais que le choc de votre retour est violent et que vous pensiez sans doute retrouver votre royaume intact, mais je vous en prie… ne nous abandonnez pas! Nous avons besoin de vous, maître, nous avons besoin d'un nouveau roi.

Le Râjâ hocha la tête et sourit aux derniers représentants de son peuple pour les rassurer.

— Laissons-le, il doit se reposer! fit une vieille femme plus perspicace que les autres. Notre Râjâ a fait un long voyage. Préparez l'ancienne chambre de sa mère et apportez-lui à boire et à manger. Accueillons-le tout d'abord comme roi! Nous l'entretiendrons de nos problèmes plus tard!

Reconnaissant, le Râjâ salua la femme.

Tous les habitants du sanctuaire s'activèrent, abandonnant leur souverain à ses pensées.

Fatigué par la route, mais surtout bien découragé par la situation, le Râjâ marcha en silence sur le trottoir de marbre qui encerclait le petit lac sacré. Y avait-il seulement un avenir pour lui entre ces murs? Et qu'allait-il faire de cette population moribonde d'anciens fidèles? Pendant des années, le Râjâ avait été l'une des fiertés de l'Égypte. À son passage, les badauds se prosternaient devant lui. Certains lui offraient des fleurs, des fruits et même des jeunes filles. Les meilleurs guerriers des rives du Nil tremblaient à la seule évocation de son nom. Le peuple entier connaissait et chérissait le grandissime Osiris-Path, la puce d'Osiris, tombé des cheveux de la plus grande des divinités égyptiennes. Et que restait-il de lui maintenant? Plus rien.

De l'art de manger dignement à table aux moindres secrets de la fabrication d'armes plus performantes, les Égyptiens lui avaient tout appris. On lui avait transmis les secrets de la momification, de l'écriture et de la torture. Grâce à leurs enseignements, il avait pu parfaire ses connaissances en métallurgie et il pouvait, depuis son passage aux forges pharaoniques, fondre d'excellents alliages de métaux. Les sciences importantes, comme l'astronomie et les mathématiques, l'architecture ainsi que l'herboristerie, ne lui étaient plus étrangères. Des maîtres d'armes lui avaient appris le maniement adéquat des épées, des lances et des projectiles, et le combat corps à corps. Pendant toutes ses années d'exil, le Râjâ était devenu un véritable guerrier, un guerrier mythologique, et il avait tout fait pour préserver cette image de lui-même. Après le massacre d'enfants qu'il avait perpétré dans le Goshen, il était tombé en disgrâce et s'était vu exilé. Néanmoins, sa légende demeurait bien vivante. Il était et serait toujours la puce d'Osiris !

Si Osiris-Path avait encore sa place dans l'imaginaire des Égyptiens, le Râjâ, lui, n'était rien sur les terres des Thraces. Valait-il mieux être le premier valet du pharaon, le plus puissant roi de la terre, ou l'unique souverain d'un territoire sans aucun avenir ? La question méritait réflexion.

Pendant quelques secondes, le Râjâ pensa tout abandonner et quitter le sanctuaire pour de bon. Peut-être pourrait-il retourner en Égypte et demander pardon au pharaon ? Après tout, Mérenptah avait besoin de bons guerriers pour protéger ses frontières contre les attaques ennemies ! Puis, le Râjâ se ravisa. Les chances de se voir accorder l'absolution étaient bien minces, sinon inexistantes. Ce qu'il avait fait était impardonnable…

Pendant de longues minutes, il soupira de désespoir. Le poids de la tâche qu'il avait à accomplir pour assurer le bien-être de ses gens, doublé du lourd sentiment de solitude qu'engendrait la perte de sa mère, faillit bien le convaincre de baisser les bras.

— Pas si mal, le nouveau roi ! fit alors une voix féminine derrière lui.

En se retournant pour savoir qui le complimentait, les yeux du Râjâ tombèrent sur une jolie femme brune aux cheveux tressés. Elle était belle comme un matin de brume dans une forêt profonde. Son sourire chassa instantanément toutes les idées noires du Râjâ. À ce moment, il comprit que tout, de son ancienne vie, n'avait pas disparu. De toute évidence, il ne quitterait plus jamais ce sanctuaire, car il avait maintenant une raison de s'y établir. Cet argument au rictus malicieux était devant lui, aussi splendide que jadis.

Misis, la fillette avec laquelle il s'était si souvent amusé, était devenue une adulte resplendissante. Quoiqu'un peu maigre, elle avait les mêmes petites fossettes lorsqu'elle souriait. La lumière de ses yeux, toujours aussi espiègles, révélait un esprit vif et alerte.

— Tu sais encore jouer de la flûte, Pan ? lança-t-elle, accompagnant sa question d'un clin d'œil charmeur. Avec ces gros doigts, ce ne doit plus être très facile. Jadis, tu n'étais pas un virtuose, alors tes mélodies n'ont pas dû s'améliorer beaucoup !

Ravi, le Râjâ esquissa un sourire. Il ne rêvait pas ! C'était bien elle, toujours aussi vivante et taquine.

Quand son ami étira les commissures de ses lèvres, Misis découvrit que les canines de son ancien compagnon de jeu avaient l'allure de véritables crocs de loup. Elle remarqua aussi son corps, plus musclé et longiligne, ressemblant davantage à celui d'un animal qu'à celui d'un humain. La cage thoracique du Râjâ avait doublé de volume, tandis que ses longs doigts montraient maintenant de très longues griffes. Ce n'était plus le jeune garçon sympathique et ébouriffé d'autrefois.

— Tu n'es pas venu à notre dernier rendez-vous ! regimba Misis sur un ton faussement offensé. Je t'ai attendu ce soir-là, tu sais ? Et tous les soirs suivants ! J'attendais que tu viennes me faire tes excuses…

Le Râjâ lui tendit la main.

— J'aurais dû t'oublier pour ça ! continua-t-elle. Mais en te voyant tout à l'heure, je me suis dit que tu méritais peut-être une seconde chance !

Misis posa sa paume sur celle de son ami.

Le Râjâ ressentit la même passion qui l'avait habité autrefois lorsqu'il était tombé amoureux d'elle. Ce n'était plus la même Misis, mais pourtant, il reconnaissait en elle la petite fille potelée qu'il avait jadis sauvée des loups, près d'Odessos. Mais elle avait aujourd'hui plus d'assurance dans le regard, plus de solidité dans son âme. Et puis, quelques petites rides étaient apparues autour de ses yeux.

— Tu n'as pas encore appris à parler ? fit-elle pour le taquiner. C'est bien ainsi. De cette façon, tu m'écouteras sans m'interrompre… J'aime bien les hommes qui savent se taire !

Pan, ému et réjoui, versa une larme de bonheur. C'était bien elle, la femme de sa vie ! Malgré les tristes nouvelles qu'il venait de recevoir, ce jour était le plus beau de sa vie.

— Émotif en plus ! s'amusa Misis. Ce long voyage t'a vraiment changé, mon bon ami. Rassure-toi, si je n'étais pas si nerveuse de te revoir, je pleurerais de bonheur toutes les larmes de mon corps !

Le Râjâ se pencha alors vers elle pour l'embrasser, mais Misis le repoussa.

— Ah non, pas si vite ! Je ne tomberai pas à tes pieds comme une petite servante devant son roi… Si tu veux me donner un baiser, il te faudra travailler un peu ! Tu veux connaître mes exigences ?

Pan pouffa.

— Je prendrai ça pour un oui ! continua-t-elle, malicieuse. Je propose que nous reprenions notre relation là où elle s'est interrompue la dernière fois. Il faut reprendre ce rendez-vous manqué qui nous a séparés pour tant d'années ! Alors, je t'attendrai à la prochaine pleine lune, c'est-à-dire dans une dizaine de jours, à notre ancien rendez-vous près d'Odessos. Tu te rappelles, le monolithe ? Cette fois, n'arrive pas en retard, je ne le supporterai pas. D'accord ?

Le Râjâ acquiesça.

— Si, après ce nouveau rendez-vous, je considère que tu t'es bien conduit, je t'autoriserai peut-être à me donner un petit baiser sur la joue !

Comme un enfant heureux après avoir reçu un cadeau, le Râjâ bondit sans prévenir sur Misis et la serra contre lui. Surprise par la rapidité de son ami, la jeune femme eut un instant de frayeur, mais elle comprit bien vite qu'elle n'avait rien à craindre. Enveloppée de l'étreinte amoureuse de Pan, elle entoura à son tour de ses bras le corps poilu de son ami et se laissa bercer par la douceur du moment.

— Enfin en sécurité, murmura-t-elle en fermant les yeux.

Misis versa une larme de bonheur. Son passé était maintenant bien loin derrière, et les traitements sadiques qu'elle avait subis dans la prison d'Odessos n'étaient plus qu'un mauvais souvenir. La jeune femme pouvait maintenant repartir à zéro et oublier jusqu'à sa jeunesse dans la nécropole du spectre de Séléné. Toutes les infamies qu'elle avait commises pour la satisfaire pouvaient maintenant disparaître, car un nouveau jour s'était enfin levé. Depuis des années, Misis rêvait au retour de son aimé, et le miracle avait eu lieu. Elle voulait le Râjâ pour elle seule et aujourd'hui, elle l'avait.

« Mon Pan adoré…, pensa-t-elle en se laissant bercer dans ses bras. Électra est morte et tu es à moi seule maintenant… Nosor est parti avec ton demi-frère, ce qui veut dire que désormais je suis ton unique famille… Il n'y aura plus que nous, nous deux, toi et moi, ensemble jusqu'à la fin des temps… »

Toutes ces années d'attente portaient enfin fruit, et l'avenir s'annonçait prometteur. De tout son cœur et son âme, elle aiderait le Râjâ à regagner ses terres et siégerait avec lui sur le trône du souverain. Bafouée dans son enfance, Misis aurait ainsi sa revanche sur la vie.

— N'abuse pas, mon beau Pan, lui dit-elle à l'oreille en se dégageant de son étreinte. Je ne veux pas briser la magie de nos retrouvailles prochaines sous la pleine lune. Pour moi, ce rendez-vous est d'une grande importance. Pour que les choses fonctionnent bien entre toi et moi, il nous faut reprendre exactement où la cassure s'est produite, tu comprends ?

Le Râjâ lui fit signe qu'il avait bien compris.

— D'ici là, je te demanderai de ne pas essayer de me voir, ni de me rencontrer. Tu découvriras vite que j'habite une modeste cabane dans les bois derrière le sanctuaire, mais je te demande de garder tes distances. Je t'assure que je compterai les secondes avant notre prochaine rencontre. Je t'aime et je n'ai aimé que toi, Pan.

Le Râjâ sourit, puis il laissa lentement Misis glisser entre ses bras. Il fit même un pas à reculons afin de mieux l'admirer. Décidément, Misis était devenue une femme magnifique qui invitait à la tendresse et à l'amour. Elle n'avait rien à voir avec Sumuhu'alay, celle dont il avait partagé la hutte lors de son passage au pays de D'mt. La fille du chef, quoique désirable, inspirait plus à l'accouplement qu'à l'affection. Malgré ses qualités et son grand attachement pour lui, elle était demeurée brutale, impulsive et avait semblé dénuée d'humour.

Sumuhu'alay avait exercé sur lui un étrange pouvoir qu'il avait, encore aujourd'hui, du mal à comprendre. Bien qu'il n'eût jamais réussi à déchiffrer sa langue, elle réussissait malgré tout à le mettre dans un état de nonchalance et de bonheur. Peut-être serait-il encore là-bas si Sénosiris n'était arrivé à temps pour l'extraire de cette tribu de mangeurs d'hommes. Qui sait, il aurait peut-être même eu des enfants. Le Râjâ n'était pas malheureux dans le pays de D'mt, mais seulement plutôt absent. Un peu comme si sa tête et ses pensées avaient soudainement cessé de fonctionner, une fois dans le village.

— À bientôt…, lui dit Misis en quittant le bord du lac.

Quelques secondes après le départ de sa promise, le Râjâ fut entouré des anciens citoyens et guerriers de Veliko Tarnovo qui lui étaient restés fidèles. Tous arrivaient de la forêt entourant le sanctuaire, où ils habitaient avec leur famille. La nouvelle du retour de l'héritier du trône s'était vite répandue.

Avec respect, le Râjâ salua chacun de ses nouveaux sujets — pas plus d'une cinquantaine en tout —, et chercha ensuite Sénosiris afin de lui demander conseil sur la suite des événements. Malgré tous ses efforts, il ne trouva nulle part son mentor.

— Vous cherchez votre compagnon de voyage? Eh bien, je l'ai vu quitter le sanctuaire à toute vitesse, dit un vieux jardinier à son nouveau maître. Je sais qu'il s'est rendu avec la jeune Misis à la tombe de votre mère avant de partir. Il avait l'air très malheureux… Je crois même que je l'ai vu pleurer, mais je n'en suis pas certain…

Sénosiris avait certainement eu du mal à accepter la mort d'Électra.

— Nous avons des éclaireurs, cher Râjâ, qui peuvent sans doute le retrouver! fit le jardinier en constatant sa déception. Vous n'avez qu'à donner l'ordre et je sauterai moi-même dans le lac pour le retrouver. Lorsque je prends ma forme de loup, il n'y a plus de limites à ma force et à mon endurance!

Le Râjâ fit signe à son jardinier que sa proposition était appréciée, mais pas nécessaire pour le moment. Si Sénosiris avait quitté le sanctuaire sans un mot, c'est qu'il avait ses raisons. Elles devaient être respectées.

Un peu rassuré par le témoignage du jardinier, mais quand même intrigué par le comportement plutôt bizarre de son ami, le Râjâ s'installa dans les anciens appartements de sa mère. Rien n'avait été touché depuis la mort de la reine. Dans un coin, un berceau vide, celui de son demi-frère qui n'avait jamais vu le jour. La servante qui préparait sa chambre lui raconta que le petit était décédé avec la mère. Sur le point de mettre au monde un autre fils, Électra était morte d'épuisement et elle avait entraîné sa progéniture avec elle dans la mort.

Le Râjâ poussa un soupir et il eut une pensée pour Sénosiris. Le pauvre avait dû apprendre le décès d'Électra et celui de son fils au même moment. Cela expliquait pourquoi il était parti sans donner d'explications. La douleur avait eu raison de sa courtoisie. Lui qui était si heureux d'avoir un enfant et qui avait eu si hâte de le prendre dans ses bras avait dû être bouleversé. Décidément, ce retour d'Égypte était bien difficile.

— Voilà, tout est prêt! dit la servante. Je vous laisse maintenant. Si vous avez besoin de quoi que ce soit, n'hésitez pas à m'avertir. J'ai l'honneur de vous avoir été assignée comme première domestique.

Le Râjâ la salua poliment. Elle referma la porte, puis il se dirigea vers le bureau où il examina quelques vieilles cartes poussiéreuses. On y voyait clairement tout le territoire perdu aux mains des Thraces. Veliko Tarnovo et les campagnes environnantes avaient été biffées, et il ne restait plus de l'ancien royaume que la montagne du sanctuaire et les quelques forêts qui l'entouraient. Aussi bien dire qu'il ne restait plus rien!

On cogna à la porte.

Le Râjâ poussa un petit grognement et un homme aux larges épaules entra dans la pièce.

— Désolé de vous déranger, mais je suis le chef de la garde du sanctuaire et je voulais vous saluer. Puis-je entrer?

Le Râjâ acquiesça.

— Je vois que vous regardez les cartes…, continua l'homme en avançant vers son souverain. Il y a de nombreuses années, en fait, seulement quelques mois après votre départ vers l'Égypte, les rois de la Thrace ont formé une alliance et ils ont envoyé tous leurs hommes sur notre ancienne capitale. Bien décidés à s'emparer des immenses richesses dont regorgeait la ville, les traîtres nous ont pris par surprise et nos armées n'ont rien pu faire. Si le lac avait été plus près, nous les aurions dévorés comme des lapins, mais privés de leur forme animale, nos soldats ont vite été débordés…

Le chef de la garde montra du doigt une autre carte.

— Les Thraces ont emprunté ce chemin, juste ici, en passant par Odessos. Vous voyez ? Le commandement des troupes était assuré par un mystagogue d'Orphée et ses disciples. C'est d'ailleurs cet homme qui siège à Veliko Tarnovo et qui dirige notre ancienne cité d'une main de fer. Depuis qu'il est en poste, il a fait construire des dizaines de temples et il est à l'origine d'une nouvelle loi prônant l'extermination de tous les loups du pays. Chaque peau rapportée au palais est payée vingt fois le prix du marché ! Est-ce nécessaire de vous dire que le métier de chasseur est en pleine expansion ? Pour survivre, les meutes du territoire de Veliko Tarnovo se sont réfugiées dans les montagnes abruptes des Carpates où elles vivent dans la peur constante des humains.

Le Râjâ poussa un soupir de découragement.

— Et puis…, enchaîna l'homme, les chasseurs vont maintenant de plus en plus loin pour trouver des loups, même hors des frontières de la Thrace ! Cela nous isole de nos frères… Bien sûr, nous pouvons vivre sans eux, mais, je ne sais pas pourquoi, la puissance du lac s'en trouve diminuée. Avec les années, nous avons remarqué que sous notre forme animale, nous avons moins de force, moins d'énergie, mais surtout… moins de courage ! J'attribue ce phénomène à l'éloignement des loups… Cependant, je ne peux le prouver. Il s'agit d'une simple observation.

Tracassé par leur pitoyable situation, le Râjâ fit poliment signe au chef de la garde de quitter la pièce. Le nouveau souverain avait besoin d'un peu de solitude.

Tant que le lac sacré échappait aux mains des Thraces, le peuple du Râjâ pouvait avoir l'espoir de regagner des terres. Mais, de toute évidence, la situation ne penchait pas en leur faveur.

Le Râjâ s'affala alors sur son lit et s'endormit bien vite.

Cette nuit-là, il rêva qu'il était devenu pharaon d'Égypte et que tous ses problèmes avaient disparu.

II

Les quelques jours qui suivirent le retour du Râjâ ne furent pas non plus des plus réjouissants. Des problèmes d'approvisionnement en nourriture et en vêtements, le manque de soins pour les personnes plus âgées et la constante incursion de patrouilles thraces dans les forêts avoisinantes compliquèrent encore davantage sa vie. De plus, Sénosiris n'était pas revenu et sans la sagesse de ses conseils, le Râjâ se sentait complètement perdu.

— Toujours pas de nouvelles de votre ami, lui rapportait tous les jours le chef de la garde. Nous avons fait des patrouilles à l'extérieur de nos frontières et n'avons pas trouvé de traces de son passage. Je suis désolé... Nous continuerons demain. Même en galopant à quatre pattes, mes hommes sont fatigués.

Enseveli par les tracas, le Râjâ en vint même à envier le sort qui avait été le sien lorsqu'il habitait le pays de D'mt. Là-bas, il pouvait dormir toute la journée et profiter de la vie. Il n'avait ni travail ni obligations. Sa seule tâche était de s'accoupler avec les jeunes femmes du village. Tous ses désirs étaient comblés avant même qu'il ne les éprouve. Malgré les crises de jalousie de Sumuhu'alay qui insistait pour l'avoir juste à elle, sa vie était relativement simple.

— Nous avons remarqué que d'autres patrouilles venant de Veliko Tarnovo se rapprochent de plus en plus de notre montagne, continua le chef de la garde. Elles passent régulièrement, mais ne sont pas encore très nombreuses. Nous suivons vos ordres et évitons de les attaquer, seulement, il faudra bien un jour défendre notre terre.

Le Râjâ écoutait son conseiller, mais il avait la tête ailleurs. Inquiet pour Sénosiris, il attendait de jour en jour des nouvelles de son mentor. Sans l'intelligence de son ami, jamais il n'arriverait à régner convenablement sur le sanctuaire. Il y avait tant à faire, tant à construire, qu'il ne se sentait pas capable d'assumer le rôle de souverain.

La seule chose qui empêchait le Râjâ de sombrer dans le désespoir était la présence, non loin de lui, de la belle Misis. Chaque jour, il l'espionnait pendant quelques heures. Durant la journée, il se cachait dans les bosquets pour la voir travailler à son potager, alors que la nuit, il marchait jusque chez elle pour l'admirer, à travers l'unique fenêtre de sa demeure, pendant qu'elle brossait ses cheveux à la douce lueur d'une chandelle. Transi d'amour, le Râjâ rêvait souvent à leur première rencontre dans les bois.

« Je sais que tu es là et que tu me regardes, se disait-elle chaque fois qu'elle se sentait observée. Mais je ne céderai pas à la tentation d'aller te rejoindre... Un nouveau souffle, une nouvelle force animeront bientôt ce sanctuaire, et nous régnerons en maîtres absolus sur le monde. Il faut être patients... très patients. »

C'est lors d'une nuit particulièrement difficile, où même la pensée de prendre Misis dans ses bras n'arrivait pas à le calmer, que le Râjâ se leva de son lit, une boule d'angoisse dans le ventre. Incapable de dormir, il enfila un sarong et se rendit marcher sur le trottoir de marbre longeant le petit lac sacré.

La lune, presque ronde, dansait sur la surface de l'eau.

— Tu devras t'y faire..., murmura soudainement une voix féminine près de lui.

Le Râjâ regarda autour de lui et ne vit personne.

— ... mais tu y arriveras, entendit-il ensuite.

Soudain, le Râjâ remarqua le visage d'une femme dans le reflet de la lune miroitant sur le lac. Une folle envie de plonger dans l'eau s'empara du Râjâ. Si ce lac transformait les hommes en loups, qu'arriverait-il de lui s'il s'y baignait ? Serait-il immunisé contre la transformation, ou perdrait-il ses poils pour devenir plus humain ? L'expérience méritait d'être tentée !

Comme il s'avançait pour sauter dans l'eau, le Râjâ aperçut au fond du lac trois petites lumières de couleur différente. Il y en avait une verte, une bleue et une rouge. Rapprochées les unes des autres comme une constellation sous-marine, elles semblaient l'appeler.

— Saute dans le firmament…, souffla la voix avant qu'il ne touche l'eau.

Le Râjâ s'était élancé dans le lac, mais il flottait maintenant parmi les étoiles. Entre deux eaux, son corps volait dans la voûte céleste.

— Bienvenue chez toi, mon enfant…

Un bien-être profond s'empara du Râjâ, une détente complète le libérant de ses tracas. Il était revenu dans le ventre de sa mère, en sécurité, au cœur même de la lune. Entre deux mondes, deux époques, deux secondes ou deux siècles, il planait sans autre désir que celui de rester ainsi jusqu'à la fin des temps.

— Bienvenue, mon fils, mon enfant…, reprit doucement une voix. Bientôt le moment viendra et il faudra que tu sois prêt. Ton règne est sur le point de débuter, mais tu devras être prudent, car toute force dans l'univers rencontre son opposé. C'est la première leçon que tu dois retenir.

Le Râjâ regarda tout autour de lui pour savoir d'où venait cette voix, mais il n'y avait que les étoiles.

— Ne me cherche pas. Je suis avec toi et, en ce même moment, très loin de toi aussi…, continua la voix. C'est le paradoxe des dieux… Tu te demandes comment un être peut exister à deux endroits à la fois, n'est-ce pas? Le corps physique ne peut pas se dédoubler, mais la conscience, elle, n'a pas de limites à sa portée. Elle peut s'étendre en plusieurs lieux, voyager à des vitesses infinies et se multiplier sans fin. N'es-tu pas toi-même dans le lac du sanctuaire et, au même instant, dans les étoiles avec moi?

Le Râjâ sourit.

— N'attends plus Sénosiris, mon enfant, car sa tâche auprès de toi est terminée… Il t'a enseigné avec brio tout ce que tu avais besoin de savoir pour accomplir ton destin. Maintenant, tu dois prendre ta vie en main et assumer ton rôle… Il reste encore à ton mentor une quête à accomplir, mais il devra l'effectuer seul.

La voix prit une pause pour donner le temps au Râjâ d'encaisser la nouvelle. L'Égyptien avait toujours fait partie de sa vie. Grâce à Sénosiris, il avait appris les langues, l'astronomie, les mathématiques et l'architecture. Il lui avait aussi enseigné l'art de lire les hiéroglyphes et avait inventé pour lui un mode de communication basé sur ces signes. Cette séparation annoncée allait être difficile pour le nouveau souverain du sanctuaire.

— Les bêtes connaissent ce que les humains ont depuis longtemps oublié, mon enfant… Lorsqu'elles lèvent la tête au ciel pour admirer les étoiles, elles savent que l'espace entre les petits points de lumière n'est pas réellement vide. Dans ce néant repose la cohésion de l'univers. Et les loups, mieux que quiconque, savent qu'ils font partie de cette unité reliant le ciel et la terre, la lune et les étoiles. Lorsqu'ils chantent en chœur, c'est pour rendre gloire aux forces qui maintiennent la structure du cosmos…

Voilà sans doute quelque chose que Sénosiris aurait pu expliquer plus clairement au Râjâ, qui se contenta de hocher la tête pour indiquer qu'il avait compris.

— Aujourd'hui, il est temps que les véritables héritiers de la terre reçoivent leur récompense, continua la voix. Les humains ont failli et ils doivent être remplacés… Il faudra que les loups deviennent des hyrcanoï et que les hommes se transforment en bêtes pour les servir et les protéger. Les humains devront courber l'échine devant leurs nouveaux rois et avouer l'échec de leurs civilisations guerrières. Si ce monde doit un jour atteindre son plein potentiel, il te faudra rapidement faire les premiers pas… Écoute, agis et n'aie pas peur ! Je suis là, et je t'observe…

Lentement, les étoiles tout autour du Râjâ commencèrent à blêmir, puis disparurent une à une. Le vide fut peu à peu remplacé par de l'eau, et l'agréable sensation de voler devint un combat pour essayer de flotter.

Lorsque le Râjâ sortit la tête de l'eau pour respirer profondément, il remarqua que tous les habitants du sanctuaire étaient présents autour du lac. Les visages inquiets se décrispèrent lorsqu'il entama quelques brasses pour rejoindre le bord. Soulagés, des hommes de la garde se précipitèrent vers leur roi pour l'aider à s'extirper de l'eau.

— Mais que vous est-il arrivé ? demanda la servante personnelle du Râjâ qui, dans tous ses états, avait du mal à contrôler ses émotions. Nous vous cherchions depuis ce matin lorsque je vous ai vu, par hasard, au fond du lac ! Tous ceux qui ont essayé de plonger à votre rescousse ont été violemment éjectés des eaux !

Ici, on vous croyait mort ! Vous flottiez à la surface, sans respirer et presque immobile ! Expliquez-nous, je vous en prie…

Heureux de constater l'affection que ses gens avaient pour lui, le Râjâ se contenta d'adresser un clin d'œil à sa servante et essaya, par quelques gestes maladroits, de rassurer les habitants du sanctuaire.

Malgré cela, la femme continua.

— Vous devez aussi savoir que… Enfin, mais dites-lui ! s'exclama-t-elle en regardant le chef des gardes.

— Oui…, balbutia l'homme, un peu surpris, euh… nos éclaireurs confirment qu'une patrouille de soldats de Veliko Tarnovo marche en notre direction. Ils sont munis de grappins et de cordes, sûrement pour escalader la montagne. Nous devons rapidement faire quelque chose, sinon notre sanctuaire sera bientôt découvert ! Que faisons-nous ?

— C'est la fin ! lança la servante, toujours aussi excitée. Il faudra que nous soyons plus prudents à l'avenir et que nous…

Le Râjâ posa doucement un doigt sur la bouche de la femme afin qu'elle se taise. Il n'y avait pas des dizaines de solutions à ce problème d'intrus.

— Et la patrouille ? Nous l'éliminons ? se risqua à demander de nouveau l'un des gardes. Votre servante a raison : si nous sommes découverts, ce sera la fin de…

De nouveau, le Râjâ demanda le silence.

Le moment était venu de prendre sa première décision en tant que nouveau souverain. Devant lui, des hommes et des femmes apeurés attendaient qu'il agisse comme un roi. Mais il ferait plus que cela, il agirait comme Osiris-Path l'aurait fait en Égypte. Les humains parlaient entre eux la langue de la guerre, de la peur et de l'humiliation. En compagnie des Égyptiens, le Râjâ avait appris dans les moindres détails ce vocabulaire. Il ne restait plus maintenant qu'à appliquer ces règles dans le quotidien. Les Thraces désiraient connaître ce qu'il y avait en haut de sa montagne ? Eh bien, ils l'apprendraient à leurs dépens !

Maintenant confiant dans ses capacités de régner et de faire face aux problèmes, le Râjâ marcha d'un pas assuré vers l'armurerie du sanctuaire. Quoique l'endroit fût bien dégarni, il y trouva malgré tout deux épées de bonne qualité. Sous les regards intrigués de ses gens, le roi passa les portes et disparut bien vite entre les branches de la forêt.

— Que dois-je faire ? demanda le chef de la garde à son entourage. Je le suis ou pas ?

— Aucune idée…, répondit un de ses hommes, aussi étonné que lui. Il n'a rien demandé…

— Il ne va quand même pas affronter une patrouille thrace à lui seul ! insista le chef. Ce sont de fameux guerriers !

— Mais il va se faire tuer, c'est certain ! s'exclama la servante du Râjâ.

— Nous devrions peut-être sauter dans le lac, puis, une fois loups, courir le rejoindre, proposa un autre garde.

— Mais pour agir, il nous faut des ordres ! répondit son chef. On ne connaît pas ses intentions, ni sa stratégie ! Imagine qu'il désire les espionner en paix, il n'apprécierait pas que nous débarquions sans avertissement ! Je n'ai pas envie de déplaire à notre nouveau souverain.

— Calmez-vous et soyez patients, fit la voix de Misis qui avait assisté à la scène. Il vaut mieux ne rien faire et demeurer patients…

— Mais comment peux-tu en être certaine, Misis ? demanda la servante.

— J'en suis convaincue parce que je le connais, répondit-elle. Il reviendra à la tombée du jour et les inquiétudes que nous cause cette patrouille thrace seront dissipées. J'aimerais que nous l'accueillions avec un banquet. Est-ce possible ?

— Un banquet ? s'étonna le cuisinier. Mais nous vivons sur nos réserves, et nous avons besoin d'économiser ! Les denrées sont rares…

— Depuis le retour du Râjâ, nous lui avons offert nos doutes et nos angoisses, continua Misis. Il est temps de changer notre discours et de lui prouver que nous croyons en lui. Mangeons ce qu'il nous reste de nourriture et buvons tous les barils de vin que nous avons. Il est temps de saluer correctement la venue de notre roi.

— Tu te prends pour la reine, Misis ? lança une femme parmi les habitants rassemblés.

— Je vous demande d'avoir confiance, c'est tout ! Placez tous vos espoirs dans votre souverain et appuyez-le du mieux que vous le pouvez ! De cette façon, vous trouverez la sécurité et la paix ! Ayez la foi, il ne vous décevra pas !

Un murmure se répandit dans l'assistance.

— Alors, ça vient, ce banquet ? insista Misis. Placez des tables autour du lac et sortez nos plus belles nappes ! Il faudra installer des torches aussi, puis j'aimerais que les frères Yokolp jouent de leurs instruments ce soir. Mais qu'attendez-vous pour vous bouger ?

— Oui, elle a bien raison, notre Misis ! approuva le cuisinier. Amusons-nous un peu, ça ne nous fera pas de mal ! Allez, mes cuistots, apportez du bois pour les fours !

— Avec mes hommes, je m'occupe des tables ! fit le chef de la garde.

Bientôt, tous les habitants du sanctuaire étaient au travail, préparant le premier banquet en l'honneur de leur roi.

Exactement comme l'avait promis Misis, ce n'est qu'au coucher du soleil que le Râjâ passa la lourde grille d'entrée. Lorsqu'il pénétra dans le sanctuaire, quelle ne fut sa surprise de voir que tous ses gens l'attendaient, un verre à la main, en dansant comme des forains !

Aussi estomaqués de voir entrer leur souverain tirant une bonne cinquantaine de têtes ennemies attachées les unes aux autres par les cheveux, les fêtards figèrent sur place. Personne ne connaissait suffisamment le Râjâ pour savoir comment il allait réagir. Personne, sauf Misis.

— Tu as passé une bonne journée, Pan ? lui dit-elle comme s'il rentrait d'un simple tour de garde. Oh, je vois avec toutes ces têtes que tu ne t'es pas ennuyé ! Nous avons pensé te faire une petite fête... Enfin, si ça te déplaît, je tiens à ce que tu saches que c'était mon idée !

Le Râjâ afficha un large sourire.

— Je vois que tu es content ! s'exclama Misis, réjouie. Laisse ces têtes de sauvages à l'extérieur et monte dans tes appartements, ta servante y a préparé un bain. Tu pourras nettoyer tout le sang qui tache ton poil, mettre des vêtements propres et venir nous rejoindre. Ça te va, comme activité de soirée ?

D'un bref signe de la tête, le Râjâ accepta d'emblée la proposition.

Aussitôt, la musique reprit et des applaudissements fusèrent de toutes parts.

III

Pour se préparer à son rendez-vous tant attendu avec le Râjâ, Misis quitta le sanctuaire deux jours avant la pleine lune. Le monolithe où ils s'étaient si souvent vus se trouvait à une bonne distance du lac sacré. Cette avance ne serait pas de trop, car le voyage en terre thrace était périlleux. De nombreuses patrouilles gardaient le territoire. Même si elle savait se défendre, la jeune femme craignait de faire une mauvaise rencontre. Il lui importait aussi de bien établir son campement près du lieu de rendez-vous. Par-dessus tout, elle voulait disposer de tout son temps afin de se faire belle pour Pan.

Le Râjâ, quant à lui, quitta ses appartements du sanctuaire le jour même du rendez-vous. Heureux de pouvoir courir à nouveau dans les forêts qui avaient jadis accueilli ses jeux d'enfant, il s'amusa à revisiter des endroits qu'il n'avait pas vus depuis fort longtemps. Il fit un détour par les immenses plantations dont Sénosiris avait la charge et fut surpris de voir la taille des arbres. Des troncs impressionnants avaient remplacé les frêles tiges d'autrefois. Tout près, le ruisseau coulait toujours, et le petit étang à grenouilles grouillait de vie. Rien de mieux pour une rapide baignade rafraîchissante, se dit le Râjâ en bondissant dans l'eau fraîche. Pendant qu'il s'amusait à faire des bulles, il remercia la déesse de la lune de lui offrir tant de bonheur. Ces magnifiques moments en forêt lui rappelaient l'importance qu'avaient sa terre et ses arbres pour lui. Certes, ce n'était plus son royaume, mais hors des jeux politiques, toute cette végétation était à lui. Elle était son monde, sa jeunesse et serait aussi son futur.

Lorsqu'il arriva au monolithe, le Râjâ avait entre les mains un bouquet de fleurs sauvages. Il y découvrit une Misis tout en beauté qui portait sur elle tous les bijoux qu'il lui avait jadis offerts. À chacune de leurs rencontres, Pan apportait à son amie un diadème ou une bague, des colliers aussi. Tous avaient la particularité d'avoir été volés à des marchands ou à des proches de la reine Électra. La jeune Misis avait miraculeusement réussi à les cacher aux autorités d'Odessos avant son emprisonnement. Ce soir, ainsi parée des joyaux de leur passé, elle était splendide à voir.

Le Râjâ lui tendit les fleurs qu'elle accepta avec émotion.

— C'est si bon de te revoir, ici, Pan..., dit-elle en essuyant une larme. Nous voilà enfin réunis à l'endroit précis où nous avions juré nous rencontrer chaque pleine lune. C'est précisément ici, mon cher Pan, que ma vie a basculé. Le soir fatidique où tu n'es pas venu, j'ai été arraisonnée et conduite de force à Odessos...

Misis se ressaisit.

— Non... je ne te raconterai pas cela ce soir ! Je ne veux pas qu'une ancienne histoire vienne troubler notre rencontre. Ma vie peut maintenant reprendre son cours...

Le Râjâ la serra un long moment dans ses bras, puis l'embrassa.

— Grâce à toi, je respire à nouveau, lui murmura Misis, soulagée d'un incommensurable poids. Si tu savais comme j'ai espéré ton retour...

Les amoureux savourèrent encore quelques instants leurs retrouvailles officielles, puis Misis invita Pan à s'asseoir dans l'herbe, près du monolithe.

— Tu veux me raconter ton voyage, Pan ? lui demanda-t-elle. Je veux tout savoir de ton aventure en Égypte ! Tout, dans les moindres détails !

Comme le Râjâ ne pouvait pas parler et ne savait que s'exprimer par signes, la narration des nombreuses années qu'il avait passées au service du pharaon n'allait pas être une mince tâche. Devant l'impossible mission de rapporter sur-le-champ tout ce qu'il avait vécu à son aimée, Pan se contenta de hausser les épaules.

— Par où commencer, voilà une bonne question, n'est-ce pas ? rigola Misis qui avait décelé dans l'expression du Râjâ la complexité de sa demande. Il faudra y aller doucement... un événement à la fois. Mais avant tout, tu devras m'enseigner la langue des signes que tu utilises si bien. Une fois que nous pourrons mieux communiquer, tu me raconteras !

— Oui – mieux – ainsi, répondit le Râjâ en trois signes distincts.

— Euh… ce sera long, car je n'ai rien compris à tes mouvements ! s'amusa Misis. Mais comment faisions-nous, enfants, pour réussir à nous comprendre ? C'est bizarre, car j'ai des souvenirs de conversations très claires avec toi.

Le Râjâ rigola un bon coup, puis commença à imiter Misis en train de parler. Il la pointa ensuite du doigt.

— Quoi ? Tu es en train de me dire que c'est moi qui parlais tout le temps ! s'indigna faussement la jeune femme. Je te prierais de ne plus refaire cette mauvaise imitation ! Tu sauras que je ne parle pas autant que tu le dis…

Pan pouffa.

— Holà ! Mais tu te moques de moi ? Et puis, bon, je l'avoue… j'ai peut-être tendance à bavarder toute seule, mais comme tu ne parles jamais, il faut bien que je fasse la conversation pour deux ! Tu sauras que ce n'est pas toujours évident de faire les questions et les réponses. J'ai quand même du mérite !

Pour faire taire un peu Misis qui semblait sur une lancée, le Râjâ sortit sa flûte du sac qu'il portait en bandoulière et joua quelques notes. Comme il ne s'était pas exercé depuis des années, les premiers sons ressemblaient au chant d'un oiseau malade.

— Hum… il y a des choses qui ne s'améliorent pas avec le temps ! le taquina Misis, de belle humeur. J'espère que je n'ai pas fait tout ce chemin pour te voir cracher ainsi dans ton instrument ! Si au moins la mélodie était jolie, je ne dis pas…

Le Râjâ lui demanda une deuxième chance, puis replaça ses lèvres sur sa flûte. Cette fois, il réussit à jouer un air qu'il lui avait souvent interprété jadis.

— Voilà qui est mieux, fit Misis, encouragée par les progrès de son Pan. Continue, c'est de mieux en mieux ! Cela me rappelle de si beaux souvenirs… Continue. Je nous ai préparé quelques plats !

Tout en l'écoutant jouer, Misis déploya sur le sol une grande nappe et y déposa un panier rempli de nourriture. D'une petite amphore, elle versa deux verres de vin. Depuis qu'Électra avait perdu son royaume aux mains des Thraces, il n'y avait plus de vignes accessibles, et le vin était devenu une denrée rare au sanctuaire du lac sacré. Pour s'en procurer, il fallait la plupart du temps le voler sur la route à des marchands peu prudents se promenant sans une escorte armée.

— Tu aimes le vin, Pan? lui demanda Misis. Je ne sais pas si celui-là est très bon. Cela fait déjà un bon bout temps qu'il était au sanctuaire. J'ai demandé au cuisinier s'il était buvable, mais il n'a pas su me répondre. Pour le savoir, il aurait fallu desceller l'amphore, alors j'ai tenté ma chance! Enfin, ce n'est sûrement pas le nectar que tu buvais à la table du pharaon d'Égypte, mais c'est tout ce qu'il y avait dans notre modeste sanctuaire.

Pan cessa de jouer de sa flûte et il se mouilla les lèvres dans la coupe. En effet, ce n'était pas le meilleur vin qu'il avait goûté, mais il était buvable.

Il indiqua à Misis qu'il était bon.

— Je suis contente que tu l'aimes, se réjouit-elle, car les victuailles sont de plus en plus difficiles à trouver. Les habitants du sanctuaire ne vivent plus que de la chasse et d'un peu d'agriculture. Autour du lac, les terres ne sont pas très riches et peu de choses arrivent à pousser. Il faudra remédier à cela si notre communauté veut prospérer! Surtout après le banquet de l'autre soir...

Misis s'arrêta quelques secondes de parler, puis essuya une larme, celle-là d'anxiété. Elle s'en voulait maintenant d'avoir proposé de faire la fête plutôt que d'avoir conseillé la modération.

— Pardon..., continua-t-elle. Je suis si heureuse de te retrouver, mais en même temps très inquiète pour notre avenir. Tu sais, nous ne pourrons pas tenir notre existence secrète encore très longtemps. Lorsque les Thraces découvriront le sanctuaire du lac, j'ai bien peur qu'ils le rasent. De jour en jour, nos hommes dépérissent, et quoiqu'ils bénéficient des bienfaits de leurs fréquentes transformations en loups, ils demeurent mortels. Il nous faudrait convertir des villages entiers à notre cause, et que tous leurs habitants se baignent dans le lac et... Pfff! Je suis désolée de te faire part de tous ces problèmes un jour important comme celui-ci. Mais c'est une telle source d'angoisse pour tous les habitants qu'il m'arrive aussi de douter ! Moi qui leur ai demandé d'avoir la foi, me voilà contaminée par leurs inquiétudes. Regarde comme je suis ! Voilà que je brise un si beau moment en ta compagnie avec des…

Pan l'interrompit, sourit, puis lui caressa tendrement la joue. Depuis le banquet, le Râjâ n'avait plus de doutes sur lui-même ni sur ses capacités à régner. Misis avait fait le bon choix, et son empathie pour les habitants du sanctuaire avait sur lui un effet apaisant. Le Râjâ se sentait aimé des siens et ne regrettait plus l'Égypte ni les longues vacances qu'il s'était accordées au pays de D'mt. Avec Misis pour régner à ses côtés, il savait que les problèmes, quels qu'ils soient, finiraient par se régler. Ensemble, ils étaient capables de tout !

— Tu connais la légende des hyrcanoï, n'est-ce pas ? lui demanda-t-elle pour changer de sujet.

Le Râjâ acquiesça en buvant un peu de vin.

— Il y a toutes sortes d'histoires qui courent sur ces êtres fantastiques, mais les plus intéressantes parlent d'un lac. Les hommes qui y plongeaient ressortaient sous la forme de loups. Nous savons bien que ce n'est pas une légende, puisque nous connaissons ce lac ! Selon la prophétie des dactyles, tu es celui qui doit établir le règne des hyrcanoï dans le monde…

— Alors ? répondit le Râjâ d'un signe de la main.

Misis sourit. Elle se rappelait de la signification du mouvement que Pan venait de faire. Il s'en servait jadis pour lui dire de continuer ses explications.

— Donc… tout ce que tu as vécu récemment, ton grand voyage en Égypte, aurait normalement dû te servir à mieux comprendre ta fonction, ton devoir de souverain ! Non ? As-tu une idée de ce que tu dois faire maintenant ? Comment feras-tu pour établir le règne des hyrcanoï ?

Pan se contenta de hausser les épaules.

Il aurait aimé expliquer à Misis que tout ce qu'il avait vu et vécu sur les terres du pharaon recélait bien peu de nobles enseignements et que, selon lui, seul un sage comme Sénosiris avait les véritables qualités d'un grand souverain. Dans l'opulence et la richesse de la cour de Mérenptah, il n'avait pas connu de grandes amitiés ni même fait des rencontres marquantes.

Il s'était contenté d'obéir le mieux possible aux ordres et de s'entraîner à devenir un redoutable guerrier. Là-bas, il avait appris à dominer et à se battre, à tuer pour obtenir ce qu'il désirait, mais surtout à perpétuer la hiérarchie des classes sociales. Lui qui croyait découvrir le pays des récits fabuleux que lui racontait jadis Sénosiris s'était vite rendu compte qu'il n'y avait rien de très poétique ni merveilleux dans la réalité des sables du désert. Bien sûr, il y avait de beaux paysages et le Nil était un fleuve extraordinaire, mais les Égyptiens ne l'avaient jamais considéré comme l'un des leurs à part entière. Il était Osiris-Path, la créature divine que l'on craint et respecte, mais pas l'être humain avec qui l'on tisse des liens amicaux. D'ailleurs, il n'avait jamais été un homme à leurs yeux, mais plutôt une affreuse créature dotée d'intelligence et de crocs.

— Il faudra pourtant trouver une façon de réaliser la prophétie ! Dans tous les cas, je veux t'assurer que tu pourras toujours compter sur moi ! Maintenant que tu es revenu, je ne te lâcherai plus, à moins que tu me le demandes.

C'est ce moment que choisit le Râjâ pour sortir de son sac une petite boîte de bois finement sculpté contenant deux anneaux en or. Ces bijoux, qu'on appelait les joncs de la destinée, étaient le symbole de l'union sacrée entre deux personnes. Pan offrait à Misis de devenir sa reine et de partager avec elle tous ses pouvoirs.

— Oh ! Je… Pour être franche, je m'attendais un peu à cela, mais pas si rapidement… je…

Émue, Misis tendit la main et prit délicatement entre ses doigts l'anneau royal. Son désir le plus cher, celui d'épouser le Râjâ, se réalisait enfin. Pour vivre ce moment unique, elle avait dû éliminer autour d'elle toute influence autre que la sienne. Elle avait orchestré la mort d'Électra et l'enlèvement de son bébé par Nosor Al Shaytan, et lancé Sénosiris sur les traces de l'enfant. Tous ceux qui auraient pu lui barrer le chemin vers le pouvoir avaient été écartés. Le jour de son triomphe était arrivé.

— Je serai la plus fidèle des reines du monde, murmura-t-elle pendant que le Râjâ passait l'anneau à son doigt. Nous reconstruirons ton royaume et ferons payer ceux qui nous ont fait du mal, n'est-ce pas, Pan ?

Le Râjâ sourit. Cette tirade guerrière avait le charme de sa naïveté.

— Ensemble, toi et moi, nous ferons renaître les hyrcanoï et nous étendrons notre pouvoir à tous les royaumes. Rien ne pourra plus nous séparer, jamais !

Comme Misis s'avançait pour embrasser son roi, celui-ci fut soudainement distrait par une odeur étrange. Sans brusquer sa future femme, il la repoussa et lui fit signe de ne pas faire de bruit.

Au loin retentirent alors les grognements apeurés d'un loup qui implorait de l'aide.

— Que se passe-t-il, Pan ? s'inquiéta Misis. Quelque chose ne va pas ? Pan ? Mais que fais-tu ? Explique-moi…

Par quelques signes, le Râjâ demanda à Misis de ne pas bouger, puis il fonça à toute vitesse en direction de la forêt. L'appel au secours était clair, et il n'y avait pas un instant à perdre !

Bondissant à travers les arbres, le nez relevé pour sentir la piste olfactive du loup, le Râjâ comprit bien vite qu'il s'agissait d'une bête pourchassée. L'odeur persistante du crottin de cheval mêlée à l'âcreté de celle de la sueur était la preuve incontestable d'une chasse menée par des humains. Ils devaient être cinq ou six à poursuivre la pauvre bête.

Un second cri de détresse retentit dans la forêt. Le Râjâ aperçut alors au loin une trouée où le feu de quelques torches attira son attention.

Tête baissée, il fonça dans cette direction.

Lorsqu'il déboucha dans la clairière, cinq chasseurs thraces entouraient une jeune louve terrifiée. Le pauvre animal, blessé à plusieurs endroits, semblait implorer ses bourreaux de lui laisser la vie sauve.

— Une autre peau de plus ! lança un des hommes en tirant de sa selle une grande lance. C'est la petite dernière, celle-là !

— Allez ! s'exclama un autre. Tue-la qu'on retourne à la maison, je suis fatigué.

— Oui, ce fut une bonne chasse, répondit le premier homme en s'élançant pour transpercer la louve.

Comme il allait s'exécuter, le chasseur reçut une pierre en plein front, qui le renversa. Aussitôt, les chevaux commencèrent à ruer de façon anormale et déguerpirent sans leurs cavaliers. Malgré les efforts acharnés des hommes pour retenir leurs montures, celles-ci disparurent dans la nuit.

— Mais que se passe-t-il ici ? cria le chasseur qui saignait maintenant au-dessus de l'œil. Qui est là ?

Par mesure de précaution, les hommes dégainèrent leurs épées et adoptèrent une formation circulaire, dos à dos. De toute évidence, il s'agissait de guerriers expérimentés. Ces chasseurs avaient appris l'art du combat.

Pendant qu'ils essayaient de voir, grâce à leurs torches, qui pouvait bien les menacer, le Râjâ se rendit aux côtés de la jeune louve et la prit dans ses bras. La bête, tout d'abord surprise, comprit rapidement qu'elle n'avait plus rien à craindre et se laissa porter sans se défendre. Le Râjâ la déposa à la lisière de la forêt et lui demanda, d'un petit signe de tête, de l'attendre sans bouger. Obéissante et soumise, la louve baissa les oreilles et commença à lécher ses plaies.

— Qui est là ? hurla un des chasseurs s'adressant aux ténèbres. Montre-toi, ou tu en subiras les conséquences !

— Tu entends quelque chose, toi ? murmura un des hommes à son voisin. On dirait bien qu'il n'y a rien… Le silence est complet… Même la chouette ne hulule plus. S'il y avait quelqu'un, on l'entendrait, non ?

— Et cette pierre, c'est le loup qui me l'a lancée, peut-être ? D'ailleurs, où est-il, celui-là ? Il était juste ici ! Bon, ça y est, la bête s'est enfuie !

Pour une des rares fois de sa vie, le Râjâ ouvrit la bouche et laissa vibrer ses cordes vocales.

— PAN ! fit-il de toutes ses forces.

Les chasseurs bondirent de surprise puis y allèrent de vociférations bien senties. Accompagnant leur mouvement de quelques bons jurons, ils resserrèrent les rangs.

— C'était quoi, ça ? Un animal ? Tu vois bien, crétin, qu'il y a quelque chose, là, dans le noir ! Nous ne sommes pas seuls.

— Je n'ai jamais entendu un tel cri ! s'exclama l'un des chasseurs, paniqué. Cela fait des années que je parcours les bois et je n'ai jamais entendu ce cri auparavant. Ce n'est pas un animal, en tout cas…

Pendant qu'ils élaboraient leurs hypothèses, le Râjâ se tenait debout dans les ténèbres et les observait attentivement. Ces hommes jouaient les braves, mais au fond d'eux, ils étaient terrorisés. L'odeur caractéristique de la peur, celle qui émane d'un combattant angoissé par la mort, s'était répandue dans toute la clairière. Les chasseurs étaient maintenant chassés, et cette situation amusait grandement le Râjâ.

— PAN! PAN! hurla-t-il de toutes ses forces avant de changer de position.

— AAAAAH! s'exclamèrent les chasseurs à l'unisson en regardant frénétiquement autour d'eux.

— PAN! fit encore le Râjâ.

— Ce salaud joue avec nous! s'exclama un des hommes. Nous sommes cinq et tu es seul! Sors de l'ombre tout de suite ou ce sera ta fête lorsque nous... AAAAAAAH!

Le Râjâ avait fait un pas rapide en sa direction et il avait surgi devant lui.

— AAAAHH! hurla de nouveau le chasseur. C'EST UN MONSTRE, JE L'AI VU! C'EST UN MONSTRE! IL FAUT FUIR! VITE! FUYONS!

— Ne bouge pas de là, lui recommanda un de ses compagnons. Notre meilleure défense, c'est de rester groupés!

— JE L'AI VU, C'EST UN MONSTRE! UN ANIMAL! DES CROCS!

Affolé par la vision qu'il venait d'avoir, le chasseur quitta ses amis et courut à toutes jambes en direction de la forêt. Malgré les protestations de ses acolytes qui le sommaient de revenir, l'homme n'en fit qu'à sa tête. Le Râjâ se lança alors à sa poursuite et lui bondit sauvagement dans le dos.

— NOOON! hurla le chasseur en s'écrasant sur le sol. PITIÉ! NON! NON!

En deux coups de griffes, Pan l'égorgea puis lui arracha la tête. Il l'empoigna ensuite par les cheveux et la lança en direction des autres chasseurs. L'un d'eux la reçut en plein visage et, couvert du sang de son compagnon, poussa une série de cris d'horreur. De toute évidence, le mort n'avait pas menti, il y avait bien un monstre caché dans les ténèbres et celui-ci n'entendait pas à jouer.

Les cris des chasseurs se succédèrent. Le son de leur douleur vola chaque fois au-dessus de la forêt pour atteindre les oreilles de Misis. Restée près du monolithe, elle les écouta en sachant très bien qui était leur bourreau.

Si Pan avait décidé de les éliminer, c'est parce qu'ils l'avaient mérité.

Lentement et patiemment, le Râjâ tua les chasseurs un à un en prenant bien soin de leur faire vivre l'angoisse que l'on éprouve quand on est chassé par une créature plus forte que soi. Comme ils l'avaient fait subir à plusieurs meutes de loups, les chasseurs vécurent l'horreur de voir leur groupe décimé. Ils ressentirent toute la peur d'être confrontés à un ennemi sauvage habité par une insatiable soif de sang. Ces chasseurs, devenus des proies, ne firent pas mieux que les bêtes qu'ils avaient assassinées et implorèrent eux aussi la clémence de leur exécuteur. Sans merci et sans pardon, leur châtiment fut en tout point semblable à celui qu'ils se préparaient à infliger à la jeune louve.

Au crépuscule, le Râjâ retrouva Misis près du monolithe. Il portait entre ses bras l'animal blessé qui dormait paisiblement.

— Dépose-la ici, lui dit-elle en arrachant de sa robe des bandes de tissu. Je sais ce qu'il faut faire.

Misis regarda autour d'elle et sélectionna quelques plantes qui poussaient dans la clairière. Rapidement, elle broya les tiges et les feuilles pour en faire une pâte épaisse et appliqua ensuite sa préparation sur les plaies de l'animal. Anxieux, le Râjâ observa le travail de Misis et découvrit avec étonnement ses talents de guérisseuse.

— Il faudra qu'elle se repose quelques semaines avant de pouvoir courir de nouveau, observa Misis en resserrant ses bandages. Comme nous ne pouvons pas la laisser ici, il faudra qu'elle nous accompagne au sanctuaire. Te sens-tu capable de la porter jusque-là ?

Le Râjâ valida d'un signe de tête.

— Je pars en avance… Fais vite. Je t'y attendrai…

IV

Pour une seconde fois, le Râjâ entra dans le lac.

Comme à son premier plongeon, il eut une nouvelle fois l'impression de flotter parmi les étoiles.

— Mon fils, mon enfant chéri…, lui chuchota une voix à l'oreille, te revoilà…

Le Râjâ ouvrit la bouche et essaya d'articuler quelques mots. Il en fut incapable. Une foule de questions se bousculaient en lui, mais il ne pouvait pas les formuler. Plus que tout au monde, le nouveau roi aurait aimé savoir à qui appartenait cette voix et pourquoi elle ne se manifestait que lors de ses baignades dans le lac.

— Si tu crois que ta voix sera plus belle que le silence qu'elle brisera, j'autoriserai que tu me parles… mais réfléchis bien…, lui murmura la voix qui avait pressenti son questionnement.

En ouvrant la bouche, le Râjâ se ravisa. Il eut peur de lui déplaire.

— Ce que tu apprendras aujourd'hui, retiens-le toujours, car il s'agit d'une des grandes vérités de notre monde. Tu dois savoir que les humains ne sont pas là pour gouverner la terre, mais bien pour servir. Ce sont des créatures qui ont besoin d'être domestiquées afin qu'elles puissent exécuter les tâches qui leur sont dévolues. Dès leur plus jeune âge, on apprend aux enfants à vivre et à prendre une place dans l'ordre de l'univers. De génération en génération, les humains se transmettent des croyances sur lesquelles ils construisent leur propre vision du monde. Ils apprennent d'abord à nommer les choses autour d'eux, puis vont dans des écoles ou des temples pour apprendre à exercer une fonction au sein de leur société. Avec l'aide des anciens, ils perpétuent la chaîne du travail. Ainsi, les forgerons se remplacent, et les boulangers continuent pendant des siècles à faire du pain. Grâce à un système de punitions et de récompenses, les humains dressent d'autres humains dans une chaîne sans fin. Pourquoi en est-il ainsi? Parce qu'ils sont faibles et ne disposent que d'une conscience limitée…

Le Râjâ pensa tout de suite à Sénosiris. L'Égyptien ne cadrait certainement pas avec la description que la voix du lac venait de faire.

— Mais il existe des humains doués d'une spiritualité hors du commun, continua-t-elle comme si elle avait lu dans ses pensées. Ceux-là sont nos égaux et doivent exercer le pouvoir à nos côtés. Ce sont eux qui seront amenés à domestiquer d'autres humains afin qu'ils servent une cause juste, la nôtre…

Les yeux fermés, le Râjâ plongea dans ses souvenirs et se remémora le long voyage qu'il avait fait en Égypte. En tant qu'Osiris-Path, il avait directement expérimenté ce que la voix venait de lui révéler. Les humains étaient bien des créatures domesticables qui, pour fonctionner correctement en société, avaient besoin d'un système complexe de punitions et de récompenses. Tout comme les habitants de son propre royaume, les Égyptiens agissaient de façon correcte s'ils avaient peur d'être punis. À tout prix, ils désiraient plaire à leurs dieux, leur pharaon, leurs prêtres et leurs supérieurs hiérarchiques, et cela, dans l'unique but d'obtenir d'eux des faveurs. Les passants se prosternaient devant Osiris-Path parce qu'ils avaient peur de lui déplaire, et ainsi, d'être punis ou réprimandés. Pour lui plaire, les sujets de Mérenptah étaient prêts à renier jusqu'à leur propre nature.

— Les humains se fabriquent des lois et ne fonctionnent bien que dans le cadre de ce système où tout est contrôlé. Chez eux, contrevenir aux règles cause une réaction émotionnelle d'insécurité, et l'angoisse qui s'ensuit devient vite insupportable… Tu dois, mon fils, prendre conscience de cette particularité et t'en servir pour protéger l'harmonie de ce monde. Si tu réussis à donner ce sens à ta quête, les hommes te vénéreront et les véritables rois de la terre pourront enfin prendre la place qui leur revient… De ces grands souverains, tu es le premier, mais il en viendra d'autres…

Sur ces dernières paroles, le Râjâ émergea lentement du lac et fit quelques brasses pour regagner la rive.

Toujours aussi confus sur la nature de sa mission, il s'assit au bord du lac et regarda danser la lumière de la lune sur les petites ondulations de l'eau. La nuit était avancée, et le sanctuaire était aussi paisible et silencieux que son voyage dans les étoiles. Aussi troublant également, car le silence portait en lui une part de mystère que le Râjâ n'arrivait pas à résoudre.

— Je te sens troublé, Pan…, dit soudainement une douce voix derrière lui.

Misis, qui portait une chandelle, vint s'asseoir à ses côtés.

— Cela fait plusieurs jours que tu ne dors pas, lui dit-elle. En fait, tu n'as pas fermé l'œil depuis que nous avons ramené la jeune louve blessée. Tu t'inquiètes pour elle ? C'est ça ? Si c'est cela, tu n'as aucune raison de t'en faire, je me suis occupée d'elle et je te promets qu'elle sera vite sur ses pattes.

Le Râjâ soupira.

Comment expliquer simplement à Misis qu'à chacun de ses bains dans le lac il entendait la voix d'une étrange femme qui lui parlait ? Par quel moyen lui avouer qu'il n'avait aucune idée de ce qu'il devait faire pour regagner son royaume ? De quelle façon lui faire comprendre son désarroi vis-à-vis les Thraces qui intensifiaient leurs patrouilles dans les forêts autour du sanctuaire ? S'il avait été en Égypte, la communication aurait été plus facile, mais sans quiconque pour décoder ses signes, le Râjâ était condamné au mutisme.

— Tu ne réponds pas…, constata Misis, déçue. Et si nous essayions de cette façon ?

En terminant sa phrase, la jeune reine se lança dans le lac. Exactement comme il était arrivé à tous les humains l'ayant précédée, elle sentit son corps se modifier et prendre l'apparence de celui d'un animal. Lorsqu'elle émergea, Misis avait pris la forme d'une grande louve aux poils bruns. En l'observant qui sortait de l'eau, le Râjâ eut un petit rire nerveux. C'était la première fois qu'il la voyait ainsi et, de toute évidence, cette nouvelle apparence lui allait à merveille.

Misis se secoua, puis elle marcha à pas feutrés jusqu'à son amoureux. Elle se coucha contre lui et déposa sa tête sur l'une de ses cuisses. Naturellement, le Râjâ commença à lui caresser les oreilles et la tête. Ils demeurèrent ainsi un long moment avant que Misis, câlinée, ne s'endorme profondément.

À son tour, elle eut une vision.

— C'est la dernière fois que je te parle…, lui dit une voix en songe.

Misis reconnut immédiatement le spectre de la dactyle Séléné. Elle ne l'avait pas entendu depuis qu'elle avait incendié la nécropole qui lui servait de demeure.

— C'est aujourd'hui la fin des rites anciens et des prophéties sur la venue du Râjâ, continua-t-elle. Tu as été choisie, tout comme les anciennes dactyles, pour accomplir une tâche dans les plans divins de Börte Tchinö.

— Et quelle est cette tâche? demanda Misis, méfiante.

— Tu dois protéger les hyrcanoï.

— C'est-à-dire?

— Toutes les épreuves que tu as vécues dans ta jeunesse t'ont préparée à devenir la reine que tu seras à l'avenir. Ta rencontre avec le Râjâ, ton emprisonnement et ton viol, notre rencontre ainsi que celle de Nosor n'étaient que des étapes à franchir avant le jour de ton règne. Grâce aux obstacles que tu as surmontés et aux rencontres que tu as faites, ton âme et ton corps se sont endurcis. Tu connais les secrets du culte de la nature et l'art de te servir de la faiblesse des humains pour arriver à tes fins. Tu devras bientôt utiliser ces deux talents afin d'aider à protéger les hyrcanoï des dérives humaines. Si le monde est laissé aux hommes seuls, ils le détruiront. Tu existes, Misis, pour protéger l'esprit supérieur des nouveaux rois de la terre.

— Je ne comprends pas, Séléné, fit Misis, impatiente. Qui sont les hyrcanoï, et comment puis-je les protéger à moi seule?

— Les hyrcanoï sont une même race divisée en deux groupes distincts, les fondateurs et les protecteurs. C'est par le Râjâ que les fondateurs verront enfin le jour, alors que les protecteurs seront sous ta responsabilité…

— Les fondateurs et les protecteurs, répéta Misis, surprise par la révélation. Je ne suis pas guerrière ni stratège militaire… je ne peux pas…

— Ne t'en fais pas, tu es prête, la coupa la voix de Séléné. Tu sauras comment agir lorsque le moment se présentera. Mais pour accomplir correctement ton destin, tu devais être avertie. Maintenant que c'est fait, je te quitte.

— J'ai encore tant de questions…

— Et moi, je n'ai plus de temps pour y répondre.

Les premiers rayons d'une nouvelle journée teintaient le ciel lorsque Misis ouvrit les yeux. Toujours sous sa forme animale, elle balaya du regard les environs, mais ne vit pas de traces du Râjâ. Son odorat lui confirma qu'il n'était pas loin, possiblement dans ses appartements. Elle n'avait donc pas à s'inquiéter de son absence.

Encore un peu ensommeillée, Misis étira chacune de ses pattes et s'ébroua afin de bien se réveiller. La journée s'annonçait magnifique, parfaite pour faire une promenade tout en repensant à cet étrange rêve.

Agile et élégante, elle passa en quelques bonds le mur du sanctuaire et entreprit la descente de la montagne. Arrivée en pleine forêt, Misis s'abreuva à l'eau claire d'un petit ruisseau, puis s'assit quelques instants pour réfléchir.

« Les fondateurs et les protecteurs…, pensa-t-elle en admirant les rayons du soleil traversant l'épais feuillage des arbres. Si je n'ai pas inventé toute l'histoire, ma tâche serait d'aider Pan à protéger les fondateurs ? Cela m'apparaît difficile de sauvegarder quelqu'un qu'on ne connaît pas ! Séléné m'a bien dit que ces fondateurs verraient ENFIN le jour, ce qui m'indique qu'ils ne sont pas encore là. D'où viendront-ils si… »

Les oreilles de Misis se redressèrent soudainement. Un bruit de pas dans la forêt ! Silencieusement, elle se glissa sous un arbuste et attendit.

Un gros bonhomme corpulent à la figure rougie portant un tablier de cuir et des vêtements trop petits pour lui déboucha près du ruisseau. Haletant, il cria quelques mots à quelqu'un se trouvant derrière lui.

— Ici ! J'ai trouvé de l'eau !

— Où es-tu ? hurla l'autre. Je ne te vois pas !

— Bougre d'imbécile, je suis à quelques pas en face de toi ! lui répondit-il avant de se mettre à quatre pattes pour s'abreuver.

— C'est vrai que tu es difficile à manquer, mon gros! Je vois tes énormes fesses à travers les branches. Dis-moi, cette fente est bien à toi, ou c'est une grotte?

Un grand maigrichon arborant une généreuse moustache sortit à son tour d'entre les arbres. Il portait lui aussi un tablier de cuir et ses vêtements, trop grands pour lui, pendaient comme s'ils étaient mouillés. Au lieu de se pencher maladroitement sur le ruisseau comme son compagnon l'avait fait, il sortit de sa poche une coupe d'étain avec laquelle il se servit à boire.

— Tu es vraiment un gros porc, dit-il en regardant boire son compagnon.

— Ouais! lança l'autre fièrement en se relevant. Mais tu as trop besoin de moi pour te passer de mes services. Toi, tu es la science, moi, je suis le goût!

— Dommage qu'un tel don soit tombé sur toi!

— Les dieux m'ont choisi pour goûter leur nectar, et toi, pour le produire! s'exclama le gros bonhomme. Tu ne peux rien y changer! Sans moi, le vignoble de tes ancêtres serait à la ruine. Alors, au lieu de me critiquer, tu devrais plutôt me remercier.

— Te remercier? Jamais! Tu me coûtes déjà trop cher…

— Je te rappelle que c'est grâce à la qualité de la production de ton vin, à son goût frais et enivrant, que tu ravitailles maintenant le palais du mystagogue de Veliko Tarnovo…

— Je sais, je sais…, grogna le moustachu. Tu me le répètes plusieurs fois par jour…

— Et qu'a-t-il dit, la dernière fois que nous l'avons visité? demanda le gros en bombant le torse.

— Qu'il dirait un bon mot pour le vignoble au roi d'Odessos…

— Tout ça grâce à moi! Alors, tu comprendras qu'il est normal que je m'enrichisse autant que toi dans cette aventure! L'argent que tu me donnes, cher vigneron incapable de faire la différence entre une vinasse et un bon vin, je le mérite!

Le grand moustachu se tut. Il venait encore une fois de se faire clouer le bec par son employé.

De sa position sous l'arbuste, Misis vit toute la contrariété du vigneron se manifester dans son regard. S'il avait pu le faire, il aurait volontiers noyé le ventru dans le ruisseau.

— Tu n'as plus rien à dire ? le nargua le gros. Bizarre comme tu te tais lorsqu'on te rappelle que tu n'as pas le sens du goût. Il ne faudrait pas que tout le pays apprenne cela ! Tu serais ruiné, c'est évident !

— Tu ferais mieux de te remplir la panse, car nous devons retrouver la route ! Je n'aurais jamais dû te suivre dans cette forêt…

— Si je retrouve l'endroit dont je t'ai parlé, tu comprendras que la promenade en valait la peine. La clairière ne se trouve pas loin d'ici, et la terre y est d'une richesse incomparable. Elle est bien positionnée pour recevoir un maximum de soleil et elle dispose en plus de la protection naturelle de hautes falaises. Je te jure que si tu y plantes des vignes, tu auras le meilleur vin du monde.

Misis, qui connaissait bien la région, sut immédiatement de quel endroit cet homme parlait.

— Pour l'instant, grogna le vigneron, nous sommes perdus, affamés et assoiffés ! Quelle idée de partir sur un coup de tête sans même avoir pris le temps de manger, ni d'apporter des gourdes ! Ça m'apprendra à te faire confiance…

— Je crois que nous devrions continuer dans cette direction, dit son compagnon en pointant vers l'ouest. Je pense que je reconnais l'endroit… C'est derrière la montagne.

— Non, moi, je ne vais pas plus loin, répondit le moustachu. Cet endroit est maudit et je n'ai pas l'intention de m'en approcher davantage.

— Pourquoi ?

— On voit bien que tu ne connais rien ! Sache, gros porc, que toute la région est habitée par les âmes errantes de spectres de loups. Il y en a des centaines, et les soirs de pleine lune, ils hurlent comme des démons. Je te jure, c'est à glacer le sang !

— Ce sont peut-être simplement des loups !

— Il n'y a plus de loups dans cette région depuis des années, expliqua le moustachu. Ils ont tous été traqués, puis tués. Ce qu'on entend, ce sont les cris désespérés et vengeurs de leurs âmes en détresse.

— Tu racontes n'importe quoi ! Tu veux me faire peur, un point c'est tout !

— Vas-y si tu veux, mais je t'assure que si tu approches un tant soit peu de cette montagne, tu n'en reviendras jamais.

— Sottise.

C'est à ce moment que Misis, animée par l'idée d'utiliser les talents du gros bonhomme au service du sanctuaire du lac, se dévoila. En la voyant sortir lentement de sous le feuillage, les deux hommes demeurèrent muets. Cet animal avait trois fois la taille d'un loup ordinaire, et leur jetait un regard perçant qui dénotait une intelligence supérieure.

— Qu'est-ce que je te disais?…, fit le moustachu en reculant de quelques pas. Nous sommes sur leur territoire. Nous avons franchi la frontière… Il vaut mieux partir lentement pour ne pas l'effrayer… Quittons doucement cet endroit pendant que la bête semble calme.

Le gros, bouche bée, essaya de s'enfuir, mais en fut incapable. Ses jambes refusaient de lui obéir. L'autre, cependant, déguerpit le plus vite possible. En le voyant fuir, Misis bondit par-dessus le ruisseau et lui sauta à la gorge. D'un simple coup de gueule, elle lui brisa le cou et l'homme tomba mollement sur le sol. Devant le spectacle, le goûteur commença à réciter des prières à ses dieux. Il était évident que sa dernière heure venait de sonner.

Heureusement, Misis avait d'autres plans pour lui. L'homme n'allait pas mourir aujourd'hui.

— J'ai toujours aimé les animaux…, dit nerveusement le lourdaud en voyant Misis, la gueule pleine de sang, s'avancer vers lui. Je… je… je vous jure que je ne vais plus jamais revenir ici… Laissez-moi partir et… je ne dirai rien… Vous resterez sur votre montagne…

La louve renifla soudainement une odeur âcre d'urine. Rapidement, elle comprit que l'homme venait de se laisser aller. La peur lui avait enlevé toute retenue.

Pour lui indiquer ce qu'elle attendait de lui, Misis lui fit un signe de tête en indiquant la montagne.

— Quoi? fit l'obèse. Tu veux que je… tu veux que je marche vers la montagne?

Misis acquiesça de la tête.

— C'est ça! pleurnicha le gros bonhomme. Vous voulez que je marche jusque dans votre repaire pour me manger ensuite, c'est ça? Comme je suis trop gros pour être transporté, vous me faites faire le travail avant de m'achever! Ce n'est pas juste... Je ne veux pas être dévoré vivant...

Comme pour lui faire comprendre qu'elle avait la force de le tuer et de traîner son corps jusqu'au sommet de la montagne si elle le désirait, Misis bondit sur lui et le propulsa d'un coup de gueule dans les airs. L'homme eut l'impression de s'envoler tel un oiseau, mais il retomba rapidement face contre terre.

— Très bien, très bien..., dit-il sur un ton mielleux en essayant maladroitement de se relever, je vais faire ce que vous me demandez... Je vais marcher... C'est bien là-bas que nous allons? Vers le haut de la montagne, c'est ça?

Misis lui indiqua le chemin d'un second mouvement de museau.

— Bon, je..., hésita-t-il, allons-y... je ne suis pas très en forme...

La louve ne tint pas compte de cette dernière phrase et s'installa derrière lui pour le pousser. Ensemble, ils gravirent ainsi un premier plateau. Chaque fois que le corpulent vigneron faiblissait, Misis lui mordait les mollets. En sueur, le pauvre homme fut obligé de faire des efforts surhumains pour arriver enfin au sanctuaire du lac. Haletant comme un chien assoiffé, il s'effondra de fatigue à la grille d'entrée.

La jeune reine en profita pour ordonner à ses gardes de le surveiller et plongea dans le lac afin de reprendre sa forme humaine.

— Enfermez-le dans la petite salle du sous-sol, ordonna-t-elle en ressortant de l'eau. Je le verrai plus tard...

V

— LAISSEZ-MOI PARTIR, JE NE VOUS AI RIEN FAIT!
s'exclama le gros vigneron, bien attaché au mur par une chaîne
faite de longs et solides maillons.

Misis entra dans la pièce, portant un récipient d'étain.

— Buvez cela, lui dit-elle sans plus de cérémonie.

— Mais qu'est-ce que c'est? Vous êtes une sorcière, c'est ça?
lança le gros bonhomme, complètement paniqué.

— Je ne suis rien du tout, répondit Misis, un peu agacée.
Buvez cela et taisez-vous!

— Non, jamais! Plutôt mourir!

— Pas de problème. Nous trouverons quelqu'un d'autre,
dans ce cas! Gardes! Qu'on le…

— NON! Je boirai… je vais boire votre potion, se ravisa-t-il
finalement.

Misis lui tendit le contenant et l'homme s'exécuta. Une
fois tout le liquide avalé, il fit une moue de dégoût avant de
dire:

— C'est infect, votre truc! Il y a trop de miel et pas assez
d'eau; de plus, vous épicez trop! Trop de girofle, trop de car-
damome! Si ce truc est censé être agréable, eh bien, vous l'avez
complètement raté!

— Comment vous sentez-vous? demanda la jeune reine en
l'observant du coin de l'œil.

— J'ai envie de vomir!

— C'est tout?

— Je devrais me sentir comment après avoir goûté à ce breuvage
fétide? Vous attendez que je me transforme en crapaud?

— Plutôt en loup…, murmura Misis pour elle-même.

La jeune reine avait un plan derrière la tête. Depuis qu'elle avait entendu les deux vignerons parler de faire du vin dans la clairière aux falaises, l'idée d'en produire pour assurer la subsistance du sanctuaire lui était venue. Mais Misis ne désirait pas servir une boisson ordinaire aux Thraces de la région : elle en voulait une capable de les transformer en bêtes afin qu'ils viennent grossir les rangs de l'armée du Râjâ. C'est pour cette raison qu'elle venait de servir à son gros cobaye une boisson faite avec l'eau du lac.

— Pas de maux de ventre ? s'enquit-elle.

— Non, mais ça ne saurait tarder, grogna le lourdaud.

— Tout est normal ?

— Juste un goût de pisse chaude dans la bouche, râla-t-il.

Misis quitta la pièce et alla à la rencontre du Râjâ. Celui-ci était en train de jouer avec la jeune louve qui, heureusement, avait repris des forces. Pendant quelques instants, elle partagea leur jeu jusqu'au moment où l'animal en convalescence en eut assez et décida de se rouler en boule sous un arbre.

— Demain, c'est le jour de notre mariage, Pan, lui rappela Misis en l'embrassant sur la joue. Nous serons liés un à l'autre pour l'éternité.

Le Râjâ sourit tendrement à sa future épouse et lui rendit son baiser.

— J'aurais voulu t'offrir la grande résurrection de ton peuple comme cadeau de noces, mais j'ai bien peur de ne pas avoir réussi. Depuis un certain temps, je me pose des questions sur les propriétés magiques de l'eau de notre lac. J'ai fait une expérience sur le prisonnier que j'ai ramené l'autre jour de la forêt, mais il ne répond pas du tout au traitement. C'est vrai que je n'ai pas eu beaucoup de temps pour peaufiner mon mélange…

— Toi – espère – quoi ? demanda le Râjâ en trois mouvements précis.

Misis, qui commençait à peine à apprendre la langue gestuelle de son amoureux, lui demanda de refaire quelques fois les mêmes signes avant de comprendre.

— Oui… ce que je veux faire avec ces tests ? C'est bien ce que tu me demandes ?

Pan fit oui de la tête.

— Je veux savoir si l'eau du lac a les mêmes effets lorsqu'elle est ingurgitée… Lorsqu'on s'y baigne, elle transforme les êtres humains en loup, ça, nous le savons, mais agit-elle de la même façon si elle est bue ? À première vue, j'aurais parié que oui, mais je vois bien maintenant que je me suis trompée. Le cobaye que je garde dans la cave n'a aucune réaction au breuvage. Depuis des jours, je l'oblige à boire des cruches entières de l'eau du lac sans que quoi que ce soit d'anormal ne se produise. J'ai même fait des potions pour aider son corps à mieux absorber le liquide, mais rien n'y fait.

— Pourquoi – ce – travail ? demanda encore le Râjâ.

— Euh… attends, tu me demandes… Ah oui, ce signe signifie une question… D'accord, tu veux savoir… Oui, ça va, je t'explique. Imagine, Pan, que j'arrive à trouver la façon de transformer les humains en loups, simplement en leur faisant boire l'eau du lac ! Nous aurions rapidement une armée à notre disposition. Ce que j'aimerais, si mes expériences fonctionnent, serait que notre sanctuaire commence à produire son propre vin. Dans chaque bouteille, nous inclurions une bonne quantité de l'eau du lac. Pas mal, non ?

— Très – intelligent.

— Merci… Ces signes, je les ai tout de suite compris ! rigola Misis. Seulement, voilà… ça ne fonctionne pas. Je n'ai aucun résultat. On dirait que l'eau du lac, une fois sortie de son bassin, perd toutes ses propriétés. J'espérais bien trouver rapidement la solution, mais je me suis surestimée. Je ne serai donc pas prête à t'offrir ce cadeau pour notre mariage et j'en suis désolée.

— Non – cadeau – je – veux… uniquement – toi.

Encore une fois, le Râjâ dut répéter quelques fois sa phrase avant que Misis, touchée, ne le serre affectueusement dans ses bras.

— J'ai fait un rêve l'autre nuit, lui murmura-t-elle, dans lequel l'on m'informait que je devais être la reine protectrice des hyrcanoï. Depuis, je n'arrête pas d'y penser et… et je ne sais pas quoi faire. J'avance à tâtons sans savoir si je suis sur la bonne voie. Nos gens sont de plus en plus inquiets et, malgré leur confiance en nous, ils ne sont pas dupes. Les patrouilles autour de notre montagne se font de plus en plus nombreuses et les Thraces de

Veliko Tarnovo ont commencé à couper les arbres dans la forêt de l'est. Si nous ne faisons rien, nos ennemis découvriront le sanctuaire et le lac…

Le Râjâ poussa un grognement de découragement. Misis disait vrai et, quoi que puissent en dire ses songes, ses conclusions étaient justes. S'ils ne faisaient rien de plus pour protéger le sanctuaire, celui-ci tomberait un jour aux mains des Thraces.

— Mariage – demain – problèmes – plus – tard.

— Oui, Pan… Chaque chose en son temps.

VI

Le lendemain, grand jour des noces, tout le sanctuaire fut décoré de guirlandes de feuilles d'olivier et de laurier. On sacrifia quelques moutons bien gras pour le banquet, et Misis, vêtue de ses plus beaux atours, fut voilée, comme le voulait la tradition, dès les premiers rayons du soleil. Elle ne retirerait l'étoffe qui lui cachait le visage qu'après avoir prononcé ses vœux. Couronnée de marguerites, la jeune reine passa une partie de la journée en compagnie de ses servantes et de la nympheutria. Cette femme, plus âgée et plus sage que les autres, était responsable de la cérémonie du mariage. C'est elle qui unirait plus tard le roi à sa reine.

De son côté, le Râjâ s'habilla à la nubienne pour son mariage. Celui-ci n'avait pas rapporté beaucoup de choses de son long voyage sur les terres du sud, mais il avait reçu en cadeau de la princesse de Bakhtan quelques vêtements princiers. Une longue jupe en peau de lion retenue à la taille par une large ceinture confectionnée de poils de chameau tressés, et décorée de coquillages ainsi que d'éclatantes broderies rouges, orange et bleues, lui donnait l'allure d'un véritable souverain. Il ajouta à ce costume, qui se portait torse nu, un large collier de cuir de crocodile lui aussi embelli de dessins tribaux, et un chapeau fait avec la mâchoire d'un lion. Pour compléter le tout, il se para de deux épées longues aux hanches et de nombreux bracelets d'or aux poignets.

Au repas de noces, il y aurait sur la table des gâteaux au sésame en gage de fécondité, et une miche de pain frais prête à être rompue. C'est par ce geste que le roi et la reine seraient liés pour la vie. En se divisant le pain, les mariés se donneraient l'un à l'autre jusqu'à ce que la mort les sépare. Par la suite, le Râjâ offrirait à sa femme un plat rempli de noix et de figues qu'elle distribuerait aux invités, c'est-à-dire à tous les habitants du sanctuaire. Par ce geste de partage, elle offrirait à chacun un peu de son bonheur.

Au programme de la journée, il y aurait des jeux de force et d'habileté dans l'après-midi, suivis du banquet. À minuit, alors que la lune serait à son zénith, les souverains prononceraient leurs vœux en exécutant la cérémonie du pain. Puis, ce serait la fête jusqu'au lever du soleil. Musique et danses à en tomber de fatigue !

— Laissez-moi arranger vos cheveux et vous serez parfaite pour le mariage, dit la nympheutria à Misis. Les habitants du sanctuaire vous adorent et désirent vous voir aussi belle que la plus belle des fleurs. Ils vous aiment autant qu'ils aimaient Électra, et il en est de même de notre Râjâ.

Misis éprouva un léger malaise. Que diraient les gens s'ils savaient que leur ancienne reine était morte de sa main ?

— Passez-moi le peigne, je vous prie…

Elle le lui tendit.

— Ils ont confiance en vous et savent que vous ne les trahirez pas, continua la nympheutria d'une voix douce et réconfortante. Grâce à vous, l'espoir renaît dans les cœurs, et c'est très important pour notre avenir à tous. Les hommes et les femmes qui vivent ici sont d'une race à part. Ils ont fait don de leur existence au lac et à ses pouvoirs. Nous honorons le culte du loup et le ferons jusqu'à notre mort, mais les gens ont besoin de savoir qu'ils ne font pas cela en vain. Ce mariage leur indique que l'avenir sera prospère, qu'ils peuvent entrevoir des jours meilleurs. Le Râjâ ne peut tout faire tout seul, il a besoin d'une reine forte pour accomplir son destin. Aux yeux de tous, vous êtes cette reine.

La future reine se contenta de sourire. La vieille femme se mit alors à lui peigner les cheveux afin de refaire ses nattes, tout en continuant de bavarder.

— Depuis des siècles, les gens de cette terre racontent des histoires sur les hyrcanoï, mais je crois que personne ne sait qui ils sont véritablement. Les légendes parlent d'humains capables de se transformer en loups et, grâce au lac, plusieurs l'ont fait avant nous. Nous savons la chose possible, il n'y a plus de mystère dans ce phénomène. Cependant, les hyrcanoï ne sont pas et n'ont jamais été ces hommes-loups qui terrorisaient jadis les vastes forêts de cette contrée. Pour moi, ils sont des êtres purs dotés d'une infinie sagesse. Qu'en pensez-vous, ma reine ?

— Pour être franche, je ne sais pas…, répondit Misis. Le seul fait d'utiliser le pouvoir du lac fait-il de nous des hyrcanoï ? J'en doute. De toute évidence, il doit certainement y avoir autre chose, quelque chose que nous n'avons pas encore compris, mais que la déesse des loups refuse de nous révéler.

— Les dieux sont ainsi, rigola la femme, ils ne donnent jamais de réponses et s'amusent à laisser chercher les hommes. Autrement, tout serait trop facile, vous ne croyez pas ?

— Peut-être…, soupira Misis. Comment vous appelez-vous, chère nympheutria ?

— On m'appelle Maïcha.

— Vous êtes au sanctuaire depuis longtemps ? On dirait bien que c'est la première fois que je vous vois !

— J'y suis depuis de nombreuses années. Je fréquentais même l'endroit avant que ce bon Sénosiris érige un mur de protection tout autour du lac. Je venais régulièrement m'y baigner. La nage est excellente pour la santé…

Misis se dit que cette femme devait être bien vieille, mais, curieusement, elle ne paraissait pas la moitié de son âge.

— Avez-vous de la famille ici, au sanctuaire ? Des enfants ou des petits-enfants peut-être ?

— J'ai eu bon nombre d'enfants, mais je garde un précieux souvenir de deux en particulier. Quoique jumeaux, ils étaient différents… L'un s'appelait Avatah et l'autre Hitovo.

— Hitovo ? Comme l'ancien roi de Veliko Tarnovo ?

— Exactement comme lui…, répondit Maïcha sans rien ajouter à ce sujet. Avatah était de loin mon préféré. Je l'ai perdu de vue pendant des années, mais heureusement, j'ai pu le revoir quelque temps avant sa mort. J'étais si heureuse ! Il était devenu un grand gaillard solide et fort, noble et vertueux.

— Et comment est-il mort ?

— Tué par une flèche…

— Je suis désolée pour vous.

— Ne vous en faites pas, ma reine, car, sans son sacrifice, nous ne serions pas ici aujourd'hui à préparer votre mariage.

C'est grâce à son amour pour une femme, celle-là même que vous avez assassinée, que notre Râjâ fut conçu.

Le cœur de Misis se mit à battre plus rapidement. Comment cette femme savait-elle autant de choses?

— Je vous sens soudainement nerveuse, s'amusa la nympheutria en tressant toujours les cheveux de sa future reine. Rien ne sert de vous énerver, car je ne vous reproche pas le meurtre d'Électra. Les choses se sont passées comme elles avaient été planifiées par Börte Tchinö. Vous reprenez le rôle que notre ancienne reine ne pouvait plus tenir. Sa tâche était de mettre au monde deux enfants, le tallawuf et le daman-zan.

— …

— Le tallawuf est la source, le daman-zan est le catalyseur…, poursuivit la vieille femme.

Misis ouvrit soudainement les yeux et constata qu'elle s'était endormie. Auprès d'elle, la nympheutria lui tressait toujours les cheveux.

— Vous avez sommeillé, ma reine…

Désorientée, Misis regarda la femme dans les yeux et lui demanda son nom.

— Je m'appelle Pruga… je vous l'ai dit tout à l'heure.

— Non, vous m'avez dit Maïcha, insista Misis. Qu'est-ce que le tallawuf et le daman-zan?

— Je ne sais pas de quoi vous parlez, ma reine… je suis… je suis désolée.

— Vous n'êtes donc pas la grand-mère du Râjâ? s'enquit Misis.

— Mais… mais non, je ne suis pas du tout celle que vous croyez… Peut-être avez-vous fait un cauchemar.

— Je me suis assoupie, c'est bien cela?

— Dès que j'ai commencé à vous peigner les cheveux, expliqua la nympheutria, je vous ai vue fermer les yeux. Je ne vous ai pas réveillée, car une future mariée a besoin de tout son repos avant le mariage.

— À quel moment me suis-je endormie? demanda Misis.

— Dès que vous m'avez donné le peigne, confirma la femme.

— Et vous ne m'avez rien dit ensuite?

— Mais non, je ne voulais pas vous réveiller… Quelque chose ne va pas ? Si vous le désirez, je peux me retirer et vous laisser seule. Je ne voudrais pas, malgré la tradition, que vous vous sentiez obligée de m'avoir à vos côtés…

— Non… Pardon. Restez, je vous en prie… J'ai simplement fait un rêve étrange. Depuis que notre Râjâ est revenu de voyage, il m'arrive souvent d'avoir des rêveries un peu bizarres.

— Les esprits vous parlent…, sourit la femme. C'est un bon signe. Voilà ! Vos cheveux sont parfaits. Vous êtes magnifique ! Je vous ai fait six tresses que j'ai ramenées autour de votre tête, pour vous coiffer à la manière des vestales. Votre manteau de couleur safran et vos sandales sont prêts. Juste là, j'ai posé la couronne de fleurs aussi ainsi que le voile orangé… hum… Je crois bien que vous êtes prête !

— Merci beaucoup pour votre aide, fit Misis, reconnaissante.

— Voulez-vous maintenant que nous parlions de… de la chose ? demanda timidement la femme. Je suis aussi là pour ça, pour partager avec vous mes expériences avec les hommes et vous indiquer comment vous conduire dans l'intimité. C'est très important, pour la réussite d'un mariage, que les partenaires soient satisfaits l'un de l'autre, et je connais quelques trucs afin de…

— Non merci, la coupa Misis, je connais ces choses. On m'a inculqué cet enseignement de force durant ma jeunesse…

— Ah bon, très bien, je vous laisse dans ce cas. Je repasserai un peu plus tard pour ajuster votre tenue. Pour l'instant, je vais aller préparer le nécessaire pour la célébration.

La nympheutria quitta l'endroit en laissant Misis à elle-même. Enfin, pas tout à fait, puisque la jeune louve sauvée par le Râjâ en profita pour s'introduire dans la pièce et vint poser sa tête sur la cuisse de la future reine. La bête demandait des caresses.

Misis sourit et commença à gratter la jeune louve derrière les oreilles, puis sur le museau. L'animal qui respirait le bonheur poussa quelques soupirs de bien-être.

— Le tallawuf est la source, le daman-zan est le catalyseur…, murmura Misis en se remémorant l'étrange rêve qu'elle venait de faire. La source et le catalyseur… C'est bien étrange comme révélation. Et toi, belle louve, tu as une idée de ce que cela peut bien être?

La bête se contenta de lever les yeux vers elle et de réclamer d'autres caresses.

— Si je me fie à mes songes, les hyrcanoï ne seraient pas des hommes transformés en loups par les pouvoirs du lac, mais une autre race, infiniment plus sage…, continua la future reine perdue dans ses pensées. Le tallawuf, le daman-zan, les hyrcanoï… C'est à n'y rien comprendre!

La louve mordit doucement la main de sa bienfaitrice qui, toute à ses réflexions, avait arrêté de la gratter derrière les oreilles. Misis sourit et posa les yeux sur l'animal.

— Le tallawuf, le daman-zan et les hyrcanoï… la source et le catalyseur…, réfléchit-elle tout en observant la louve. Le tallawuf est la source… Une source transporte l'eau vers les rivières et les lacs. Si le tallawuf est une source, il devrait donc conduire les hyrcanoï vers le lac, ces hyrcanoï qui sont des êtres plus sages que les humains, mais qui sont…

Misis hésita. Soudainement, son esprit s'éclaira et son sang ne fit qu'un tour. Elle venait de comprendre la première partie de l'énigme de Börte Tchinö.

— Les hyrcanoï sont plus sages que les humains, parce que ce sont des… loups! s'exclama-t-elle. Le Râjâ est le tallawuf, et sa tâche est de mener les loups au lac! Il est la source, la source qui doit nourrir le lac!

À ce moment, la jeune louve fit quelques pas de côté, se détacha de Misis et commença à hurler.

La future reine attrapa la louve dans ses bras et se précipita en direction des appartements de son promis. Elle déboucha en trombe dans la pièce où le Râjâ était en train de s'habiller.

— PAN! lança-t-elle en lui déposant l'animal dans les bras. Va immédiatement au lac et baigne-toi avec elle! Ne pose pas de question! Fais-le immédiatement! Je t'en prie, il n'y a rien de plus important… Vite!

Le Râjâ, habitué au caractère enflammé de sa future femme, obéit sans rechigner. Un grand nombre d'invités au mariage se tenaient sur les bords du lac lorsqu'il s'enfonça lentement dans l'eau. Tous cessèrent de parler pour voir ce que leur roi allait accomplir avec cet animal.

— Vas-y, Pan ! l'encouragea Misis, anxieuse. La naissance des hyrcanoï se fera par toi… Tu es la jonction entre le ciel et la terre, la fusion entre l'homme et l'animal, tu es la source qui doit nourrir le lac.

Comme le lui avait demandé Misis, le Râjâ s'immergea complètement en entraînant avec lui la jeune louve. Lorsqu'il ressortit de l'eau, de longues minutes plus tard, il portait une magnifique jeune femme nue qui semblait bien étonnée d'avoir changé d'apparence. Son corps longiligne et sa peau très blanche lui donnaient l'allure d'une statue grecque taillée dans le marbre. Ses grands yeux, dont la pupille rappelait encore la bête qu'elle avait été, admiraient avec surprise toutes les couleurs qu'en loup elle n'avait jamais vues. Au travers de ses longs cheveux blancs, de toutes petites oreilles pointues évoquaient les longues oreilles qu'elle venait de perdre.

Le Râjâ déposa la jeune femme sur le bord du lac. Aussitôt, Misis posa sur ses épaules une grande couverture qu'elle avait fait chercher par une servante.

Incertaine, grelottante et un peu désorientée, la jeune femme posa la tête sur la cuisse de Misis et, comme elle l'avait fait précédemment, lui quémanda des caresses. Tout sourire, la future reine lui effleura doucement les cheveux.

— Voici la première des hyrcanoï, Pan, dit Misis en essuyant une larme qui coulait sur sa joue. Les êtres divins qui prendront soin de notre monde seront enfin délivrés de leur corps de bête. Par toi, ils deviendront les nouveaux souverains de la terre, et leur sagesse sera si grande que tous les humains les vénéreront. Enfin, pas tous, mais plusieurs… Et moi, pendant que tu les libéreras de leurs vêtements de poils, je me chargerai de les protéger.

« Les loups deviendront des hyrcanoï et les hommes se transformeront en loups », avait dit au Râjâ la déesse de la lune lors d'un de ses voyages dans les étoiles. Tout le discours de la voix céleste sur la domestication des hommes commençait à avoir du sens. Le lac sacré, au centre de toutes les transformations, allait jouer son véritable rôle pour la première fois. Par le Râjâ, ce lac allait faire naître un à un les hyrcanoï, la race tant attendue. Il allait aussi servir pour transformer les humains en loups et en faire les protecteurs du sanctuaire.

— Les hyrcanoï nous dévoileront tout ce qu'ils savent des mystères de la nature et des insondables forces qui soutiennent la vie, murmura Misis en caressant toujours la tête de la jeune femme. C'est ce qu'ont cherché et désiré les dactyles depuis des milliers d'années, c'est ce que voulait le spectre de Séléné... À l'exception du daman-zan, tout est maintenant si clair...

Le Râjâ vint s'asseoir tout près de Misis afin de contempler le visage de la première véritable hyrcanoï à voir le jour. Il la salua et celle-ci répondit par un large sourire.

— Notre grande invitée est enfin arrivée ! lança la future reine. Que le mariage commence !

VII

Plusieurs mois s'étaient écoulés depuis la naissance de la première hyrcanoï, et son éducation allait bon train. À l'instar du souverain, il lui était impossible de parler, mais elle apprenait rapidement le langage des signes. Avec Misis comme compagne de classe et le Râjâ en personne en tant que professeur, l'apprentissage se faisait tous les jours dans la joie.

La jeune louve avait choisi son propre nom et désirait qu'on l'appelle Waorwen. Dans la langue des loups de son ancien clan, ce grognement la désignait comme la fille de la lune. Quoiqu'il fût très difficile pour les humains de grogner ce nom sans faire plusieurs fautes de prononciation, la jeune hyrcanoï décida de le garder malgré tout.

Depuis sa transformation de louve à humaine, Waorwen découvrait son univers sous un nouveau jour. Le monde des couleurs, inaccessible aux bêtes, la fascinait. Il y avait tant de nuances de vert dans les feuilles des arbres ! Et que de variations de rouge lors d'un coucher de soleil ! Les pierres n'étaient plus toutes grises comme elles l'avaient été, et certaines miroitaient de reflets bleus ou même violets. Tout, autour d'elle, était coloré de brillante façon. De l'écorce des arbres jusqu'au bleu du ciel, de la moindre petite épine de conifère en passant par les lointaines montagnes, on aurait dit que l'univers entier avait décidé de se présenter sous son plus beau jour.

Waorwen constata qu'il y avait cependant un prix à payer pour son nouveau regard sur le paysage. Son odorat avait grandement perdu de sa puissance. Elle, qui sous sa forme de louve pouvait sentir à plusieurs lieues l'urine d'une proie, constatait avec surprise qu'elle n'arrivait même plus à détecter l'odeur si caractéristique d'un cervidé à cent pas de son propre nez. Ses oreilles pointues, quoique beaucoup plus performantes que celles des humains, avaient elles aussi gravement faibli. Plus question d'entendre le cri du corbeau d'une vallée à une autre, ni de percevoir les déplacements furtifs d'un petit rongeur des bois. Les chants mélodieux des chauves-souris ainsi que les sifflements des chouettes lui étaient dorénavant interdits.

Heureusement, il n'y avait que ces deux inconvénients à son nouveau corps. Avoir des jambes et des bras compensait bien la perte d'acuité de son ouïe et de son odorat. Sentir la rugosité de l'écorce d'un arbre sur le bout de ses doigts engendrait chaque fois une sensation indescriptible.

— Waorwen ? fit Misis derrière elle. Tout va bien ? Que fais-tu avec ce bout de bois ?

— Moi – touche, répondit la jeune fille en deux petits signes.

Dans sa redécouverte du monde, l'hyrcanoï s'était encore une fois un peu trop éloignée du sanctuaire. Comme chaque fois, la reine s'était proposée pour la retrouver et la ramener.

— Tu sais que tu ne dois pas aller trop loin dans la forêt, n'est-ce pas ? Nous en avons déjà parlé.

Waorwen sourit et acquiesça de la tête.

— Tu es spéciale, belle Waorwen, et il y a de puissants ennemis qui rôdent tout autour. Ils sont aussi cruels et sauvages que ceux qui ont tué tous les membres de ton clan. Ces chasseurs ne doivent pas te trouver…

— Désolée – mais – tout – si – beau, répondit-elle en agitant ses mains.

Misis lui embrassa le front et prit place à ses côtés. Assises toutes les deux sur le long tronc d'un arbre mort, elles admirèrent quelques instants la forêt.

— Je suis vraiment chagrinée de ce qui t'arrive, et je t'assure que je ne peux rien y faire…, continua Misis. Je ne savais pas qu'une fois que tu serais transformée en humaine, le lac n'aurait plus d'effet sur toi et que plus jamais tu ne pourrais retrouver ta forme animale. Si j'avais su, je… je n'aurais jamais demandé au Râjâ de t'immerger. Pardonne-moi, Waorwen.

La jeune hyrcanoï se contenta de répondre par un petit sourire. Impuissante devant le fait accompli, elle vivait maintenant le deuil de son ancienne vie. Quelques jours auparavant, Waorwen avait plongé dans le lac en espérant retrouver pour une soirée ses quatre pattes, mais la transformation ne s'était pas opérée. Börte Tchinö, la déesse de la lune, en avait décidé autrement pour les hyrcanoï. Les humains pouvaient à leur aise faire l'aller-retour entre l'homme et l'animal, mais les loups s'en voyaient désormais privés. Si Maïcha avait anciennement pu se transformer à sa guise, la naissance de la première hyrcanoï, initiée par le Râjâ, avait semblait-il changé les pouvoirs du lac sacré.

— Réussiras-tu à t'adapter à ce nouveau corps, Waorwen? demanda doucement la reine. Je sais ce que c'est de courir à quatre pattes, le nez dans le vent. Je connais l'ivresse que procure la chasse lorsqu'on est un loup, et l'exceptionnel plaisir de planter ses crocs dans le sang chaud d'un cervidé. Toutes ces sensations, et beaucoup plus, ne te seront plus accessibles maintenant.

Waorwen hésita quelques instants avant de répondre.

— Je – possède – autre – chose.

— Et que possèdes-tu que j'ignore?

— Ceci.

La jeune hyrcanoï se pencha vers une fleur et saisit très délicatement par les ailes un tout petit papillon jaune et bleu. Toujours avec une précaution infinie, elle le posa dans la paume de sa main et prit un court moment pour le présenter à Misis.

— Il est très beau, très délicat…, dit-elle en admirant les subtils reflets de ses ailes. Et que peux-tu faire avec ce merveilleux petit papillon?

D'un coup, Waorwen referma sa main et l'écrasa entre ses doigts. Misis sursauta devant le spectacle.

— Tu te crois maligne ou quoi? fit la reine, en colère. C'est tout à fait ridicule d'enlever la vie à un être aussi petit, aussi faible et, par surcroît, d'une telle beauté! Je ne sais pas ce que tu désires me prouver, mais tu t'y prends bien mal!

Comme Misis allait se lever pour partir, Waorwen la retint par le bras et lui fit signe d'attendre un peu.

— Je te conseille d'avoir une bonne explication! grogna la reine. Malgré tout le respect que je te dois, je n'ai aucune pitié pour les êtres qui abusent des plus petits et des plus faibles.

Waorwen sourit, ouvrit la paume de sa main où gisait le corps écrasé du petit papillon, puis l'approcha lentement de sa bouche. En contractant légèrement les lèvres, l'hyrcanoï souffla sur l'insecte.

— Ne me dis pas que… que…, balbutia Misis qui n'en croyait pas ses yeux. Tu possèdes le don de la… de la vie? Tu pratiques le souffle de vie!

Dès que la reine ébahie eut terminé sa phrase, le papillon se redressa sur ses petites pattes, puis s'envola le plus normalement du monde. Waorwen venait tout juste de le ressusciter.

— Mais c'est fantastique! ajouta Misis, complètement médusée. Comment arrives-tu à faire ce miracle?

Waorwen haussa les épaules. Elle n'avait aucune idée d'où pouvait bien provenir ce fabuleux pouvoir. La jeune hyrcanoï l'avait découvert, quelques semaines auparavant, alors qu'elle soufflait la poussière d'un meuble sur lequel gisait une grosse mouche noire. L'insecte, déjà en décomposition, était retombé sur ses pattes pour s'envoler ensuite à travers la pièce et disparaître dans l'entrebâillement de la porte.

— Ce – est – un – don, fit Waorwen en quelques mouvements.

— Tu en as d'autres?

— Moi – ne – sais – pas.

Un craquement dans la forêt détourna soudainement l'attention des deux femmes. Quelqu'un ou quelque chose venait de marcher sur une branche sèche.

— Qui va là? demanda Misis en se levant pour mieux voir.

— C'est moi, madame… C'est moi, votre nympheutria! Tout le monde vous cherche depuis un bon moment, et je me suis proposée pour essayer de vous retrouver. Les forêts ne sont pas sûres, vous savez, et le roi, notre Râjâ, s'inquiète.

«Je ne vois pas pourquoi Pan s'inquiéterait, se dit Misis, il est capable de sentir notre odeur à des lieues à la ronde. Il doit savoir exactement où nous sommes.»

— Alors, vous venez? demanda la nympheutria. Sinon, je rentre et je les rassure, c'est comme vous le désirez!

— Nous – aller, fit Waorwen.

— Oui, allons-y! répondit la reine. Nous reparlerons de tout cela plus tard…

— Je ne vous raccompagnerai pas au sanctuaire tout de suite, lança la nympheutria. Je vais en profiter pour cueillir des champignons!

— Très bien! À plus tard donc…, la salua Misis.

— À plus tard!

La nympheutria descendit la montagne d'un pas rapide et s'arrêta près d'un gigantesque conifère aussi haut qu'une tour de garde. Elle s'immobilisa près du tronc et regarda nerveusement de tous les côtés. Une nouvelle fois, la femme s'assura qu'elle était bien seule et que personne ne l'avait suivie. Nerveusement, elle attacha ensuite un mouchoir blanc à une petite branche. Aussitôt, un homme à la carrure d'un guerrier thrace émergea de la forêt et vint directement à sa rencontre. Ensemble, ils échangèrent un bon moment avant que l'homme glisse dans les mains de Pruga une bourse, d'où celle-ci sortit quelques pièces d'or afin de les examiner. Lorsqu'ils se quittèrent, la nympheutria reprit son mouchoir et trouva quelques champignons avant de remonter vers le sanctuaire.

Jamais elle ne se douta que, durant cette rencontre, dans l'arbre juste au-dessus d'elle, s'était caché le Râjâ et qu'il avait tout entendu de sa trahison.

VIII

La nuit était tombée. Un croissant de lune un peu blafard éclairait faiblement la muraille de Veliko Tarnovo. Deux hommes, dont l'un était le mystagogue, marchaient lentement sur les remparts.

— Cette femme m'a confirmé qu'ils avaient fait naître une créature aux extraordinaires pouvoirs, raconta l'espion. Elle se serait apparemment formée de l'esprit d'une jeune louve et du corps d'une femme aux oreilles pointues. Je vous l'ai déjà dit, mon maître, cet endroit est un repaire de sorciers, j'en suis convaincu !

— Qu'as-tu appris d'autre ?

— Bien, je vous ai déjà parlé du monstre qui dirige cet endroit, ce sanctuaire, non ?

— Plusieurs fois, même ! C'est celui qu'on nomme prétentieusement le Râjâ, c'est cela ?

— En effet ! Selon mes informations, ce monstre aurait trouvé une épouse, et les célébrations du mariage ont eu lieu il y a de cela quelques mois. C'est lors de cet événement qu'est apparue la créature du lac ! C'est la nouvelle reine qui aurait même tout manigancé pour que l'événement se produise cette journée précise.

— Hum… Et d'où sort-elle, cette reine ?

— Selon mes sources, le Râjâ la connaissait déjà avant de quitter le pays et il en serait tombé amoureux dès son arrivée au sanctuaire du lac. On dit que c'est une très belle femme d'origine thrace. On la nomme Misis, mais personne ne sait exactement à quel royaume elle appartient.

— Misis ? s'étonna le mystagogue. Si c'est bien celle que je connais, elle arrive d'Odessos et je l'ai moi-même condamnée au cachot pour trahison. Je suis étonné d'apprendre qu'elle a survécu à son exil. Je la croyais moins résistante… Continue, je t'en prie.

L'espion prit quelques secondes pour réunir ses idées.

— La créature sortie du lac, celle à la peau blanche et aux oreilles pointues, aurait apparemment le pouvoir de redonner la vie, continua l'homme. Mon contact l'a vue souffler sur un papillon mort et le ressusciter.

— Balivernes ! se moqua le mystagogue. Il n'y a que les dieux qui sont capables d'un tel prodige ! Si les humains pouvaient donner la vie aussi facilement, Orphée m'aurait depuis long-temps fait grâce de ce don.

— Oui, je suis d'accord… mais, justement, elle n'est pas humaine ! C'est une créature venue d'ailleurs, elle arrive du lac magique qui transforme les hommes en loups. Je vous l'ai dit, ce sont tous des sorciers qui vivent là-bas, et il serait temps de mettre fin à leur petite vie malsaine.

— J'y pense.

— Oh ! Je me rappelle ! Vous devez savoir que Misis, la reine, s'est donné pour mission de transformer tous les habitants de la Thrace en loups. Elle poursuit présentement des expériences magiques de modification !

Le mystagogue éclata d'un grand rire.

— Je crois que ton contact abuse un peu de ta crédulité, non ? Comment cette petite sotte de Misis pourrait-elle tous nous obliger à plonger dans son lac ? C'est tout à fait stupide !

— Sans vouloir vous offenser, cher mystagogue, je suis aussi certain de mon contact que de ma propre vie, puisqu'il s'agit de ma mère !

— Eh bien, ta mère a perdu la tête, mon pauvre ami !

Vexé, l'espion fit un pas de recul et salua le mystagogue pour prendre congé.

— Ne t'offense pas, mon ami ! rigola le chef de Veliko Tarnovo. Je souhaite que tu continues ton histoire et m'excuse d'avoir insulté ta mère. Tu avoueras que toutes ces révélations peuvent sembler un peu farfelues, non ?

— J'en conviens, mon maître, mais elles sont pourtant véridiques !

— Que disais-tu au sujet de cette Misis ? Qu'elle désire tous nous transformer en loups ?

— Présentement, la reine du sanctuaire du lac expérimente différents procédés magiques sur un cobaye. Il s'agit d'un homme qu'elle a fait prisonnier il y a quelques mois. Tous les jours, elle le force à boire des potions de sa création.

— A-t-elle obtenu des résultats ?

— Jusqu'à présent, elle n'aura réussi qu'à le faire vomir…, expliqua l'espion. Chacune de ses expériences est un échec.

— De ce côté, nous n'avons pas trop à craindre, ironisa le mystagogue. Cela me soulage !

— Vous ne devriez pas prendre cette Misis à la légère, on dit qu'elle est une puissante sorcière ! De plus, elle ne cesse de nommer son mari, le Râjâ, du nom de Pan. Elle sait des choses que les hommes ordinaires ignorent, et je ne serais pas surpris de découvrir qu'elle est en contact direct avec les dieux.

— Es-tu en train de me dire que Pan est le Râjâ ?

— Il est en tout point conforme à ce que racontent les prêtres de Cybèle et, comme le dieu, il joue de la flûte. Très bien, à ce qu'on dit.

— Je ne comprends plus rien de ton histoire, espion ! grogna le mystagogue. Permets-moi d'essayer d'y voir plus clair. Si je résume bien tes paroles, il y aurait dans la montagne un sanctuaire protégeant un lac capable de transformer des humains en loups…

— En effet.

— Ce même lac aurait donné naissance à une nouvelle forme de vie dont Misis, la grande sorcière, serait responsable, c'est bien cela ?

— Tout à fait.

— Bon… Cet endroit serait gouverné par Pan, le dieu de la forêt, des bergers et des troupeaux, arborant une barbe, des cornes et des pieds de bouc ?

— Exactement !

— D'un côté, la reine Misis désirerait transformer tous les humains en loups et mènerait des expériences secrètes dans cet unique but, pendant que Pan, de son côté, jouerait de la flûte en attendant que sa chère femme trouve la solution.

— Voilà !

— Et tout cela dans quel but, je te le demande ? fit le mystagogue exaspéré. Ils désirent conquérir toute la Thrace ? Fonder
un empire ? Devenir les maîtres du monde ? Il leur faut bien une
raison pour se donner autant de mal, non ? Quelles sont leurs
motivations ?

— Je ne… je…, balbutia l'espion. Je ne sais pas. Je vous
rapporte uniquement ce qu'on m'a dit, mon maître, et, pour
l'instant, je ne connais pas le fin fond de cette histoire.

— Combien y a-t-il de ces fous qui vivent dans ce sanctuaire ?

— Un peu moins d'une centaine.

— Mettent-ils en péril nos routes commerciales ? Font-ils du
pillage ? Menacent-ils les villages aux alentours ?

— Rien de cela, mon maître… Les légendes disent qu'ils
sont protégés par de puissants esprits qui gardent jalousement
la montagne. Quiconque s'en approche n'en revient jamais ! La
forêt autour de la montagne est maudite. Quant à eux, ils ne
sortent que très rarement de cet endroit.

— Dans ce cas, voilà ce que nous allons faire…, fit le mystagogue. Nous allons les laisser vivre en paix et nous interdirons
l'accès à cette montagne. Ces gens ne représentent pas une menace
pour les royaumes thraces, ni même pour notre territoire. Ce sont
des déments, des malheureux qui s'inventent des histoires afin
de donner un sens à leur vie. Électra, leur ancienne reine, était
ainsi. C'était une pauvre fille à qui le pouvoir a fait perdre la tête.
Misis, pareil. Quant au Râjâ, il n'est qu'un pauvre phénomène de
foire, un sous-homme. Ce monstre est sans doute une erreur de
la nature et il ne mérite pas qu'on lui accorde du temps.

L'espion serra les dents. Sa mère n'était pas folle, et lui non
plus. Quoique son histoire pût paraître abracadabrante, elle était
véridique. Des choses surnaturelles se produisaient bel et bien
dans ce sanctuaire. Pour sa part, il avait vu de ses yeux les énormes
loups qui patrouillaient dans la forêt et savait que sa mère ne lui
mentait pas lorsqu'elle affirmait qu'un être d'une nouvelle race
était né dans le lac sacré.

— Je vois ton visage renfrogné et je perçois ta frustration,
dit le mystagogue, mais tu seras affecté ailleurs désormais.
J'aurai besoin de toi sur les côtes d'Odessos où les Perses tentent

désespérément de s'emparer du port. Avec les Troyens qui occupent maintenant Byzance et les guerriers de Tauride qui désirent s'allier avec la Thrace, j'ai d'autres soucis que ces hurluberlus qui vivent sur une montagne et se prennent pour des loups. Ta mère est sûrement très gentille, mais je crois qu'elle déraisonne un peu.

— J'obéirai à vos désirs, mon maître, mais permettez-moi d'insister encore sur l'importance des choses qui se passent dans ce sanctuaire. Vous ne devriez pas les considérer avec aussi peu de rigueur !

— Si tu avais parlé ainsi à Hitovo le chien, l'ancien souverain de Veliko Tarnovo, pour qui j'avais le plus grand respect, il t'aurait aussitôt balancé en bas de ces murs pour ton insolence ! Sache que, malgré mon apparente douceur et ma dévotion à Orphée qui m'incite à respecter la vie, ma patience a des limites. Je ne te permets pas de douter de ma rigueur, ni de mon jugement. Je te conseille donc de me laisser avant que me prenne l'envie de te faire prendre l'air.

— Je me retire.

— Bonne idée, conclut le mystagogue.

L'espion quitta rapidement le chemin de ronde de la muraille. Maintenant seul, le régent de Veliko Tarnovo leva les yeux vers le ciel et apprécia le calme de la nuit. Derrière lui, la cité était endormie. C'était le moment qu'il préférait. Enclin à la nostalgie, il se remémorait alors les nombreuses conversations qu'il avait eues, sur cette même muraille, avec Hitovo le chien, son ancien maître. Puis la belle Électra lui revint à l'esprit, ainsi que sa grosse gouvernante, Phoebe.

— Tous des morts…, murmura-t-il en poussant un léger soupir. Ma mémoire est remplie de cadavres et mes souvenirs, peuplés de fantômes. Dis-moi, Orphée, ce que j'ai fait de si terrible pour que tous ceux que j'ai côtoyés de près soient maintenant décédés ? Bien que je n'aie exécuté que ta volonté, j'ai de plus en plus de mal à vivre avec les images de mon passé. Je devrais peut-être envoyer mes armées et raser ce sanctuaire, mais je ne le ferai pas. Je n'ai pas envie de détruire ce qui reste de l'ancien royaume du souverain Hitovo et de sa capricieuse Électra. Je ne veux plus voir couler le sang par ma faute.

Alors que le mystagogue allait lui aussi quitter la muraille, l'image de la jeune Misis s'imposa à lui. La jeune fille avait commis une faute grave, mais elle ne méritait pas un aussi dur châtiment que celui qu'il lui avait réservé. En la condamnant au cachot, il savait qu'elle serait violée et maintes fois humiliée par le geôlier. Malgré cela, le mystagogue avait été intraitable. Même devant les larmes du père de Misis, il était resté de glace. C'était sans doute sa faute si la jeune fille avait aujourd'hui perdu la tête et croyait faire de la magie.

— Pauvre enfant, soupira-t-il encore. Elle désire transformer les humains en loups et se croit capable de le faire. C'est pathé-tique… Encore ce vieux mythe des hyrcanoï qui revient hanter ce pays. Quand on y pense, il y a de quoi pleurer… Il n'y a plus aucun loup dans toute la Thrace, mais les légendes persistent encore. Que les hommes sont stupides !

Sous le même ciel étoilé, à plusieurs lieues de Veliko Tarnovo, le Râjâ et sa femme Misis parlaient en regardant la lune. Ensemble, ils avaient convenu de la suite des choses à faire afin de protéger le sanctuaire et d'assurer la pérennité des hyrcanoï.

— Et tu partiras longtemps ? s'enquit Misis, angoissée.

— Temps – nécessaire, répondit le Râjâ.

— Je comprends, tu es la source et tu as une mission, celle de ramener ici les hyrcanoï… Je ne m'y oppose pas, Pan, je suis simplement triste de te perdre pour aussi longtemps. J'aurais espéré pouvoir t'accompagner, mais je comprends que ma tâche est ici. Je suis la reine, et mon devoir est de protéger le lac…

— Misis – me – manquer – beaucoup.

— Pan va me manquer aussi beaucoup ! Mais nous survivrons, comme nous avons déjà survécu à une séparation bien plus longue… Tu comptes encore commencer tes recherches par le nord ?

— Oui. Waorwen – penser – que – loups – là-bas.

— Ils se seraient sauvés en Scythie et en Tauride ?

— Oui. Plus – loin – aussi.

— Tu seras prudent ?

— Toujours.

— Et que faisons-nous pour la nympheutria?

— Rien.

— Et si Veliko Tarnovo nous envoie son armée, qu'est-ce que je fais?

— Cent – loups – pouvoir – gagner – contre – armée.

Le Râjâ lui expliqua qu'elle n'avait rien à craindre, car Börte Tchinö lui avait demandé d'avoir confiance en sa protection. Rien de mal n'allait survenir pendant son voyage dans le nord, car les humains normaux, conditionnés et domestiqués comme ils l'étaient, ne pouvaient pas comprendre les secrets entourant le sanctuaire. De peur de se voir eux-mêmes confrontés aux insondables mystères du monde, les Thraces allaient rapidement abandonner l'idée de les anéantir.

Les hommes ne perdent pas de temps à essayer de comprendre ce qui leur échappe, lui avait révélé la déesse. Ils préfèrent se cantonner dans le confort de leur religion plutôt que de pousser davantage leur investigation du monde. Ils louent des dieux créés à leur image, qui ne sont pas les bons. Ils prient des déesses inspirées de leurs fantasmes, qui n'existent que dans leur esprit. Depuis leur enfance, les humains se conditionnent eux-mêmes à la peur du vide et se sentent dans l'obligation d'expliquer toutes choses. La pluie, le vent et les tempêtes, tout doit avoir un sens alors que, trop souvent, il n'y a pas d'explication. La vie ne s'explique pas, elle se vit… tout simplement.

— C'est ce que la dame du lac t'a dit? demanda Misis, étonnée. Si je me fie à ses paroles, rien ne sert alors de chercher le daman-zan! Tu te souviens de la vision que j'ai eue le jour de notre mariage? Un esprit du nom de Maïcha avait investi le corps de la nympheutria. Elle me parlait du tallawuf et du daman-zan. Le tallawuf, c'était toi, mais je cherche encore ce que peut bien être le second!

— Ne – pas – chercher. Attendre.

— Attendre, soupira Misis. Attendre ton retour, attendre le daman-zan… toujours attendre. Je devrai m'y habituer.

Deuxième partie

Trinité

I

Sept ans après le départ d'Osiris-Path d'Égypte…

Comme à l'habitude, le Nil était calme. L'eau de la grande rivière pénétrait lentement les rizières où de nombreux esclaves s'affairaient à la récolte des panicules portant les précieux grains. Coiffés de chapeaux à large bord les protégeant des chauds rayons du soleil matinal, les hommes et les femmes, penchés sur leur ouvrage, observaient un silence solennel digne d'un rituel sacré. Autrefois surveillés par les soldats du pharaon, c'est sous l'œil paresseux d'un contremaître somnolant à longueur de journée qu'ils effectuaient désormais leur tâche. Une dizaine d'années auparavant, Osiris-Path les avait radicalement domptés et, depuis, les esclaves de la tribu de Lévi établis dans la province du Goshen se comportaient comme des agneaux. Toute velléité d'indépendance avait été refoulée dans la plaie encore béante des châtiments qu'on leur avait infligés à l'époque. Du matin jusqu'à la tombée de la nuit, ces gens trimaient, et nul ne se plaignait avant de regagner, épuisé, sa petite habitation, le temps de récupérer un peu.

— Pourquoi pleures-tu encore ce soir ? demanda le jeune Aï à son père à peine rentré, le visage couvert de larmes.

L'homme, éreinté par sa pénible journée dans la rizière, sourit affectueusement à son fils.

— Parce que, tous les jours, je pense à tes deux frères et à ta sœur qui ne sont plus là… Ils me manquent beaucoup.

— Ah bon, répondit simplement l'enfant en haussant les épaules. Et ils sont où maintenant ?

— Je te l'ai déjà expliqué, Aï, ils sont morts. Ils se trouvent maintenant dans un endroit magnifique où ils sont en paix…

— Alors, tu devrais être content pour eux…

— Je le suis, mon garçon, mais ils me manquent malgré tout. Ce qui m'attriste, c'est que, contrairement à toi, je ne peux plus les prendre dans mes bras à la fin de ma journée. Allez, mon petit homme, embrasse-moi !

Aï délaissa ses jeux et s'élança dans les bras d'Aha. Le père, heureux, serra contre lui le corps menu de son garçon de huit ans et, tout en respirant le doux parfum de sa peau, versa encore une larme.

— Tu veux jouer avec moi ? lui demanda Aï.

— Mais oui, mon garçon…, dit le père en déposant son fils par terre, juste à côté de ses figurines en bois. Tu joues à quoi ?

— Je joue à Osiris-Path…

Le visage d'Aha se durcit soudainement et son sang ne fit qu'un tour.

— Qui t'a parlé de lui, Aï ? demanda Aha en serrant les dents. Comment connais-tu ce nom ?

— C'est mon ami Hény qui m'en a parlé, répondit simplement le garçon.

— Hény ? Le fils de Marout, c'est ça ?

— Oui, c'est mon ami.

— Et qu'a-t-il dit sur Osiris-Path ?

— Ce que lui a raconté son père…

— C'est-à-dire ?

— Eh bien, que Osiris-Path est un monstre qui adore tuer des enfants, raconta Aï. Il est aussi laid qu'un chien galeux et dans ses yeux, il est possible de voir du feu. Il apparaît toujours quand la lune est ronde. C'est un monstre aux ordres du pharaon et il n'hésitera pas à revenir pour tous nous tuer si la tribu de Lévi n'obéit pas à ses ordres…

Aha, maintenant perplexe, regarda son fils avec attention.

— Sais-tu autre chose le concernant ?

— Oui…, dit Aï, hésitant. Il… Hény m'a aussi raconté que c'est Osiris-Path qui a tué son frère ainsi que…

Le garçon baissa les yeux.

— Hény a raison, confirma doucement son père. Osiris-Path a également tué tes deux frères et ta sœur. Ils sont morts de sa main et je n'ai rien pu faire pour les sauver. Rappelle-toi, Aï, que cette créature est d'une incroyable force et qu'elle est une création du Mal. Il n'existe pas d'être plus horrible, plus répugnant et plus dangereux que ce monstre venu directement des ténèbres. C'est à cause de lui si nous sommes toujours les esclaves du pharaon et si notre marche vers la terre promise n'a pas été possible. Nous sommes condamnés, toi et moi, à servir ou à mourir.

— Moi, je le tuerai! répondit Aï avec assurance. C'est ce que je fais quand je joue à Osiris-Path. Je l'encercle avec mes soldats puis je le transperce de lances.

— Ne joue plus à ce jeu, mon garçon, c'est dangereux, lui conseilla son père. Si les hommes du pharaon apprenaient ce que tu fais, cela risquerait de les mettre en colère, et Osiris-Path pourrait revenir. Laissons dans le passé ce qui appartient au passé. C'est beaucoup mieux pour moi, pour toi et pour ta mère. D'accord?

Aï réfléchit. Il était décidé à combattre le terrible Osiris-Path, mais ne voulait pas contrarier son père.

— Quand je serai grand, je partirai à sa recherche et je le tuerai! dit-il, convaincu. Je vengerai mes frères et ma sœur.

— Cesse, jeune homme! s'écria Aha, exaspéré. Lorsque tu seras adulte, tu prieras ton dieu, tu obéiras aux ordres et, comme tous ceux de notre race, tu espéreras le jour où notre peuple entamera sa marche vers la terre promise. Voilà ton destin, jeune garçon! Maintenant, je ne veux plus t'entendre prononcer le nom maudit d'Osiris-Path. Tu joueras également à d'autres jeux avec Hény, et je parlerai à Marout afin qu'il cesse de raconter des histoires d'horreur à son fils.

En silence, Aï rangea ses figurines de bois.

— Bon, je vais chercher de l'eau pour le repas…, dit Aha. Pendant ce temps, rends-toi au marché pour dire à ta mère que je suis de retour. Elle devait s'y rendre avec la femme de Marout. Allez, va!

Le garçon obéit en maugréant et se trouva bientôt au centre du village réservé aux esclaves. À cet endroit qu'on appelait le marché, les Égyptiens distribuaient tous les jours de la nourriture aux familles. Aï y repéra rapidement sa mère et lui transmit le message de son père, après quoi il retourna chez lui. Sur le chemin, il croisa par hasard son ami Hény.

— Bonjour, Aï!

— Hény… Mon père m'interdit de jouer à Osiris-Path. Il dit que ça pourrait être dangereux parce que ça risque de le faire revenir.

— Ton père dit n'importe quoi! Osiris-Path a disparu! Tout le monde sait ça! Il ne reviendra pas, c'est certain!

— Aha dit qu'on ne sait jamais et qu'il vaut mieux obéir, prier et attendre patiemment le jour de la libération, fit Aï, la mine déconfite. Le jeu est terminé pour moi… Je ne peux plus faire partie de la secte des Chasseurs de monstres.

— Mais attends! Ce n'est pas possible! Cette secte est à toi aussi bien qu'à moi. Je viens de commencer à recruter d'autres membres pour entreprendre nos missions.

— Désolé, Hény… Mon père a même dit qu'il parlerait à Marout afin qu'il cesse de te raconter ses histoires…

Hény ricana.

— Tu penses! Des histoires, mon père en raconte du matin au soir! Je ne crois pas que Aha arrive à le faire taire. Tiens, tu connais la dernière sur Osiris-Path?

— Non… mais il vaudrait mieux…

— Écoute celle-là, Aï! Marout l'a entendue de deux voyageurs qui revenaient de chez les Hittites. Il paraît qu'Osiris-Path aurait dévoré une princesse qui refusait de lui céder son royaume! Osiris-Path était seul avec elle dans la salle du trône… Comme la dame s'entêtait dans son refus, eh bien, le monstre l'a engloutie vivante! Il a même avalé tous ses os! Il y avait du sang partout!

Aï était sidéré.

— Depuis, le seul nom d'Osiris-Path fait trembler tous les Hittites, même leur souverain!

— Continue!

— La princesse en question n'est nulle autre que la sœur du roi! Te rends-tu compte de la puissance d'Osiris-Path? Même le roi hittite ne lui fait pas peur! Je te jure! C'est une véritable terreur! Après tout, c'est lui qui est passé ici avant notre naissance et qui a fait tuer tous les enfants du Goshen. On ne peut plus le laisser faire, Aï! Notre mission, c'est de le retrouver et de le tuer… La secte des Chasseurs de monstres, elle est là pour ça! Comme les adultes ont trop peur, c'est à nous de venger notre peuple! La secte est plus importante que tout! Tu ne peux pas me laisser tomber…

— Oui, mais mon père?

— On va en faire une secte secrète alors, et personne ne saura qu'elle existe! proposa Hény. En fait, juste les membres sauront qu'elle existe.

— Oui, ce serait parfait! Il nous faudra inventer des signes secrets pour nous reconnaître et adopter des règles strictes afin de garder entre nous le secret sur nos découvertes.

— Parfait! s'exclama Hény. On se rencontre demain et on commence les préparatifs de notre secte secrète… la grande secte des Chasseurs de monstres!

— Il nous faudra trouver des armes…

— Et des indices pour retrouver Osiris-Path…

— Puis d'autres membres…

— Mais pas des filles…

— Mais non! Pas de filles, c'est évident, c'est une secte secrète et elles sont incapables de garder un secret.

— À demain, alors, fit Hény en saluant son copain.

— C'est ça! À demain…, répondit Aï, très motivé par ce nouveau projet.

Cette nuit-là, en attendant le grand jour de la fondation de la secte secrète des Chasseurs de monstres, Aï rêva qu'il était un héros, grand et fort, et qu'il affrontait à mains nues le terrible Osiris-Path. Dans le sang et la sueur, il luttait contre le monstre. Malgré ses blessures et la souffrance qu'il éprouvait, le garçon savait qu'il combattait pour une noble cause. Il vengeait les siens du déshonneur et de la honte, il réparait à sa façon le massacre qui avait eu lieu deux ans avant sa naissance.

À son réveil, il était épuisé, mais content. Il avait réussi à tuer Osiris-Path et à laver l'honneur des siens. Juste avant d'ouvrir les yeux, il avait vu son père le serrer dans ses bras en le remerciant de son courage. Aha s'excusait en même temps de ne pas avoir cru en lui et en la secte des Chasseurs de monstres.

Aï s'habilla, salua sa mère qui faisait bouillir de l'eau pour le petit-déjeuner et sortit de la maison avec une idée bien précise en tête. Le garçon avait besoin d'un signe, d'un symbole qu'il pourrait présenter à Hény afin d'établir leur secte sur un emblème solide. Il parcourut rapidement le village d'esclaves, qui était désert. Tous les hommes étaient déjà partis travailler dans les champs. Il n'y trouva rien de bien intéressant. Puis, au détour d'une rue, son attention fut attirée par un berger qui avait maille à partir avec le bouc de son troupeau. La bête enragée chargeait l'homme qui finit par trouver refuge sur la branche d'un arbre.

— Voilà ! s'écria Aï. Nous serons comme ce bouc ! Nous foncerons tête baissée sur nos ennemis. Osiris-Path n'a qu'à bien se tenir ! Nous l'attaquerons de toutes nos... HAAAAAA !

Obnubilé par sa trouvaille, le jeune Aï n'avait pas remarqué que le bouc avait changé de cible et qu'il fonçait sur lui à toute vitesse. Lorsqu'il atterrit, plusieurs coudées plus loin, le nez dans la poussière et jambes par-dessus tête, il comprit que le bouc était tout désigné pour venir à bout d'Osiris-Path. Le fondateur de la secte des Chasseurs de monstres avait choisi le bon symbole.

II

Dix ans après le départ d'Osiris-Path d'Égypte

Osiris-Path était le nom qu'avaient donné les Égyptiens au roi mi-homme, mi-bête de Veliko Tarnovo. Croyant à la légende du guerrier exceptionnel issu de la chevelure du grand dieu Osiris, les Égyptiens l'avaient chassé de leur territoire après le massacre du Goshen. Tenu responsable du génocide de milliers d'enfants d'esclaves, le pou d'Osiris s'était vu condamné à l'exil. Les gardes du pharaon l'avaient donc laissé pour mort au pays de D'mt, à la source du Nil, d'où nul n'était jamais revenu. Par miracle, le plus dévoué des guerriers de Mérenptah avait survécu et pris le nom prophétique de W'rn pour la tribu de cannibales vivant sur le territoire. C'est là, dans la chaleur d'une hutte qui embaumait la myrrhe, qu'il avait fait pour la première fois l'amour. Accouplé de force à la fille du chef, W'rn avait cependant réussi à fuir en abandonnant derrière lui une femme éprise et, surtout, enceinte…

Cinq mois après la fuite de W'rn du pays de D'mt, Sumuhu'alay accoucha difficilement de triplés monstrueux, au corps couvert de poils et ressemblant à trois petites créatures de cauchemar. Déjà munis de dents et de griffes, ils avaient de grands yeux sombres et des nez atrophiés. Lorsque la mère vit pour la première fois ses rejetons, elle remercia les dieux qu'ils fussent à l'image de leur père. Elle ne vit pas leurs petites jambes et leurs longs bras qui les faisaient ressembler à de jeunes gorilles déformés. Non plus, leur sexe disproportionné ainsi que le prolongement de leur colonne vertébrale se terminant en queue de macaque. Jamais des nouveau-nés n'avaient été aussi laids. En plus de ce qui les distinguait sur le plan physique, les premiers sons qu'ils émirent furent tout aussi impressionnants. Contrairement aux autres enfants nés dans la tribu, leurs vagissements ne furent pas une lamentation, mais plutôt un grognement. Malgré toutes ces caractéristiques qui, aux yeux de tous, les rendaient répugnants, ils demeuraient pour Sumuhu'alay les plus beaux bébés de l'univers.

— Merci, W'rn, pensa-t-elle. Merci de m'avoir ensemencée de l'essence même de ta vie afin que le germe de ton amour croisse en moi. Où que tu sois, esprit divin de la rivière, sur un nuage ou dans la forêt, vois tes fils et reviens-moi vite ! Ils auront besoin d'un père, et toi seul peux assumer ce rôle.

Le premier des trois enfants à sortir du ventre de la fille du chef fut prénommé Grand W'rn, le second, Mort W'rn, et le troisième, Lune W'rn. C'est Sumuhu'alay, leur mère, qui les baptisa après les avoir soigneusement observés. Grand W'rn mérita son nom grâce à la lumière de sagesse qui éclairait son regard ; Mort W'rn fut ainsi baptisé parce qu'il avait l'aspect d'une puissante bête sauvage, et Lune W'rn, le plus petit, hérita de ce prénom qui évoquait sa figure bien ronde contrastant nettement avec les traits plus allongés de ses frères. Un à un, ils furent présentés au village entier qui se prosterna devant les fils du dieu W'rn. Le chef du village avait maintenant des héritiers, la fête pouvait alors s'organiser !

Pour célébrer ces naissances marquant une nouvelle et importante étape dans leur vie, les meilleurs guerriers, bien armés, entreprirent de sortir de la jungle et d'enlever quelques enfants des villages avoisinants. Les habitants de D'mt ne s'aventurant normalement pas au-delà de la frontière naturelle des arbres, ils firent une exception pour trouver de la nourriture digne des fils de W'rn. De nuit, ils attaquèrent sauvagement de modestes maisons de fermiers où ils réussirent à recueillir une bonne douzaine de jeunes garçons et filles, tous âgés entre six et dix ans, qu'ils ramenèrent vivants au village. Devant autant de viande fraîche et d'os riches en moelle, le peuple fit grand honneur à ses guerriers et le chef, généreux, leur promit les morceaux les plus tendres. Les festivités pouvaient commencer !

C'est lors d'une cérémonie nocturne grandiose où danses et chants se poursuivirent sans interruption que les jeunes victimes furent sacrifiées. Tour à tour décapités sur un autel de pierre, chacun des pauvres enfants connut une mort atroce. Le peuple de D'mt n'avait aucune compassion pour ses prisonniers, des êtres faibles et sans conscience auxquels il avait recours uniquement pour se nourrir, comme le tigre le faisait avec l'antilope. Ces cannibales appliquaient la même logique que n'importe quel prédateur face à sa proie. Les créatures incapables de se défendre adéquatement servaient à nourrir les dominants, point final. La panthère qui bondissait sur un jeune singe n'entretenait pas de remords envers les parents de sa victime. Elle se contentait de manger sa proie. Elle jouait le rôle pour lequel elle était née: survivre en tuant.

C'est donc sous le regard complice de la lune que les triplés goûtèrent pour la première fois le sucre enivrant du sang humain. En les voyant se gorger de ce nectar beaucoup plus capiteux que le lait maternel, Sumuhu'alay sut que ses enfants ne pourraient jamais plus s'en passer. Ce serait bientôt de véritables petits cannibales prêts à tout pour un tel délice. Ses enfants occuperaient rapidement la tête de la chaîne alimentaire, et elle savait qu'aucun humain, même pas ceux de sa tribu, ne pourrait éventuellement menacer leur rang. Les nouveau-nés formaient la prochaine génération des habitants du royaume de D'mt. Adultes, ils prendraient femme pour se reproduire et donner ainsi un nouveau visage aux habitants du pays, qui verraient naître des êtres supérieurs, plus puissants que le tigre et aussi agiles que le serval. Ces naissances marquaient indéniablement un nouveau cycle dans l'histoire de la tribu, et Sumuhu'alay avait l'honneur d'en être la toute première génitrice. Il ne manquait que W'rn. Si le père de ses trois merveilleux enfants avait pu être présent, son bonheur de fonder une famille aurait été complet.

« Il reviendra, songea-t-elle pour se consoler, il aura envie de connaître ses petits… Aucun père digne de ce nom n'abandonne ainsi ses enfants. Je le reverrai bientôt. Oui, très bientôt… »

Délaissant ses pensées, Sumuhu'alay s'étonna que chacun de ses trois fils eût une façon différente et bien marquée de manger. Ils avaient donc déjà leur propre personnalité. Grand W'rn mastiquait bien sa viande, alors que Mort W'rn avalait goulûment tout ce qu'on lui mettait dans la bouche. Quant à Lune W'rn, il tâtait d'abord les aliments avant de les accepter. Bien qu'ils fussent jumeaux, Sumuhu'alay en déduisit qu'ils auraient toujours des tempéraments bien distincts. Grand W'rn semblait le plus sage des trois. Il apprécierait chaque moment de l'existence, tandis que Mort W'rn serait certainement enclin à l'assouvissement de ses désirs. Pour sa part, Lune W'rn serait curieux, désireux de tout connaître du monde.

— Vous êtes aussi beaux que votre père... et je vous aime tout autant que lui, leur chuchota Sumuhu'alay en les ramenant dans sa hutte après leur repas. Vous deviendrez grands et forts comme lui... Grand W'rn, tu auras l'esprit clair comme la rivière. Toi, Mort W'rn, tu seras le protecteur de tes frères. Et enfin, toi, mon petit Lune W'rn, tu sauras parler avec les dieux... Je sens que tu as été choisi pour guider tes frères. J'aimerais tellement que votre père vous voie, mes chers petits... Il serait si fier de vous.

— Pourquoi prives-tu le village de la présence de ses dieux? lança à brûle-pourpoint le chef en accourant près de sa fille qui s'était écartée de la foule. Le peuple veut voir les enfants de W'rn! Cette fête a été organisée en leur honneur!

— Ils avaient besoin de tranquillité. Mes pauvres amours... Ils ont tellement sommeil maintenant. La fête est bruyante et cela les épuise. Regarde, père, comme ils sont agités.

— Tu as raison, Sumuhu'alay! Il ne faudrait pas que tout cela nuise à leur croissance. Je vais parler au peuple. Ils verront leurs dieux lorsque tu jugeras le moment opportun. Ta tâche est grande, ma fille, car sur tes épaules repose le sort de ceux qui veilleront à la destinée du pays de D'mt, et tu as toute ma confiance.

— Je t'en suis reconnaissante, père, répondit la jeune maman.

— Dommage que W'rn nous ait quittés, il les aurait aimés, ses petits, ajouta le chef en se retirant. Mais gardons espoir. Tout le village croit en son retour. Sois confiante, ma fille, et tu seras récompensée de ta patience.

Seule dans sa hutte, Sumuhu'alay soupira. Elle prit un peu d'eau et nettoya délicatement le pelage de ses enfants. Chacune de ses caresses provoquait chez les nouveau-nés des gazouillis de béatitude. Comme leur père, ils ronronnaient lorsque grattés doucement dans le cou.

— Je donnerais beaucoup pour te retrouver, W'rn, murmura-t-elle. Je me languis de toi. Pour moi, il n'y a rien au monde de plus important que toi. W'rn, tu es mon amour et mon dieu, ma vie et ma mort. Tu m'as au moins donné des fils. Mes petits… je vous aime comme je l'aime, lui. Je prierai pour son retour, de toutes mes forces, je le jure.

Persuadée qu'elle reverrait un jour son amour, Sumuhu'alay suivit le conseil de son père en se promettant d'être patiente. Les jours passèrent, puis se succédèrent les lunes et, enfin, les saisons. Ainsi, les fils de W'rn grandirent sans connaître leur géniteur, mais ils eurent par contre la chance d'être éduqués par les anciens du village.

Le vide qu'aurait pu créer l'absence d'un père fut donc comblé par le soutien de la communauté pour qui les dix années suivant la naissance des triplés se déroulèrent dans un réel bonheur. Les meilleurs chasseurs révélèrent aux rejetons les secrets de la faune, si bien que, malgré leur jeune âge, ils étaient déjà de redoutables prédateurs. Également initiés aux arts du combat et à la manipulation d'armes par les guerriers du village, les triplés, grâce à leur impétuosité, surent rapidement manier la lance, l'arc et le bâton. Les trois garçons assimilaient aisément toutes les théories tout en excellant dans la pratique. Jamais une mère n'eût pu être plus fière de ses fils. Pourtant, Sumuhu'alay n'était pas heureuse. W'rn lui manquait toujours. Elle continuait de vouloir partager avec lui son bonheur de voir grandir leurs remarquables enfants.

Chaque jour depuis leur naissance, Sumuhu'alay se rendait avec ses enfants au lac où son grand amour, W'rn, lui était apparu dans la cascade. Par temps ensoleillé, elle se baignait avec ses petits et s'amusait avec eux des heures durant. Jetant de temps à autre un regard discret sur la chute, la femme espérait le retour de l'homme de sa vie. Chaque instant passé en ce lieu lui rappelait celui qu'elle aimait, et c'était sa façon d'honorer les moments extraordinaires qu'ils avaient vécus ensemble. Ici, la jungle était plus hospitalière et invitait au repos. La rive était douce comme les caresses de son bien-aimé, l'eau, du même bleu que ses yeux. Lorsque le temps semblait s'arrêter, Sumuhu'alay en profitait pour faire la sieste.

— Mère s'est endormie, soupira Grand W'rn de sa voix gutturale. Sumuhu'alay est triste encore et encore. Rien n'arrive à guérir son mal.

— C'est parce que notre père l'a abandonnée, nous le savons, répondit Lune W'rn en effleurant délicatement les cheveux de sa mère. C'est sa faute à lui… Il est venu, il l'a aimée et il est parti. Sumuhu'alay l'attend, c'est normal.

— S'il revient un jour, grogna Mort W'rn, je le tuerai et je le dévorerai! Sumuhu'alay sera vengée. En partant, W'rn a fait le mauvais choix. Notre mère ne mérite pas de souffrir à cause de lui. Moi, je déclare que je n'ai pas de père!

Lune W'rn dit à son tour ce qu'il en pensait.

— Si W'rn revient un jour, je lui demanderai des réponses à mes questions. Pourquoi la vie? Pourquoi sommes-nous différents des autres? Je veux savoir pourquoi les dieux existent, pou…

— TAIS-TOI! lâcha Mort W'rn. Des questions! Des questions! Toujours des questions! W'rn ne t'apprendra rien, puisque je le tuerai avant même que tu ouvres la bouche pour les lui poser! Alors, continue d'interroger les sages du village et laisse-nous tranquilles.

— Calme-toi, grogna Grand W'rn à travers ses dents. Si tu réveilles mère, tu le regretteras. Regarde comme elle est bien. Elle voit W'rn en rêve. Sa figure sourit. Sumuhu'alay n'est heureuse que lorsqu'elle dort. Alors cesse avec tes projets stupides de tuer W'rn. De toute façon, s'il revient, je t'empêcherai de lui faire du mal. Et puis, te crois-tu de taille à l'affronter? Il ne ferait qu'une bouchée de toi!

Mort W'rn se renfrogna et disparut dans la jungle en quête d'insectes à manger. Grand W'rn était non seulement le premier-né, mais également le plus fort des trois. Il lui était arrivé plusieurs fois de donner une bonne correction à Mort W'rn. La hiérarchie fraternelle était claire. Grand W'rn occupait la position de chef.

— Tu l'as contrarié, gronda Lune W'rn en regardant Mort W'rn s'éloigner. Je n'aime pas ça. Quand il est en colère, notre frère est comme le feu, il cherche à tout détruire autour de lui.

— Ne t'en fais pas, grommela à son tour l'aîné. Par là où il va, ne se trouve que de la végétation. Il ne peut causer aucune douleur aux troncs des arbres. Comme toujours, il finira par se calmer et après un moment, il reviendra. Mort W'rn est ainsi fait, il a besoin de solitude pour s'apaiser.

— J'espère que tu as raison, ajouta Lune W'rn, peu rassuré.

La journée était superbe et le soleil, haut dans le ciel. Incommodée par la chaleur des rayons sur sa peau d'ébène, Sumuhu'alay ouvrit doucement les yeux. Ravie d'apercevoir ses fils à ses côtés, elle leur sourit affectueusement, puis s'étira, se leva et, comme à son habitude, alla plonger gracieusement dans le lac.

— Notre mère est belle, dit Grand W'rn. Elle est la plus belle du village. Et sa peau est si douce. Si W'rn l'a quittée, ce n'est sûrement pas pour quelqu'un d'autre. Son corps est beau.

— Je suis d'accord, dit Lune W'rn en souriant.

— Sumuhu'alay est ce qu'il y a de plus beau au monde! ajouta encore l'aîné, dans les sons gutturaux habituels.

— Grand W'rn, que dirais-tu de partir à la recherche de notre père afin de le ramener à Sumuhu'alay? Elle serait si heureuse!

— Tu sais bien que la loi nous empêche de quitter la jungle, même temporairement! Le chef le répète constamment. Notre devoir est d'assurer la protection du royaume, et même lorsque le temps sera venu de prendre femme, il ne faudra pas déroger à la règle. C'est ainsi que le pays de D'mt fonctionne.

— Bien sûr…, fit Lune W'rn en haussant les épaules. Mais j'aimerais voir ce qu'il y a après la jungle. Comment vivent les hommes dont nous nous nourrissons. Ils sont différents les uns des autres… Le goût de la chair varie aussi.

— Tu es trop curieux, trancha Grand W'rn. Tu nous créeras des ennuis. Le pays de D'mt est idéal pour nous, crois-moi. Il n'y a pas de meilleur endroit.

— Je suis sorti de la jungle hier, lança d'un seul souffle Lune W'rn. Et j'ai vu.

Estomaqué par l'aveu de son frère, Grand W'rn déglutit en écarquillant les yeux. L'envie de le sermonner laissa place au désir pressant de savoir. Il décida de se taire et tendit l'oreille.

— J'ai vu les montagnes, déclara Lune W'rn. J'ai vu au loin le désert et les terres de roches. J'ai aperçu d'autres lacs que celui-ci, et une rivière. Une très grande rivière.

— Mais pourquoi as-tu désobéi? murmura Grand W'rn afin que Sumuhu'alay ne l'entende pas. Si mère et grand-père l'apprenaient, ils ne te le pardonneraient pas. Les ordres du chef sont sacrés. Et nos terres aussi…

— Je voulais savoir… et retrouver notre père.

— C'est impossible.

— Écoute bien, expliqua Lune W'rn. Sumuhu'alay dit que W'rn était l'esprit du lac apparu sous la cascade…

— Et alors?

— S'il est tombé de la chute, c'est qu'en réalité, il est l'esprit de la rivière qui a terminé son voyage dans le lac.

— Tu es ridicule.

— Si tu lances une branche dans la rivière, que lui arrive-t-il?

— Euh… elle flotte? répondit Grand W'rn, intrigué.

— Et elle suit les mouvements de l'eau puisqu'elle est portée par l'eau, n'est-ce pas?

— Oui, bien sûr.

— Voilà l'histoire de notre père, décréta Lune W'rn. De la grande rivière que j'ai aperçue, il a voyagé jusqu'au lac où il a rencontré notre mère. Si nous voulons retrouver notre père, rejoignons la rivière et remontons-la.

Grand W'rn était interdit. Cette théorie venait de bouleverser sa conception de la vie. Se pourrait-il que leur père fût plus puissant que tous l'avaient supposé? Si Lune W'rn voyait juste, les pouvoirs de leur géniteur s'étendraient donc au-delà du pays de D'mt! W'rn ne serait pas seulement l'esprit du lac, mais le dieu de la totalité des étendues d'eau! Pas étonnant qu'il ait quitté Sumuhu'alay! Il avait trop à faire!

— C'est pour cette raison que je suis sorti de la jungle, Grand W'rn. Je voulais voir de mes propres yeux pour pouvoir comprendre. Maintenant que j'ai vu, je sais que nous sommes les fils d'un grand dieu, et Sumuhu'alay l'ignore.

— Si tu dis vrai, notre destin n'est pas ici…

— Nous devons rejoindre notre père pour l'assister, décida Lune W'rn. Nous sommes les fils du dieu W'rn et, tu as raison, notre destin est ailleurs.

— Si nous abandonnons Sumuhu'alay, elle en mourra.

— Le jour où nous devrons tout quitter est encore loin.

— Dis-moi, comment en es-tu arrivé à cette explication, Lune W'rn?

— Mes rêves… Quand je dors, les images sont claires… Ensuite, je réfléchis et j'écoute mon cœur.

— Mort W'rn n'acceptera jamais…, songea à voix haute Grand W'rn.

— Nous n'aurons pas à le convaincre, il comprendra, le moment venu.

Les deux frères se turent lorsque leur mère sortit de l'eau. Encore toute ruisselante, Sumuhu'alay caressa joyeusement leur chevelure dense. Puis, elle leva son regard vers la jungle pour appeler Mort W'rn qui finit par jaillir des hautes herbes, portant un jeune chacal ensanglanté.

— Laisse ça, Mort W'rn, nous rentrons.

Obéissant à sa mère, le garçon, la gueule souillée de sang, laissa choir la dépouille pour aller se nettoyer rapidement dans le lac.

— Partez devant, je vous rejoins dans quelques instants! ordonna Sumuhu'alay en désignant la direction de la maison.

Seule devant le lac, Sumuhu'alay observa cet environnement si familier d'où elle espérait secrètement, depuis dix ans maintenant, voir resurgir W'rn, l'unique amour de sa vie. Mais encore aujourd'hui, elle rentrerait seule au village, l'âme déchirée. Depuis ce fameux jour où il lui était apparu dans la petite cascade, sa vie avait été transformée, et Sumuhu'alay avait bien vite ressenti dans son ventre le fruit de l'amour. Bien que son père l'eût obligée à partager W'rn avec d'autres femmes, elle avait tout de même été la seule à mettre au monde ses enfants, signe incontestable de leur réciprocité. Cet esprit des eaux au corps velu et aux yeux profondément bleus l'avait conquise pour la vie. Plus aucun membre de la tribu n'était autorisé à la toucher depuis W'rn, et malgré l'insistance de plusieurs solides guerriers, il en demeurerait toujours ainsi. Sumuhu'alay se réservait pour le retour de W'rn.

— Si tu m'entends, murmura-t-elle, reviens-moi. Je suis lasse de vivre sans toi. Ton rire et ta chaleur me manquent tant. Je ne suis qu'une errante attendant le jour heureux où tu me prendras dans tes bras. Suis-je dans tes pensées ? Reviens à la maison, W'rn, tes enfants t'attendent aussi. Le temps passe, W'rn. Tes garçons seront bientôt des hommes et ils n'auront plus besoin de père. Au fond, tu sais, ta présence leur manque. Mon âme me fait mal. Je t'aime, mon grand, noble et beau W'rn…

III

Sénosiris marchait sans relâche depuis dix ans maintenant. Ni le froid, la pluie, ni les rayons brûlants du soleil ne l'avaient arrêté. À la recherche de son fils, il avait arpenté de long en large la Mésopotamie, puis, saisissant de la bouche d'un marchand un mince indice au sujet de sa progéniture, il avait cru bon suivre la piste vers les terres des Achéens, jusqu'aux colonnes d'Héraclès. Or, il avait atteint le bout du continent pour apprendre que l'enfant en question n'était pas le sien. S'armant de courage et guidé par son désir impérieux de connaître sa descendance, l'Égyptien avait rebroussé chemin et repris ses recherches vers l'ouest en passant par la Scythie et la Tauride, mais sans plus de succès.

Au cours de toutes ces années de voyage, Sénosiris avait fait quelques mauvaises rencontres, mais il avait surtout tissé des liens amicaux. Bien qu'il fût parfois contraint à la mendicité pour se nourrir, il s'était en revanche bien souvent consacré à aider ceux qu'il croisait sur sa route. Ainsi, grâce à ses vastes connaissances et à son remarquable talent, il s'était fait charpentier à de nombreuses occasions. Pour les Égyptiens, l'art de construire des bâtiments était en quelque sorte une seconde nature, et le style architectural unique qu'apportait Sénosiris plaisait beaucoup. En outre, le voyageur n'avait pas que cette clé au trousseau d'aptitudes pour lesquelles il se vit régulièrement offrir de l'argent. Sa disposition à décoder le langage des étoiles lui avait aussi donné la notoriété des grands devins qui savent prédire les naissances et anticiper les invasions d'insectes. De plus, il connaissait les secrets des plantes, et pouvait annoncer de façon infaillible les années de disette ou de récoltes abondantes. L'Égyptien savait soigner les animaux aussi bien que forger de remarquables épées de bronze. Affable et généreux, Sénosiris se rendit aussi disponible aux rois qu'aux fermiers des royaumes qu'il traversa et ne demanda jamais plus que le couvert et une couche où passer la nuit.

Toujours prêt à aider son prochain, Sénosiris rencontra ainsi un nombre incalculable de personnes sur lesquelles il eut un impact très positif. Dans l'est, on le surnomma Sénosiris le généreux et il devint, bien malgré lui, le personnage central de plusieurs grandes légendes. Des siècles après son passage, on raconterait encore aux enfants les récits palpitants de ce grand magicien venu de l'ouest pour aider, mais dont on connaissait, somme toute, assez peu de choses. On parlait de sa longue chevelure, de sa grande barbe poivre et sel, de ses yeux qui dégageaient la douceur de l'enfance, et on savait qu'il se déplaçait en s'appuyant sur un grand bâton de marche dont le pommeau représentait une tête de loup. Tous savaient qu'il possédait l'intelligence d'un dieu et qu'il parlait toutes les langues. Magicien pour certains et chaman pour d'autres, Sénosiris le généreux parlait à la nature et en connaissait tous les secrets.

Cependant, pour Sénosiris, la réalité était beaucoup moins belle que les récits qu'avait inspirés son passage. Son affabilité n'empêchait pas l'Égyptien d'être torturé à l'idée de ne jamais connaître son enfant. Au fil des ans, la foi en sa quête s'était quelque peu effritée. Aucune des pistes suivies ne l'avait approché un tant soit peu de son garçon, sans compter que son cœur souffrait encore de la perte de la femme qu'il avait tant chérie des années auparavant. Électra, sa reine à lui, était morte sans qu'il eût pu lui dire adieu. S'il avait été présent lorsque la ville de Veliko Tarnovo fut renversée, les choses auraient probablement été différentes. Tous les jours, les mots de la jeune gouvernante résonnaient encore en lui : « Électra est morte des suites de l'attaque. Elle était si épuisée. Elle s'est endormie doucement et son cœur a cessé de battre. Je suis désolée… »

Pour l'inconsolable Sénosiris, sa reine était morte de désespoir et de solitude. Elle ne souhaitait simplement plus vivre et elle s'était laissé emporter sans combattre.

— J'aurais pu la sauver, songea parfois l'Égyptien au cours de son périple. Elle devait croire que je l'avais abandonnée… que je ne reviendrais plus. Si j'avais été auprès d'elle, nous aurions élevé notre fils ensemble. Tout est ma faute... Je suis le seul responsable de sa mort... l'unique coupable.

C'est ainsi qu'avaient filé les jours et les années et, au bout de dix ans, l'Égyptien poursuivait sa pénible marche de rédemption. Convaincu de pouvoir racheter sa négligence envers Électra en retrouvant leur fils, il refusait d'abandonner ses recherches.

Comme un dément cherchant désespérément une aiguille dans une botte de foin, Sénosiris parcourait le monde presque à l'aveuglette. Certes, il savait que son garçon avait été enlevé, quelques jours après sa naissance, par un vieil homme nommé Nosor Al Shaytan et que, pour y parvenir, le vieux brigand avait sauvagement agressé la nouvelle gouvernante d'Électra. Mais cela ne lui rendait pas ce fils dont il ignorait tout, à quelques détails près. Il avait apparemment un nez pareil au sien, et possédait le regard profond de sa mère. Or, toutes ces années d'investigations ne lui en avaient guère appris davantage, ni sur le ravisseur ni sur l'enfant.

C'est par un après-midi torride que Sénosiris entra à Çatal Höyük, une ville assez particulière puisque tous les habitants semblaient y vivre sur les toits. Contrairement aux autres endroits où il était passé, il n'y avait aucune rue. Seuls des murs épais séparaient les habitations les unes des autres.

L'Égyptien emprunta la première voie qu'il rencontra et aboutit entre les kiosques des marchands de fruits et de légumes. Après quelques minutes, il trouva ce qu'il cherchait: un puits. Sénosiris, assoiffé, désigna d'un geste la source d'eau à un vieil homme assis sur le banc d'à côté. Celui-ci lui fit signe de se servir.

— J'avais la gorge sèche comme le désert, lui dit Sénosiris après s'être désaltéré. Merci de bien vouloir partager votre eau avec un étranger.

L'homme haussa les épaules.

— L'eau n'appartient à personne en particulier... elle est le bien de tous, marmonna-t-il.

— Ravi de l'entendre, car cette façon de voir n'est pas coutume partout! ajouta gaiement l'Égyptien, entre deux gorgées salutaires. On a déjà châtié des hommes parce qu'ils s'étaient abreuvés sans autorisation. Moi, je n'oublie jamais de demander.

— En effet, ça peut éviter les mauvaises surprises…, grogna le vieillard, un peu agacé.

Sénosiris comprit que son interlocuteur n'avait pas très envie de parler et s'empressa donc de remplir ses gourdes. Au moment de partir, le vieil homme se ravisa.

— Tu parles bien la langue du pays pour un étranger.

— J'ai voyagé durant des mois avec un Babylonien, expliqua Sénosiris. C'est à lui que je le dois. Cela fait des lunes que nos chemins se sont séparés, mais je n'ai pas oublié ses enseignements.

— C'est très bien. Tu t'exprimes pratiquement mieux que la majorité des ignares d'ici !

— Euh… merci du compliment.

— Où vas-tu comme ça ?

— Je suis à la recherche de mon fils.

— De quoi a-t-il l'air, ton fils ? poursuivit l'homme, apparemment plus intéressé.

— Il est âgé d'environ dix ans. Tout petit, il avait mes yeux.

— C'est succinct comme description…, fit le vieil homme. Je connais la ville entière et je rencontre à peu près tous les étrangers qui sont de passage. Ton garçon n'est pas ici, je peux te l'assurer. De toute façon, depuis que les routes vers le sud sont fermées à cause de la guerre, cela fait déjà des mois, il n'y a plus de voyageurs qui s'arrêtent ici.

— Je devrai poursuivre mes recherches vers le nord, dans ce cas…

— Dis-moi encore, ton garçon, il s'est enfui ou il s'est fait prendre par un marchand d'esclaves ?

— Non, il a été enlevé par un homme du nom de Nosor Al Shaytan.

Le visage du vieillard se crispa soudainement. On aurait dit qu'une flèche venait de lui transpercer le cœur.

— Nosor ? Tu as bien dit Nosor Al Shaytan ?

— Exactement. Cela fait dix ans que j'essaie de le retracer, répondit Sénosiris, envahi d'un espoir soudain. Vous le connaissez ?

— Tu parles que je le connais ! C'est mon cousin !

Voilà enfin ce que Sénosiris souhaitait depuis des années ! Un point de départ sérieux pour sa quête. Si le vieil homme disait vrai, il saurait sans doute le conduire jusqu'au ravisseur de son enfant.

— Pouvez-vous me dire où il se trouve? demanda Sénosiris, la gorge nouée.

— Il est passé ici... Ouf, laisse-moi réfléchir... il y a au moins cinq ans de cela! Il m'avait demandé de l'héberger, mais j'ai refusé. Ce chien en aurait encore profité pour coucher avec ma femme! Non, plus question de me faire cocu! Mais attends... Mais oui! Si je me rappelle bien, il y avait effectivement un enfant qui l'accompagnait! Un garçon haut comme trois pommes!

— Que vous rappelez-vous d'autre le concernant?

— Oh, Nosor paraissait avoir perdu la tête... Il disait que la lune lui avait demandé de se rendre jusqu'au... Tarin ou Tarime ou, non, plutôt Tarille... Enfin, je ne sais plus!

— Le Tarim, probablement, murmura Sénosiris.

— Euh, je me souviens qu'il n'avait plus ses dents en or! Il se les était arrachées pour les vendre. C'est encore la lune qui le lui avait ordonné, m'a-t-il dit! Non, décidément, il n'avait vraiment plus toute sa tête, le cousin Nosor...

— Et l'enfant? demanda nerveusement Sénosiris.

— Euh... frêle, les cheveux très blonds, presque blancs même! Nosor l'appelait... Rong! Oui, c'est ça, Rong.

— Rong?

— Un nom étrange, n'est-ce pas? Je m'en suis rappelé parce que c'est le surnom qu'on donne aux chiens bâtards qui pullulent à Babylone.

— Oui, je suis au courant...

— « Sale rong! » C'est ainsi qu'on disait là-bas quand j'étais plus jeune. Tu sais, lorsque j'ai appris le métier de contremaître, je travaillais pour le sultan du pays de...

— Pardonnez-moi... De quel côté votre cousin et l'enfant se dirigeaient-ils?

— Je ne sais plus trop... Comme je t'ai dit, ils allaient du côté de Tamarine ou, enfin, quelque chose du genre. Je ne sais même pas si l'endroit existe vraiment. Moi, en tout cas, je n'en avais jamais entendu parler. Qui sait, c'est peut-être sur la lune! Pauvre Nosor! Avec son esprit dérangé, cela ne me surprendrait pas! Hé, hé!

— Le garçon… avait-il l'air en santé?

— Je ne peux pas vraiment le dire, je ne suis pas soigneur, mais il m'est apparu assez en forme!

— Vous vous rappelez d'autre chose?

— Non, rien, vraiment… sinon de m'être fait la réflexion que le cousin Nosor n'en avait plus pour très longtemps ici-bas! Tu aurais dû le voir, une loque! Il avait les yeux creux et la peau grise… Il puait comme une bouse de chameau! Je parierais qu'il ne s'était pas lavé depuis un an au moins. Une odeur de pourriture… non, de mort plutôt! Une véritable odeur de charogne, tiens!

— D'accord, dit Sénosiris, songeur. Je vais tenter de le trouver…

— Ainsi, ce serait lui qui t'aurait ravi ton fils?

— S'il s'agit du même Nosor Al Shaytan, oui, c'est bien lui.

— Curieux, quand même, qu'il se soit embarrassé d'un gamin… Maintenant que j'y pense, c'est un comportement bien étrange pour un homme qui a toujours détesté les enfants. Probablement un changement de personnalité attribuable à sa nouvelle amie la lune! Hé, hé, hé! Bref… Suis aussi la piste de la secte d'Iblis. Il s'agit de nomades du nord de l'Anatolie, mais aussi de vendeurs d'esclaves! Nosor a déjà été le chef d'une de leurs importantes factions. Peut-être que mon cousin s'est arrêté parmi eux avec ton fils… Si le petit s'y trouve, tu pourras toujours l'acheter! Allez, je te souhaite bonne chance…

Le cœur haletant, Sénosiris remercia le vieil homme avant de quitter précipitamment Çatal Höyük. Il avait cinq ans à rattraper sur la dernière visite de Nosor Al Shaytan dans cette ville, et il essayait de décider quel était le meilleur plan à adopter. Le monde était si vaste! Son fils pouvait à présent se trouver n'importe où! Pris d'un soudain vertige, l'Égyptien s'assit par terre et ouvrit une de ses gourdes pour s'asperger un peu le visage.

«Calme-toi, se dit-il. Tes émotions ne doivent pas nuire à ta raison. Prends le temps de réfléchir…»

Après avoir repris haleine, Sénosiris parvint à se raisonner.

«Voyons… Si Nosor avait voulu vendre mon fils comme esclave, il l'aurait fait bien avant ses cinq ans, puisqu'un bébé se vend à prix d'or auprès des femmes riches et infertiles de

Perse… Non, ce qu'il voulait réellement, c'est atteindre le bassin du Tarim, c'est ce qu'il a dit à son cousin. »

Lors de ses déplacements à travers le continent, Sénosiris avait entendu parler du bassin du Tarim. Un endroit mythique entouré de plusieurs chaînes de montagnes. Un véritable paradis perdu, disait-on. Situé en plein centre du vaste désert de Taklamakan, il était protégé par un peuple extraordinaire qu'on appelait les Tokhariens. Ceux-ci, dont la science et la technologie dépassaient même le savoir égyptien, étaient, selon la légende, des descendants directs des habitants du royaume englouti de l'Atlantide.

— Pourquoi Nosor aurait-il amené mon fils dans le bassin du Tarim? Quelle est donc cette quête étrange que lui dicte la lune?

Malgré son caractère farfelu, toutefois, l'indice ne devait pas être rejeté. Sénosiris se releva et considéra la position du soleil dans le ciel. Depuis le temps qu'il cherchait une piste valable, il n'allait certainement pas s'orienter à l'aveuglette.

— Si Nosor Al Shaytan a réussi à gagner le bassin du Tarim, eh bien, j'y arriverai aussi, se dit l'Égyptien, plus déterminé que jamais. Direction : l'ouest !

IV

Quinze ans après le départ d'Osiris-Path d'Égypte…

— Laissez-moi vous raconter comment était votre père ! lança avec enthousiasme Sumuhu'alay à ses trois enfants qui jouaient à la lutte. Venez, approchez !

Grand W'rn, Lune W'rn et finalement Mort W'rn se résignèrent à abandonner leur jeu pour obéir à leur mère, mais non sans maugréer. Tous les soirs, ils devaient endurer ce qui était vite devenu, dans leur jeune existence, un rite immuable. Venait constamment cette heure où Sumuhu'alay leur imposait toujours la même histoire, celle de son union avec leur père. Elle employait les mêmes intonations, la même cadence, bref, depuis des années, les phrases demeuraient pratiquement les mêmes chaque fois. Parce que les triplés adoraient leur mère, ils éprouvaient énormément de chagrin à la voir se complaire ainsi dans une nostalgie pernicieuse qui durerait tant que tarderait le jour espéré du retour de leur père, le légendaire W'rn.

— Restez calme et ouvrez grand vos oreilles…, commença Sumuhu'alay avec sa formule habituelle. Voilà. C'était une journée magnifique ! Trois amies du village et moi-même avions accompli nos tâches journalières, et ensemble nous avons décidé d'aller nous baigner au lac, tant le soleil était chaud…

Lune W'rn poussa un grand soupir que n'entendit pas sa mère, trop absorbée à faire le récit de ce qu'elle considérait comme les seuls vrais instants de bonheur qu'elle eût connus, malheureusement figés dans le passé. Lune savait cependant qu'il existait un baume pour la douleur de Sumuhu'alay, mais ce remède se trouvait à l'extérieur des frontières du royaume. Effectivement, cinq mois auparavant, le garçon avait eu une prémonition. Ce jour-là, il avait une fois de plus désobéi aux ordres du chef en se rendant seul à la limite du pays, et s'y était fait prendre. Depuis, il n'avait même plus essayé de quitter les terres de D'mt, d'autant plus que son grand-père, apprenant l'incident, lui avait servi un coup de semonce. En outre, il n'oublierait jamais ce qu'il avait ressenti là-bas en observant l'important cours d'eau avant que les guerriers du village ne viennent le cueillir. Contraint plus que jamais de se soumettre à l'autorité, il rageait de ne pouvoir retourner là où se trouvait, il en était absolument certain, la solution à la souffrance de sa mère. Cette fameuse journée, depuis la frontière interdite, son intuition l'avait guidé par-delà la grande rivière. C'était ce chemin, il le savait, qui le conduirait jusqu'à son père. Le frisson prolongé qu'il avait ressenti dans tout le corps avait fini par le convaincre de la présence de son père à l'autre bout du grand cours d'eau. Il n'y avait pas de doute, pour le salut de leur mère, il devait partir avec ses frères à la recherche de W'rn et le ramener avec eux. Mais encore fallait-il trouver le moyen de quitter le village…

Sumuhu'alay poursuivait son récit avec exaltation.

— … puis il a émergé du lac. Comme il était beau ! En même temps, on aurait dit un petit animal blessé en quête de réconfort… Nous avons fini par l'accueillir dans la tribu… Parmi toutes celles qu'il aurait pu choisir pour devenir sa compagne, il m'a choisie, moi, et seulement moi ! Oh, il y en a bien eu pour essayer de me le ravir, mais, vous le savez, je m'en suis débarrassée en les tuant. Pas question de partager W'rn avec quiconque, oh non ! Et c'est ici même, dans cette hutte, que vous avez été conçus… Il m'a fait de si beaux enfants… C'est vous, mes petits !

Mort W'rn serra les dents. Il avait beau entendre la même rengaine depuis des années, il bouillait de colère chaque fois : plus il entendait cette histoire, plus l'abandon de son père lui pesait lourd sur les épaules. Il n'acceptait pas que W'rn fût parti sans même prendre le temps de les connaître, lui et ses frères. Il n'arrivait pas à concevoir qu'un père, surtout aussi prestigieux que W'rn, abandonne aussi lâchement femme et enfants. Mort W'rn observait scrupuleusement la façon dont les hommes de son village, des chasseurs à la force virile, se comportaient à l'égard de leurs enfants. Or, tous étaient fiers de leur progéniture à qui ils enseignaient également, avec douceur et patience, les secrets de la jungle, expliquant tantôt les propriétés d'une plante, tantôt les caractéristiques d'un animal. Ils les préparaient à devenir des hommes solides et autonomes. Mais ce qui enrageait le plus Mort W'rn, ce n'était pas qu'on le prive de ces enseignements, mais qu'il existe une complicité affectueuse entre les pères et leurs fils. Le garçon considérait avec jalousie ces relations d'amour et de tendresse dont semblaient s'enorgueillir toutes les familles.

Pour cette raison, Mort W'rn, d'un caractère hargneux et souvent excessif, préférait être seul et n'avait aucun ami dans la tribu. À part le temps consacré aux jeux qu'il partageait avec ses frères, il passait le plus clair de ses journées à effrayer les oiseaux de la jungle. Ce divertissement, quelque peu abrutissant, l'aidait à supporter son sentiment de frustration. Seule Sumuhu'alay arrivait à calmer ses accès de rage. Quinze années s'étaient écoulées depuis sa naissance, et Mort W'rn n'avait encore rien accompli de bon. En plus d'avoir souvent agressé par plaisir de jeunes guerriers du village, il avait toujours évité de participer aux corvées. Que ce fût pour la construction de maisons, la grande chasse de l'automne ou le transport de l'eau, il s'excluait constamment des activités. Même quand on le lui demandait, le garçon ne levait jamais le petit doigt pour aider qui que ce fût. Rendre le moindre service, tel que ramasser du bois pour un aîné dans le besoin, lui répugnait. Dans sa colère d'enfant abandonné, Mort W'rn ne vivait que pour lui-même. Les autres ne l'intéressaient pas, et il prenait un certain plaisir à être détesté. Ses deux frères, pour lesquels il avait pourtant du respect, n'arrivaient pas plus que le chef du village à obtenir quoi que ce fût de lui. Le garçon n'obéissait qu'à sa mère qui, ces derniers temps cependant, avait remarqué qu'il manifestait un entêtement grandissant vis-à-vis son autorité. Malgré tout, Sumuhu'alay était d'une infinie patience avec ce fils trop sensible pour prendre une place active au sein de la tribu. Mort W'rn agissait comme un écorché vif, tant il avait besoin d'un père.

— … et cette journée où on devait sacrifier l'homme venu du nord, poursuivait Sumuhu'alay avec le ton grave qui requérait cette partie du récit. Si j'avais su, pour ses pouvoirs, avant qu'il ne jette un sort à W'rn, jamais je ne l'aurais laissé s'en approcher… et pourtant, le malheur est arrivé… J'ignore quelle force surnaturelle l'homme du nord a utilisée… Toujours est-il que votre père l'a suivi dans la jungle. J'avais beau le supplier, il restait de pierre… Ce n'était plus lui… On aurait dit qu'il ne me reconnaissait plus…

Grand W'rn, blotti dans les bras de sa mère, la dévisageait avec pitié. La pauvre souffrait tant de l'absence de son bien-aimé que c'en était lamentable. Excepté pour ses frères et lui-même, elle n'avait de pensées que pour leur père. Toujours parée de ses plus beaux atours au cas où W'rn réapparaîtrait, jamais elle ne s'écartait de son principal souci, celui d'être élégante en tout temps. Elle s'apprêtait dès les premières lueurs du matin en brossant d'abord soigneusement ses cheveux, puis en nettoyant avec grande douceur son visage. Un jour sur deux, elle se plongeait dans un grand bassin taillé à même le tronc d'un arbre, puis elle se parfumait à la myrrhe. De toutes les femmes du village, Sumuhu'alay était la plus désirable. Même les jeunes filles à la beauté de fleurs sauvages perdaient de leur éclat à ses côtés. Lorsque la magnifique Sumuhu'alay participait aux fêtes rituelles, les hommes la convoitaient discrètement du regard. Du vieillard chancelant aux jeunes chasseurs en âge de prendre femme, nul ne demeurait indifférent au charme de la fille du chef. Sa peau soyeuse couleur d'ébène et son corps de tigresse rendaient folles de jalousie plusieurs épouses, qui n'avaient pourtant rien à craindre puisque Sumuhu'alay n'avait qu'un homme dans sa vie, et elle se réservait pour lui seul. En outre, de par sa relation avec W'rn qui permettait de croire qu'elle avait été touchée par la grâce des dieux, les membres de la tribu lui avaient conféré un statut spécial qui l'excusait d'être aussi belle.

Grand W'rn était celui des triplés qui admirait particulièrement la beauté de sa mère, mais il était aussi celui qui reconnaissait le plus son courage. Pour lui, nul ne possédait sa force morale. Elle était un modèle de ténacité et d'amour, de respect et d'honneur. Elle aimait profondément son W'rn, et il en serait ainsi jusqu'à son dernier souffle.

— … je l'ai perdu, acheva-t-elle, les yeux dans l'eau comme chaque fois. Je l'attends, car je crois au fond de moi qu'il va me revenir. Seulement, je… Comment vous dire, mes enfants?…

J'aimerais tant que cette histoire connaisse un dénouement heureux.

Habitués à cette conclusion pathétique, les trois garçons se recroquevillèrent sans mot dire avant de s'endormir pour la nuit. Lune W'rn bâilla, Grand W'rn soupira et Mort W'rn persista à serrer les poings tandis qu'un fait nouveau se produisit.

D'habitude, Sumuhu'alay laissait couler ses larmes sans parler. Cette fois, elle brisa le silence troublant qui suivait d'ordinaire son long monologue en leur demandant de l'écouter de nouveau. Inquiets, le cœur battant, les trois fils s'assirent et, les oreilles dressées, ils dévisagèrent leur mère et attendirent la suite.

— Ça suffit, je ne peux plus vivre ainsi, affirma-t-elle. Je pressens depuis quelques lunes qu'il ne reviendra jamais de lui-même…

Grand W'rn enlaça sa mère et lui lécha délicatement le bout du nez. Sumuhu'alay esquissa un sourire et caressa tendrement la tête de l'aîné de ses triplés.

— Dès que W'rn m'a quittée, j'ai compris qu'il me glissait entre les doigts, continua-t-elle. Tout comme l'eau du lac qu'on ne peut pas saisir entre ses mains, il s'est faufilé hors de nos terres. Ce que j'ai fait durant toutes ces années, c'est essayer de me convaincre du contraire, et je me rends compte aujourd'hui que ma tête avait raison et que mon cœur avait tort. Je n'avais aucune raison d'espérer son retour…

— Que se passe-t-il, mère? demanda Lune W'rn, étonné. Pourquoi changes-tu maintenant la fin de ton histoire?

— Parce que j'ai décidé de ne pas mourir de tristesse, répondit Sumuhu'alay. Si je veux m'épanouir, j'ai besoin d'espoir… l'espoir véritable de revoir W'rn un jour. Tu comprends ce que je veux dire, mon enfant?

Les garçons demeurèrent figés. Ils ne savaient que penser et n'avaient aucune idée de ce qu'elle essayait de leur dire.

— Vous rappelez-vous de Guit'uk? dit-elle dans un sourire. Vous n'aviez que six ans lorsqu'il a voulu me prendre dans les bois, et vous m'avez défendue courageusement. Vous avez combattu le meilleur chasseur et guerrier du village! Je me rappelle de la façon dont vous avez réussi à l'éventrer avant de le dévorer! Et bien que vous ayez eu à souffrir de nombreuses blessures, vous demeuriez fiers de vous-mêmes !

Le souvenir de cet événement plut aux triplés qui laissèrent paraître leurs crocs dans un large sourire. Ils se rappelaient ce moment extraordinaire où ils s'étaient repus de sang bien frais ! Les cris terribles de l'homme en train de se faire dévorer vif étaient révélateurs d'une souffrance sans nom. Un peu plus tard, après que son cœur se fut arrêté de battre, les enfants avaient remarqué que le goût de la chair avait nettement changé et qu'elle était devenue plus difficile à mastiquer. Cette première expérience leur avait enseigné l'importance de manger leurs victimes avant que ne s'achève leur agonie.

— Aujourd'hui, je vous demande de vous unir de nouveau. Laissez de côté vos différences, continua Sumuhu'alay, car je veux que vous quittiez le royaume pour retrouver W'rn afin de nous le ramener. Votre grand-père, notre chef à tous, est malade et il n'a plus beaucoup de saisons devant lui. W'rn le remplacera. Je vous demande cette faveur pour moi, mais aussi pour le bien du village. Vous êtes encore jeunes, mais vos talents de chasseurs sont indéniables. Je suis convaincue que si vous travaillez ensemble dans le même but, votre père sera vite retrouvé.

— Je suis prêt ! lâcha Lune W'rn dans un grondement qui trahissait son impatience.

Le moment était enfin venu pour lui de quitter sa prison.

— Oui, je suis prêt. Et je sais où retrouver W'rn, je connais les chemins pour s'y rendre. Nous le retrouverons au bout de la grande rivière, je le sais, je le sens. Nous ramènerons notre père, c'est promis…

Quant à Mort W'rn, il ne dit rien. Après que sa mère eut formulé sa demande, il s'était contenté de se lever et de sortir de la hutte. La grande porte de l'aventure venait donc de s'ouvrir ! Il avait peine à y croire, mais il avait bien l'intention d'en profiter. Terminé, la chasse aux oiseaux insignifiante et les promenades lassantes dans la jungle ! Enfin, il y aurait un peu d'action dans sa vie. Sans se retourner, il s'éloigna du refuge familial avec la ferme intention de ne pas y remettre les pieds avant d'avoir accompli la mission qui leur était confiée. C'était sa façon bien à lui d'exprimer son accord ; il partirait à la recherche de W'rn.

— Et qui prendra soin de toi, mère? s'inquiéta Grand W'rn, s'exprimant à l'aide de quelques sons gutturaux. Nous ne pouvons te laisser seule ici.

— Je peux très bien m'occuper de moi, mon enfant, répondit-elle en riant. L'espoir de vous revoir avec W'rn me donnera toute la force nécessaire pour vivre. J'ai confiance en vous et en votre flair…

Dehors, Mort W'rn hurla à la lune. Il était pressé de se mettre en route.

— Prenez bien soin de votre frère, ajouta Sumuhu'alay en entendant le cri. Il n'est pas comme vous. Il est beaucoup plus sensible, et vous savez que son agressivité devra être maîtrisée. Soyez patients, et surtout, je vous le demande, ne l'abandonnez jamais.

Puis elle leur tendit un petit contenant sculpté dans de l'ébène. De forme cylindrique, ses extrémités avaient été solidement obturées par un mélange de sable et de résine.

— Remettez ceci à W'rn en lui demandant de l'ouvrir. Une fois que ce sera fait, il écoutera attentivement ce que vous lui direz. W'rn raffole de l'odeur de ce bois de chez nous. Maintenant, partez avant que Mort ne réveille tout le village… Allez, ouste!

Grand et Lune rejoignirent immédiatement leur frère à l'extérieur de la hutte. Ils le trouvèrent tout souriant, exultant de joie.

— Enfin, nous partons! lança-t-il avec force. Nous sommes libres! LIBRES! Par où faut-il aller? Quelle direction prenons-nous, Lune?

— Suivons la rivière qui mène à la frontière du pays, déclara Lune W'rn, rempli de confiance. Nous remonterons le cours de l'eau jusqu'aux montagnes. De là, il est possible de voir le monde entier. Il faudra choisir un chemin vers une beaucoup plus longue rivière et le garder dans nos têtes. C'est celle-là, ce chemin d'eau, qui nous conduira à notre père.

— Ce sera un long voyage, Mort. Nous ne pourrons compter que sur nous-mêmes, ajouta Grand W'rn dans des borborygmes typiques de la langue de D'mt. Soyons solides, unis et confiants.

— Cessez de discourir et partons ! le coupa Mort W'rn. J'ai des fourmis dans les jambes et puis... j'ai faim ! Il y aura certainement de gros bonshommes à la peau exquise à dévorer en chemin. J'espère qu'il y en aura des tas !

— Tu as raison, partons ! conclut Grand W'rn en s'élançant avec ses frères à toute vitesse vers les montagnes.

Les trois fils de W'rn ne tardèrent pas à s'enfoncer dans l'épais feuillage de la jungle éclairée par la lumière blafarde de la lune. Ils filaient telles des bêtes sauvages poursuivant une proie. Tête baissée, les triplés piquèrent vers le mince filet d'eau issu des lointaines montagnes, pour l'emprunter à contre-courant. Galopant comme des chevaux sauvages, ils ne remarquèrent ni les oiseaux ni les mammifères nocturnes qui, normalement, auraient eu très peu de chances de survivre à leur passage, et qui ne se doutaient pas que les monstres de Sumuhu'alay ne rôderaient plus dans les alentours pendant un bon moment.

Après des heures à courir sans répit, les trois frères atteignirent enfin la base des montagnes ceinturant le territoire. Lune W'rn avait pris la tête du groupe et amorça l'ascension d'une pente, trajet sur lequel il s'était engagé une dizaine de fois dans la clandestinité. Mais aujourd'hui, c'était différent. Il découvrirait l'autre versant, celui qu'il n'avait jamais exploré.

Derrière lui, Mort W'rn exultait en poussant de petits cris et, un peu plus bas dans la pente escarpée, Grand W'rn fermait la marche, la douce image de sa mère en tête.

Ce n'est que beaucoup plus tard dans la nuit que les triplés parvinrent au sommet. Lune W'rn se laissa choir sur le sol. Tous les trois étaient en sueur et haletaient bruyamment.

— Il... faut continuer, grogna Mort W'rn qui ne voulait pas perdre de temps. Courons ! Courons encore !

— Non ! ordonna Grand W'rn. Il faut garder des forces... prendre un moment... Nous avons besoin de repos... Je dois... retrouver... mon souffle...

— Je ne connais pas... le chemin à prendre... à partir d'ici, ajouta Lune W'rn. Il faut attendre qu'il fasse jour... pour nous orienter. C'est trop dangereux de se blesser... On n'y voit rien...

Mort W'rn ne rouspéta pas davantage et s'installa en grommelant auprès de son frère Lune. Grand W'rn les rejoignit et les entoura de ses bras. Les uns contre les autres dans la fraîcheur de la nuit, ils attendirent que le jour se lève.

— Regardez ! s'exclama Mort W'rn après un moment, fasciné par une aurore qu'il voyait pour la première fois à partir des montagnes. Les couleurs !... Tous ces nuages en feu ! C'est beau, tellement beau ! Vive le feu dans le ciel !

— C'est le début de l'aventure de la grosse boule, lui répondit Lune W'rn. Le feu du soleil va se répandre partout sur la terre. Je l'ai vu plusieurs fois, ici, se lever. Ce n'est pas la première fois que je viens ici. Bientôt, tu sentiras sa chaleur. On dirait une caresse. Ça sèche les gouttes de rosée. C'est tellement bon. Dans la jungle, on ne peut voir de telles choses.

— Mère aimerait tellement voir ce lever de soleil, fit Grand W'rn, aussi émerveillé que ses frères. Dommage qu'elle ne soit pas avec nous. Je lui raconterai. Je lui dirai que nous avons vu, au loin, la tanière du soleil. Nous savons maintenant où il se cache !

Les yeux rivés vers l'est, les triplés de Sumuhu'alay ressentaient pour la première fois de leur vie le lien particulier qui les unissait. Solidaires, ils allaient chercher leur père pour le ramener vers sa maison, avec sa femme, avec sa famille. Il était temps de rattraper le temps perdu. W'rn serait si heureux de les voir qu'il n'hésiterait pas à les suivre.

— C'est si beau ! s'extasia encore Grand W'rn en serrant ses frères contre lui.

V

Depuis huit ans, la secte des Chasseurs de monstres, fondée par Aï et son fidèle compagnon Hény, avait connu peu de succès. Ces dernières années avaient vu défiler une multitude de nouveaux adeptes dont la plupart avaient toutefois abandonné. En mûrissant, les fils d'esclaves trouvaient naturellement mieux à faire que se regrouper pour échanger des histoires de monstres. Si bien qu'après avoir rassemblé une quarantaine de membres dans les bons jours, la secte ne comptait plus qu'une dizaine de fidèles, incluant le fondateur et son aide.

Étant donné leur difficulté à recruter, mais surtout à garder les nouveaux intéressés au sein de leur clan, les membres avaient récemment voté un changement d'appellation afin de donner plus de crédibilité à l'entreprise de Aï et ses fidèles amis. Le nom d'ordre du Bouc avait donc remplacé la désignation candide de secte des Chasseurs de monstres. L'organisation secrète conservait néanmoins son objectif premier : retracer Osiris-Path et lui faire payer les meurtres du Goshen.

Ces quelques fils d'esclaves de la tribu de Lévi étaient infiltrés à différents niveaux dans les stratifications sociales de Memphis. Tous âgés d'une quinzaine d'années seulement, ils avaient réussi à se placer dans diverses sphères de la société afin de grappiller des renseignements aussi bien chez les militaires qu'auprès de membres de la fonction publique. Les Égyptiens, empreints d'un fort sentiment de supériorité, se souciaient peu de ce que pouvaient entendre ou voir leurs esclaves. Ainsi, ces jeunes travailleurs investis d'une noble mission vengeresse avaient accès à presque toute l'information concernant les affaires du royaume, tout en feignant de ne rien y comprendre. Leur désir ferme de vengeance les poussait à une vigilance soutenue, nécessaire à l'accomplissement de leur mandat.

Ils se rencontraient au rythme d'une réunion aux deux semaines, dans un temple abandonné depuis des siècles sous une montagne de sable. Autrefois dédié aux pharaons de l'ancien empire et aujourd'hui oublié de tous, Aï avait, dès le départ, fait de ce vieux bâtiment le quartier général de sa première petite organisation, les Chasseurs de monstres.

— Comme le bouc, je foncerai tête baissée sur l'ennemi, déclama d'une voix forte Hény en guise d'introduction officielle à la réunion. Comme le bouc, je protégerai le troupeau de ses prédateurs. Comme le bouc, je ferai fuir la menace et comme le bouc, je triompherai modestement. Que nos cornes soient toujours prêtes à frapper, que nos esprits ne fassent qu'un, que notre sagesse nous guide ! Allumons maintenant la lumière de la connaissance et du savoir !

Les membres de l'ordre donnèrent suite à la lecture de leur charte en allumant les dizaines de chandelles et de lampes à huile qui se trouvaient un peu partout dans l'enceinte. Les flammes répandirent bientôt leur lumière réconfortante sur les murs sombres de pierres taillées. Le temple ainsi illuminé dévoila les reliefs des statues, des sculptures, et des ornements conférant au lieu un aspect plus sacré.

Ensuite, le petit groupe de l'ordre du Bouc se ressembla au centre du temple, autour d'une table basse fixée à cet endroit, afin que chacun y dépose des victuailles. Boissons, fruits, pain, noix et morceaux de viande séchée étaient maintenant à la disposition de tous. Les estomacs creux pouvaient se sustenter à leur guise. La réunion pouvait commencer.

— Je déclare ouverte la cent cinquantième assemblée de l'ordre du Bouc, lança solennellement Aï, fils d'Aha. Puisqu'il s'agit d'une date importante dans l'histoire de notre organisation, j'ai volé de la bière à un groupe de gardes égyptiens, que j'aimerais partager avec vous. Buvons à notre mission !

— Je lève mon verre à l'avenir de l'ordre, mais aussi à notre dieu, guide de notre peuple vers la terre promise, ajouta gravement Hény. Buvons en souvenir de nos frères et de nos sœurs qui ont connu la mort par l'épée d'Osiris-Path.

Peu habitués à l'amertume de la bière, les jeunes hommes goûtèrent le breuvage en faisant mine de l'apprécier, même si elle était beaucoup trop tiède et qu'elle sentait la levure rance et les épices bon marché.

— Bien! Quelqu'un en sait-il davantage au sujet d'Osiris-Path? demanda Aï en saisissant une poignée de figues fraîches pour faire passer le goût de la boisson. Depuis des semaines, nous n'avons plus de nouveaux indices. Rappelez-vous qu'il est l'objet de notre quête!

Kashu afficha un sourire malicieux.

Fils d'un réputé tailleur de pierre, Kashu s'était joint depuis peu à l'ordre du Bouc. Le regard clair, l'esprit vif, il était le plus intrépide du groupe. Esclave aux forges des armées pharaoniques du Goshen, il avait le privilège d'entendre ce que les soldats racontaient entre eux. Travailleur discret, il accomplissait à la lettre les ordres du forgeron tout en gardant les oreilles bien ouvertes. Mine de rien, sa curiosité s'en trouvait toujours satisfaite.

— Vous ne me croirez pas, commença-t-il sur un ton mystérieux. Pour l'entendre, j'ai dû me faufiler sur une poutre si élevée du plafond de la forge que…

— Viens-en au fait, Kashu, nous t'écoutons, l'interrompit Hény, impatient d'en savoir davantage sur la situation d'Osiris-Path.

— Osiris-Path n'est pas seul, dit Kashu. Je veux dire qu'il n'est pas unique. D'autres puces d'Osiris sont en Égypte! Je ne saurais l'expliquer, mais elles seraient trois! Trois créatures tout aussi puissantes et terribles que lui!

— Tu dis n'importe quoi! trancha Aï.

— C'est la vérité, je les ai entendus! Je vous explique… alors, j'étais en train de changer l'eau de la forge lorsque des militaires égyptiens sont entrés pour faire ajuster leur armure. Ils revenaient d'une incursion à la frontière du royaume d'Axoum, près du pays de Pound.

— Le pays de Pound… la terre des visages brûlés? s'informa un membre de l'ordre. Là où les hommes naissent encore plus noirs que les Nubiens et pratiquent la magie des ténèbres?

— Précisément! s'exclama Kashu. Là-bas, les soldats ont remarqué d'étranges pistes sur le sol. Rien à voir avec celles des animaux de cette région, paraît-il ! Ils parlaient d'empreintes à l'allure de celles d'humains dont les pieds auraient été déformés. Selon eux, il y avait d'énormes griffes au bout de chaque orteil ! Les chasseurs de la place qui leur servaient de guides ont affirmé qu'il s'agissait certainement de bêtes qui pouvaient aussi bien marcher à deux qu'à quatre pattes ! Formidable, non ?

Les membres de l'ordre échangèrent des regards sceptiques. Kashu était des leurs depuis très peu de temps, et il les menait peut-être en bateau pour être mieux accepté. Pourtant, il avait juré loyauté et avait l'air vraiment sincère.

— J'ai aussi clairement entendu un des soldats raconter qu'au cours d'une nuit où son bataillon était de garde, il avait soudainement entendu un animal hurler tout près de leur camp. Un cri horrible, disait-il. Il avait d'abord cru qu'il s'agissait d'une hyène blessée ou de tout autre fauve qu'on aurait estropié, mais deux costauds, ignorant le danger, ont décidé de se lancer à la chasse aux monstres. Déjà armés, ils se sont vite enfoncés dans la jungle, non sans avoir ridiculisé les trouillards qui n'avaient pas osé les suivre.

Pour donner plus de relief à son récit, Kashu s'arrêta net et but lentement une gorgée de bière. Le petit auditoire était pendu à ses lèvres.

— Eh bien, fit-il après avoir avalé péniblement son breuvage, quelques minutes plus tard, les fiers-à-bras se sont mis à hurler comme des porcs qu'on égorge. Le soldat jurait qu'ils étaient en train de se faire dévorer vivants, mais personne n'a osé aller leur porter secours. Ce n'est qu'au petit matin que le groupe de militaires a découvert les restes de leurs camarades. Vous ne me croirez pas, mais le soldat rapportait aussi avoir vu leurs ossements vidés de leur moelle ! Je vous jure que je n'invente rien ! J'ai bien entendu chacun des mots sortir de la bouche d'un témoin de cette agression sauvage ! Alors, qu'en pensez-vous ?

Aï invita les membres de l'ordre à lever leur verre au témoignage de Kashu. Tous s'exécutèrent, mais personne n'osa boire une gorgée de plus du liquide infect.

— Cette façon de tuer correspond en tout point avec la manière tragique dont est morte la princesse de Bakhtan, ajouta Aï très songeur. À ce qu'on raconte, Osiris-Path aurait dévoré la femme hittite entre les murs de son propre palais… Les soldats égyptiens témoins du meurtre ont toujours soutenu que le monstre avait presque tout ingéré de la princesse, y compris une grande partie de son squelette! Si ton histoire est véridique, Kashu, ce dont je n'ai aucun doute, il y aurait donc maintenant trois nouveaux Osiris-Path… Cela me glace le sang juste d'y penser…

— Les dieux égyptiens ont la faculté de se fragmenter, vous le savez, réfléchit Hény. Et comme Osiris-Path est de descendance divine, il a certainement hérité de cette faculté! Sinon, comment aurait-il pu accomplir un tel miracle? À moins que… Oh non, pire encore… Peut-être est-ce Osiris lui-même qui envoie sur terre ses guerriers afin de punir les hommes!

— Et si notre Osiris-Path, le boucher du Goshen, avait eu des enfants? supposa Kashu.

— Non, c'est impossible! répliqua Aï. Aucune femme n'accepterait d'avoir une relation avec lui! Il est si laid, si monstrueux!

— Le viol, insista Kashu. Il aurait pu s'accoupler avec une femme du royaume d'Axoum sans le consentement de cette dernière, ou même copuler avec un animal. Rien n'arrête Osiris-Path, vous le savez tout aussi bien que moi!

— Tu as d'autres détails à nous donner? demanda Aï. Essaie de te rappeler.

— Il n'y a rien d'autre, sinon que je tiens à ajouter que ce militaire égyptien n'avait pas l'air de mentir. Plusieurs de ses confrères ont dû faire d'horribles cauchemars les jours suivants.

Le silence tomba sur la petite assemblée. Ra-ou se leva et se dirigea dans un coin non éclairé du temple. Depuis quelques années déjà, le garçon travaillait à la bibliothèque de Memphis. Chargé du nettoyage des planchers, il passait ses journées à frotter la pierre et à balayer le sable. Une position idéale pour se promener dans toutes les salles et fouiller discrètement dans les archives et les coffres sous prétexte d'y faire du rangement.

Le jeune homme ressortit de l'ombre avec quelques rouleaux de papyrus qu'il présenta aux membres de l'ordre.

— Ces rouleaux parlent de l'histoire étrange d'un roi nouveau appelé le Râjâ. Il aurait apparemment vécu bien au nord de la grande mer.

— Ra-ou, en quoi cela peut-il nous intéresser ? s'indigna Aï. Il est question d'Osiris-Path !

— JUSTEMENT ! hurla Ra-ou. Après avoir entendu l'histoire de Kashu, je crois que notre Osiris-Path est ce Râjâ ! Ces monstres ne sont pas originaires des rives du Nil, car ils appartiennent à un autre monde !

Aï sursauta. Hény invita Ra-ou à poursuivre. Décidément, cette réunion était de loin une des plus intéressantes qu'ils eussent vécues.

— Ces rouleaux, expliqua Ra-ou, ont été rédigés par un Égyptien du nom de Sénosiris. Celui-ci y raconte qu'à la demande de son maître il s'est rendu par-delà les terres des Achéens pour aller à la rencontre de celui qui deviendrait le plus grand souverain du monde. Tout est ici, sur ces papyrus ! Depuis son arrivée au pays des Thraces à l'âge de quatorze ans jusqu'à son retour en Égypte avec le Râjâ, ce Sénosiris a tout consigné. Ses textes décrivent le fonctionnement des royaumes du Nord et parlent aussi d'un lac où il suffit de se plonger pour être métamorphosé en loup ! Il relate son amour pour la reine Électra qui, attention, serait la véritable mère d'Osiris-Path ! Ses notes se terminent lorsqu'il s'apprête à partir pour le pays de D'mt à la recherche de celui qu'il considère comme un fils : le Râjâ qui...

— ... qui est en fait Osiris-Path ! s'écria Aï. Quelle découverte ! C'est du travail de maître !

— Sauf que l'histoire n'est pas complète, continua Ra-ou. Elle n'explique pas comment le Râjâ en est venu à servir Mérenptah. L'auteur du document ne dit rien non plus sur le massacre du Goshen, ni sur l'épisode de la mort de la princesse de Bakhtan. Cependant, il est assez précis lorsqu'il décrit l'apparence et le comportement d'Osiris-Path. Ce sont d'ailleurs dans ces passages que je me suis aperçu qu'il se prend pour son père. Par exemple, c'est lui qui aurait appris à Osiris-Path la langue égyptienne et les grandes histoires des dieux du Nil. Nous avons là un témoignage extraordinaire !

— Renversant, même ! Mais où étaient donc ces rouleaux ? s'enquit Hény.

— Dissimulés dans une partie de la bibliothèque encombrée de plans d'architectes et de dessins sans grand intérêt. Je soupçonne l'auteur des textes de les y avoir délibérément cachés. Tenez, ici, il souhaite que la véritable histoire du Râjâ soit connue le plus tard possible, afin que ce dernier ait le temps nécessaire pour accomplir son destin.

— Mais comment a-t-il pu réussir à introduire ces rouleaux à la bibliothèque? demanda Aï. Personne n'est autorisé à y pénétrer à moins d'être un sage ou un érudit reconnu!

— Tu as raison, fit Ra-ou. Et j'ai fait ma petite recherche là-dessus. Sénosiris a travaillé comme scribe pendant des années à la bibliothèque de Memphis! Ce fut donc un jeu d'enfant pour lui d'y laisser des documents, et il connaissait le meilleur endroit où les placer afin qu'on ne les retrouve pas de sitôt.

— Dis-moi, Ra-ou, le questionna Aï, l'auteur fait-il mention des trois monstres dont Kashu parlait tout à l'heure?

— Il n'y a rien à ce sujet.

— Il doit pourtant y avoir un lien entre eux et Osiris-Path! Voudrais-tu nous faire une lecture entière de ces papyrus, Ra-ou?

— Oui, bien sûr.

Le jeune homme entama la lecture du fabuleux récit laissé par Sénosiris. Il parcourut une à une chacune des lignes relatant le premier voyage de l'Égyptien dans les lointaines contrées du Nord, depuis son départ sur les rives du Nil jusqu'à son arrivée dans une ville lointaine appelée Veliko Tarnovo. Un voyage qui releva plus de l'odyssée, car il fut marqué de la mort du maître de Sénosiris, un homme qu'il considérait comme son père. L'auteur décrivait également l'attachement qu'il avait pour l'âne Kheper, son fidèle compagnon de route. Il décrivait en détail et sans pudeur sa toute première rencontre avec Électra, la future reine du royaume thrace, et dévoila l'ampleur de son amour pour elle. En outre, il faisait état de découvertes étonnantes, dont l'existence de ce lac sacré où il était possible pour un humain de se transformer en bête. La chute de Byzance, la naissance du Râjâ dans le tumulte de l'invasion perse, puis son établissement chez les Thraces, tout était précisément consigné sur papyrus.

Sénosiris s'était aussi attardé à raconter l'enfance du Râjâ. Il y glissait ses observations quant au caractère de l'enfant mi-homme, mi-loup, évoquant notamment son besoin excessif de liberté et les tensions quotidiennes que cela causait entre lui et sa mère. Il avait en outre brossé un portrait détaillé de son tempérament lorsqu'il vivait des frustrations, et avait glissé un mot sur l'importance que revêtait la chasse aux lapins pour l'enfant.

Ne ménageant pas ses futurs lecteurs, Sénosiris, avec force détails sur sa vie intime, parlait abondamment de son désir toujours grandissant pour Électra, sa souveraine, sa reine, jusqu'à ce qu'il témoigne de son bonheur lorsque celle-ci s'offrit enfin à lui. Ensuite, c'est avec réserve qu'il décrivait sa vie au quotidien avec cet unique amour. Vint finalement l'étape de son retour en Égypte.

Sans doute emballé par l'idée de faire connaître au Râjâ ce pays dont il lui avait si souvent parlé, et aussi ravi de revoir le Nil, Sénosiris avait consigné également tous les préparatifs auxquels il s'était livré avant de s'embarquer avec son équipe dans une machine de guerre de sa propre création. Quelques feuillets plus tard, il dressait un bilan lamentable de leur naufrage en pleine mer. Sénosiris en parlait comme du début d'un cauchemar. L'Égyptien décrivait comment le Râjâ était disparu en mer et toutes les épreuves qu'il avait dû traverser pour finalement le retrouver par hasard ; la créature était désormais le serviteur du pharaon Mérenptah. Dorénavant connu sous le nom d'Osiris-Path, le Râjâ était en outre devenu un puissant guerrier au service de l'Empire égyptien et faisait régner la terreur autour de lui. Cela tenait du miracle. Comment en était-il arrivé là ? Sénosiris affirmait ne pas pouvoir répondre à cette question.

Puis il expliquait ses nombreuses démarches au cours des années suivantes pour reprendre contact avec le Râjâ. Cependant, leurs rangs sociaux incompatibles avaient rendu la chose impossible, et la dernière tentative de rapprochement qu'il mentionnait était celle qu'il s'apprêtait à faire. Il venait d'apprendre que le pharaon avait forcé Osiris-Path à l'exil au pays de D'mt. Ainsi se terminaient les chroniques de l'Égyptien.

— Fascinant, fit Ra-ou en posant le dernier rouleau du manuscrit. Une grande partie du mystère d'Osiris-Path nous est révélé dans ce texte. Nous savons maintenant qui il est et d'où il vient.

Aï était bouche bée. Pour la première fois depuis la fondation de l'ordre, Aï et ses compagnons avaient une piste sérieuse à suivre. Tous étaient aussi immobiles que des statues. Ces nombreuses années de recherches et d'enquêtes les avaient menés à cette découverte majeure, et maintenant ils ne savaient qu'en faire! Après tout, ces garçons étaient fils d'esclaves et, en tant que tels, ils ne pouvaient quitter le Goshen pour se lancer comme des conquérants sur les traces d'Osiris-Path. Même s'ils parvenaient à fuir, leurs familles en subiraient de lourdes conséquences.

— Sensationnel, soupira Hény.

— Pour l'instant, je propose que nous gardions les rouleaux ici, dans le temple, répondit Aï. Ceci doit absolument rester entre nous, c'est notre secret et il ne doit être partagé avec personne.

— D'accord, fit Kashu. Nous devons d'abord étudier le récit, l'analyser et prendre du recul. Il ne faut pas nous exciter comme des enfants! Nous sommes peut-être jeunes, mais nous agirons comme des adultes responsables. Ce secret ne doit jamais sortir de l'ordre, c'est trop... trop majeur!

Tous acquiescèrent.

— Entendu! s'exclama Aï. Je déclare donc la réunion close. Continuons d'ouvrir les yeux et les oreilles d'ici notre prochaine assemblée.

Les membres de l'ordre soufflèrent les chandelles et quittèrent précautionneusement leur lieu secret de rencontre.

«Je me demande bien ce qu'il est advenu de ce Sénosiris, songea Ra-ou en rentrant chez lui. Se trouve-t-il toujours à Memphis? Est-il retourné dans le Nord avec son Râjâ? Je retournerai fouiller dans les rayons des plans d'architectes demain. On ne sait jamais...»

VI

Tandis que Ra-ou se questionnait, Sénosiris le scribe se trouvait à des milliers de lieues de son Égypte natale, sur une route de sable, au beau milieu d'un paysage semi-désertique. Depuis des années, il avançait courageusement en direction du bassin du Tarim dans l'espoir de retrouver son fils. Épuisé, il tardait à l'Égyptien d'apercevoir la mer d'Aral et ses villages de pêcheurs où il s'arrêterait d'abord quelques jours afin de s'y reposer. L'air salin lui manquait énormément, et il avait une grande envie de baignade.

Selon ses cartes et les renseignements qu'il avait recueillis en cours de route, la mer devait être maintenant toute proche. Cependant, il ne la voyait pas.

« J'ai l'impression de tourner en rond, se répéta-t-il en regardant autour de lui. Pourtant, si je me fie à la position du soleil, j'avance bien… J'aurais dû atteindre la mer depuis une semaine environ. On dirait qu'elle me fuit… »

Sa gourde était vide depuis deux jours. Assoiffé et affamé, l'Égyptien avançait péniblement dans la poussière d'un pays hostile n'offrant que des pierres tranchantes et des arbustes immangeables. Même les serpents ne s'y aventuraient pas.

« Rien de comestible, pas même un rongeur, dit Sénosiris, désespéré. Cet endroit est maudit… La mort est souveraine de ce pays, et si je n'en sors pas, j'en serai bientôt le vassal… »

Jour après jour, la chaleur torride du soleil faisait place à l'inconfort des nuits glacées. Sénosiris grelottait jusqu'à ce que le petit matin plus clément lui permette de s'endormir, avant d'être trop vite réveillé par la brûlure du soleil sur son corps.

Résolu à retrouver son garçon, il refusait de se laisser décourager, mais il demeurait lucide et se voyait dépérir. Il sentait bien que sa vie ne tenait plus qu'à un fil et qu'il pouvait s'écrouler de fatigue à tout moment.

— Tu ne t'en relèverais plus, mon bon Sénosiris..., murmura-t-il pour s'encourager à rester sur ses jambes. Tu n'aurais plus la force de continuer, et ces maudites bêtes volantes se chargeraient de toi !

Depuis des jours, des charognards tournoyaient au-dessus de sa tête. Les sinistres oiseaux noirs attendaient patiemment de fondre sur leur proie une fois qu'elle se serait affalée. Ils ne tarderaient pas à se régaler. Les yeux d'abord, l'abdomen ensuite. C'est là que se trouvait le meilleur... les viscères. Dans cette contrée où bêtes et hommes égarés finissaient immanquablement par mourir d'épuisement, les rapaces étaient d'une infinie patience. Il n'y avait pas de chacals à craindre, ni même de renards pour leur voler la viande fraîche des nouveaux morts. La nourriture demeurerait, les oiseaux se partageraient les beaux morceaux. La viande faisanderait lentement et n'en serait que plus goûteuse. Ici, les vautours étaient les régents du ciel et de la terre.

« Courage... avancer un peu plus... Un pas ... un autre... N'abandonne pas... »

Sénosiris parvenait encore à avancer grâce à son long bâton de marche. Avec sa gourde vide et ses vêtements en lambeaux, c'était à peu près tout ce qu'il lui restait après qu'il se fut délesté de ses autres effets. À chaque pas, il espérait apercevoir la mer au loin.

« De tous mes voyages, c'est certainement le pire, songea-t-il. Moi qui ai pratiquement tout vécu, me voilà au bord d'un abîme que je n'ai pas su prévoir... J'aurais dû me renseigner davantage... étudier d'autres cartes... Je ne peux pas avoir fait tout ce chemin pour rien... Toute cette souffrance, jamais récompensée par le sourire de mon fils ? Tout cela pour finir dans le ventre d'un détestable oiseau ? Non ! »

Deux vautours se posèrent justement à quelques pas de l'Égyptien.

« Ces bêtes ont un sixième sens, c'est certain. Elles savent que je n'en ai plus pour longtemps. Mais tant que je respire, il y a de l'espoir... Allez, un pas de plus vers la mer ! Un de plus vers mon fils... et un autre vers l'avenir. »

Trop faible pour continuer, Sénosiris s'arrêta et releva doucement la tête.

— C'est le bout de ma route… C'est ici que… que… Mais !

Rêvait-il ? Un peu plus loin devant lui, il distinguait un abri de voyageur d'où s'échappait un filet de fumée à peine perceptible. Le cœur battant, il cligna des paupières une, deux, puis trois fois… mais l'image de la tente persistait !

Sénosiris accrocha son regard embué de larmes sur ce qui, après tout, n'était peut-être pas une illusion. Alors, comme une réponse à sa prière, quelqu'un sortit de la tente et l'aperçut. Il s'immobilisa, puis marcha droit vers l'Égyptien en agitant les bras pour faire fuir les deux rapaces. Sénosiris le distinguait mieux maintenant. C'était un homme de petite taille, tout de noir vêtu et qui portait un turban. L'inconnu le prit par la taille et l'aida à marcher jusqu'au camp, où du thé chauffait sur un feu agonisant.

— J'ai soif… très soif…, parvint à articuler Sénosiris.

L'étranger tendit immédiatement sa gourde à la bouche de Sénosiris qui la vida si rapidement qu'il s'en étouffa.

— Merci, mon ami… merci, dit l'Égyptien après avoir repris sa respiration. Grâce à votre bonté, mon calvaire est enfin terminé. Je vous en serai éternellement reconnaissant.

L'homme sourit lorsqu'il vit l'Égyptien reprendre des couleurs. Sénosiris remarqua les dents en or de son bienfaiteur, identiques à… celles de Nosor Al Shaytan, le kidnappeur de son fils ! Mais non, il ne pouvait s'agir de lui. Il était beaucoup trop jeune. Sénosiris recherchait un vieillard, pas un homme qui frôlait la quarantaine.

L'étranger offrit à manger à son invité. Des figues et de belles grosses dattes. Ensuite, toujours sans dire un mot, il lui tendit encore de l'eau, puis du thé à la menthe bien chaud et très sucré. Lentement, il redonnait des forces à Sénosiris en prenant bien soin de ne pas le surcharger.

— Je vous suis très reconnaissant. Dites-moi, qui êtes-vous et que faites-vous ici, au milieu de nulle part ? demanda l'Égyptien. Vous êtes un voyageur ?

L'homme au turban sourit tout en haussant les épaules. Sénosiris répéta sa question dans toutes les langues qu'il maîtrisait, mais il se buta chaque fois au silence de son vis-à-vis.

— S'il ne veut pas parler, se dit-il, je dois respecter son choix. Peut-être a-t-il fait vœu de silence. Après tout ce qu'il fait pour moi, je ne dois pas l'importuner avec ma curiosité.

Sénosiris baissa les yeux et prit son thé. Jamais il n'en avait goûté un aussi bon.

— C'est bien le meilleur thé que j'ai bu de ma vie, dit-il avant de retremper ses lèvres dans le délicieux breuvage.

C'est alors qu'il fut envahi par le doute. Il lui semblait tout à coup que ce sauvetage était trop extraordinaire pour être réel.

« Et si j'étais mort ? songea-t-il. Et si cet homme était à mes côtés pour m'accompagner vers le territoire des nuits éternelles, là où je pourrai rejoindre l'esprit mes ancêtres ? Et si je retrouvais mon ancien maître, celui que j'ai abandonné, après son décès, entre l'Égypte et Veliko Tarnovo ? »

L'Égyptien se pinça à plusieurs reprises et, bon signe, la douleur le fit tressaillir chaque fois. De toute évidence, il était encore bien vivant, et ce n'est pas de sitôt qu'il marcherait vers le pays de ses ancêtres. Les esprits qui l'habitaient pouvaient bien l'attendre encore quelques années !

Rassasié et terriblement fatigué, Sénosiris prit la liberté de fermer les yeux et tomba immédiatement dans les bras de Morphée.

Au cours des trois jours suivants, l'homme au turban continua de s'occuper de Sénosiris afin qu'il reprenne des forces. Confortablement installé dans la tente avec une lourde peau de chameau pour les nuits froides, l'Égyptien mangea et but tant qu'il le put. Non loin du campement, il y avait un puits où le généreux inconnu se rendait tous les matins pour emplir ses gourdes d'une eau cristalline et glacée. À son réveil, Sénosiris n'avait qu'à tendre la main pour se désaltérer.

Durant cette période de convalescence, Sénosiris fit un curieux rêve. Il se vit déambuler dans les rues de Veliko Tarnovo, là où il habitait autrefois. Électra à ses côtés, il parcourait la ville où les habitants étaient tous transformés en loups. Bras dessus, bras dessous avec sa reine chérie, ils échangeaient des banalités tout en caressant joyeusement au passage les oreilles des membres de la meute. Dans le ciel, la lune immense éclairait les bâtiments de pierre de la cité.

— Tu vois, Sénosiris, comme Veliko Tarnovo est redevenue aussi belle qu'avant ? Nous avons réussi à rétablir le règne des hyrcanoï et personne ne viendra plus jamais troubler notre paix. Lorsque notre fils sera de retour, il trouvera le moyen d'étendre notre pouvoir vers l'est pour renforcer notre emprise sur le monde. Tu dois continuer à te battre pour le retrouver. Voilà aussi pourquoi Börte Tchinö veille sur toi !

Sénosiris avait bu les paroles de son aimée sans en saisir toute la portée. Il était davantage obnubilé par le magnifique sourire d'Électra, et la joie d'être à ses côtés le rendait quelque peu désinvolte. Pour lui, tout était normal dans ce royaume imaginaire, et le bonheur qu'il éprouvait était à son paroxysme. L'Égyptien ne pensait plus à son fils, au désert où il avait failli périr, et il songeait encore moins à la déesse Börte Tchinö. Il avait savouré chaque seconde de son rêve en le prenant pour la réalité. C'est avec une amère déception qu'il rouvrit les yeux pour constater qu'il était toujours, en fait, dans la tente de son bienfaiteur.

Bizarrement, l'homme au turban noir s'était couché face à lui, en position fœtale. Les yeux clos, la bouche entr'ouverte, il respirait difficilement.

— J'ai rempli ma tâche, murmura-t-il, je peux maintenant partir en paix. J'ai accompli ce qu'on attendait de moi... Je ne veux plus souffrir...

Ainsi, il s'agissait bien de Nosor Al Shaytan, le ravisseur de son fils ! L'Égyptien demeura interdit.

— Il y a des années que je t'attends, Sénosiris, poursuivit-il, tout ce temps prisonnier du désert... Maintenant, Börte Tchinö me laissera quitter ce monde en paix.

— Pourquoi m'as-tu sauvé ?

— Écoute-moi bien, car je n'en ai plus pour longtemps, fit Nosor. Ton fils s'appelle Rong et il a poursuivi sa route vers la grande mer lorsque, il y a près de cinq ans, je suis décédé à cause de la vieillesse et de la grande fatigue, ici même, dans cette tente. Je ne puis cependant te dire où il se trouve présentement. J'ignore même s'il est vivant...

— Mais oui, mon rêve... La déesse veille sur lui. S'il est toujours en vie, je le retrouverai...

— Pardonne-moi… Je n'ai pas voulu te faire du mal en enlevant ton fils… J'ai exécuté, sans le savoir, la volonté des forces supérieures qui imposent leurs désirs sur le monde. J'ai obéi comme un pantin. Je me suis toujours bien occupé de Rong, et ce, jusqu'à ce que mes forces m'abandonnent.

— Ah…

— Rassure-toi, je l'ai préparé à faire face à la vie et je lui ai transmis tout mon savoir. Il sait se battre, il peut survivre dans des conditions difficiles et il possède un moral d'acier. Avec lui, j'ai vécu les dix meilleures années de ma vie. Rong a donné un sens à mon existence et je ne regrette pas un instant passé en sa compagnie. Longtemps, il a cru que j'étais son père et j'ai entretenu cette croyance. Ce n'est qu'avant mon dernier souffle que je lui ai parlé de toi. Aujourd'hui, il connaît ton nom, et il sait que je l'ai kidnappé, mais c'est tout. Il ne sait rien au sujet de ses origines royales, ni du pays d'où il vient. Rong ne connaît pas non plus son demi-frère, le Râjâ… Si tu retrouves ton fils un jour, demande-lui de me pardonner. Qu'il sache que je ne lui ai caché la vérité que pour obéir à une volonté supérieure à la mienne. Dis-lui aussi que je l'aime, ce que je n'ai jamais osé lui dire de mon vivant.

— Promis.

— Bonne chance, Sénosiris…

Le temps de cligner des paupières, l'Égyptien se retrouva soudainement devant le squelette gisant de Nosor Al Shaytan. En apercevant tous ces ossements, Sénosiris poussa un cri horrible. Il bondit sur ses pieds pour s'extirper au plus vite de la tente qui se décomposa d'un simple toucher. Au milieu des restes du dernier campement de Nosor Al Shaytan, Sénosiris vit la peau de chameau poussiéreuse et à moitié désagrégée. Il se frotta les yeux. Tout avait subi le passage du temps.

— J'aurai tout vu ! fit-il, tremblotant. J'ai été secouru par l'esprit de celui qui a kidnappé mon fils. Non, c'est impossible, je dois délirer…

Essayant de retrouver sa logique habituelle, l'Égyptien fouilla les restes du campement pour se prouver qu'il n'y avait pas eu que du surnaturel. Or, sa raison dut se résoudre à croire en l'histoire abracadabrante de Nosor.

« Mais qui a bien pu me nourrir pendant trois jours ? se demanda-t-il en cherchant d'autres indices que les traces de ses propres pas sur le sol. Qui me fournissait la nourriture et m'apportait de l'eau ? Il n'y a même pas de puits ! »

Sénosiris fut incapable de répondre logiquement à ces questions. Tout autour du campement, rien ne justifiait la présence d'un être vivant autre que lui. Pas d'empreintes, de rares restes de cendres froides. Aucun signe apparent de vie.

« Me voilà devenu fou, pensa l'Égyptien qui avait du mal à se ressaisir. La faim et la soif m'auront fait perdre la tête. C'était une vision et rien d'autre. Un délire causé par mon excès de fatigue. Je suis tombé ici par hasard et… j'ai intégré ce cadavre dans mes hallucinations. Il n'y a pas d'autre explication possible. Maintenant, je dois continuer mon chemin. »

Sénosiris quitta précipitamment le campement, oubliant même de prendre son bâton de marche. Déboussolé par ce qu'il venait de vivre, mais reposé, il avança d'un bon pas, bien décidé à atteindre la grande mer. Il fut récompensé lorsque, quelques heures plus tard, il foula enfin le rivage de l'Aral et aperçut, plus loin, une concentration de petites maisons, sans doute un village de pêcheurs.

Pour se débarrasser de l'épaisse poussière dont il était entièrement recouvert, Sénosiris se jeta dans l'eau sans se dévêtir. Après s'être frotté le visage, le cou et les bras, il ferma les yeux et se laissa porter un moment par les flots.

— Holà ! s'écria un homme depuis son embarcation. Tout va bien, l'ami ?

Sénosiris reconnut le dialecte utilisé par de nombreux peuples vivant près de la côte ouest du continent, car il le maîtrisait lui-même parfaitement. Cependant, il se demanda comment des individus originaires des pays ceinturant les colonnes d'Héraclès pouvaient se retrouver si loin de chez eux. Quoiqu'il en fût, ces gens n'étaient pas des barbares, il pouvait donc leur faire confiance.

— Tu n'es pas en train de te noyer, j'espère ! blagua l'homme. Les poissons ont déjà suffisamment de nourriture ! Allez, embarque !

— Merci, lança Sénosiris en se cramponnant à la petite embarcation. J'arrive d'un long périple et j'avais grand besoin de me laver.

— Avec tes vêtements ? Allez ! Embarque, mon ami, tu es loin du rivage et je crains que tu coules à pic ! Il y a de dangereux courants dans ce secteur.

Sénosiris prit place sur une traverse de l'embarcation.

— Tu sais parler ma langue, l'ami, mais tu as plutôt l'allure d'un Perse ! Je me trompe ?

— Je suis Égyptien et si je connais bien votre langue, c'est que j'ai habité longtemps sur vos terres.

— Eh bien, voyageur, tu mangeras avec nous ce soir ! Ma femme sera ravie d'entendre d'autres histoires que les miennes ! Regarde mes prises ! As-tu déjà vu d'aussi beaux poissons ?

L'Égyptien en avait déjà vu de bien plus beaux, mais il n'en dit rien. Il félicita plutôt le pêcheur et accepta avec plaisir son invitation.

— Et qu'est-ce qui t'amène chez nous, l'ami ? T'es-tu échappé d'une prison ? Te caches-tu d'un chef de guerre ? Tout le monde sait qu'on n'arrive pas à la mer d'Aral par choix, mais toujours par nécessité ! Raconte, je t'écoute.

— Je ne fuis rien… Je suis à la recherche de mon fils.

— Ton fils ? s'étonna l'homme en ramant énergiquement. Et comment s'appelle-t-il, le chenapan ?

— Rong…

Le pêcheur s'arrêta brusquement de ramer.

— Rong est ton fils ?

— Oui…

— Eh bien, mon ami, tu seras surpris d'apprendre que ton fils est déjà passé par chez nous ! Un jour, ma femme et moi l'avons recueilli et il est demeuré chez nous quelques années !

— Il serait donc encore vivant !

— Vivant ? pouffa l'homme. C'est l'être le plus solide qui soit !

— Savez-vous où il se trouve présentement ?

— Oh, bien, bien loin, l'ami ! Le bassin du Tarim, tu connais ?

VII

L'histoire de Rong…

Rong passa les dix premières années de sa vie avec Nosor Al Shaytan. Le vieux nomade avait enseigné au garçon ce qu'il savait de la nature et des hommes. Il lui avait montré non seulement à manier les armes, mais aussi à se battre à mains nues, et avait partagé avec lui ses connaissances sur la fabrication de divers poisons. Par ailleurs, il lui avait maintes fois raconté ses exploits d'assassins alors qu'il était membre de la secte des adorateurs d'Iblis, et il n'oubliait jamais de mentionner au passage la guerre qu'il avait menée contre Byzance. Au cours de ces années, Nosor n'avait non plus cessé de lui décrire le palais du roi Assurbanipal et ses extraordinaires jardins suspendus où il avait pris l'habitude de se prélasser durant les quelques mois de son séjour là-bas. Nosor n'avait jamais manqué une occasion de déclamer ses histoires qui, au fil du temps, se répétèrent, s'usèrent, puis finirent par se détacher de la vérité. Effets de voix, théâtralisation et longs discours moralisateurs avaient aussi contribué à annihiler tout intérêt qu'aurait encore pu avoir Rong pour ces récits qu'il connaissait par cœur. Dès que Nosor commençait à relater ses exploits, le garçon se mettait à rêvasser tout en feignant d'écouter celui qu'il croyait être son père.

— T'ai-je déjà raconté l'histoire du démon qui cachait sa femme dans un lac ?

La plupart du temps, Nosor commençait ses histoires sans attendre de réponse de son jeune auditeur.

— Cette créature était une véritable bête sauvage ! Tu sais ce que je lui ai fait, tu le sais ? Eh bien, je l'ai fait cocu, ce monstre ! Il faisait très chaud lorsque je suis arrivé à l'oasis, et j'ai aperçu cette femme sous les palmiers. Tu sais aussi que j'étais rapide comme le vent, alors sans tarder...

Et c'était reparti pour des heures !

Si Nosor ne tarissait pas de détails sur lui-même, par contre, il demeurait muet sur une période de sa vie située entre la chute de Byzance et la naissance de Rong. Lorsque ce dernier s'y intéressait, Nosor baragouinait des allégories décousues. Il divaguait au sujet d'une femme rousse dont il avait été l'esclave et pestait contre une race particulière de sorcières qu'il appelait les dactyles. Puis, venait sa litanie habituelle d'injures sur les loups, et il finissait par hurler comme un putois contre la déesse de la lune, Börte Tchinö, dont il maudissait l'existence.

— Je n'en dirai pas un mot, répondait-il à Rong lorsque ce dernier lui demandait des détails sur sa mère ou sur sa naissance. De toute façon, je ne me souviens de rien et c'est bien ainsi ! Ne me pose plus de questions là-dessus !

Cela avait néanmoins l'avantage de rabaisser le caquet du discoureur, et le garçon en profitait pour prendre congé.

Le seul récit auquel Rong s'était vraiment intéressé faisait état d'un être exceptionnel avec qui Nosor le comparait sans cesse, et qu'il avait connu en Anatolie. Il l'avait pris parmi ses esclaves et l'avait alors baptisé Varka. Nosor avait souvent vanté à Rong l'extraordinaire force physique et mentale de Varka. Il pouvait atteindre des vitesses phénoménales dans des épreuves de course et jamais il ne se plaignait de quoi que ce soit. Tout en muscles, il aurait pu être une de ces statues dont se paraient les grandes villes achéennes. Malgré tous ses éloges à l'égard de cet esclave, Nosor ne s'était jamais privé de raconter comment Varka avait essayé de le tuer et la façon, ensuite, dont il s'y était pris pour se venger. C'était le moment du récit où Nosor exhibait comme une relique le couteau dont il s'était servi pour trancher la gorge du jeune traître. Sur son manche, une tache du sang de Varka conférait à l'instrument un caractère encore plus sacré.

— Je partage cette expérience avec toi pour que tu comprennes les conséquences de s'attaquer à plus puissant que soi. La nature est ainsi faite ! Les forts triomphent, les faibles meurent ! Alors, réfléchis toujours avant de faire un geste que tu pourrais regretter, c'est entendu ?

Très tôt, Rong avait cessé d'entendre la morale boiteuse dont se servait infailliblement Nosor pour conclure ses histoires. Son esprit était plutôt accaparé par le personnage de l'esclave rebelle auquel il s'était vite attaché. Pour lui, Varka était un héros, un géant qui avait sa place aux côtés des plus grands de ce monde! Rong avait d'ailleurs souvent fait le même rêve : il se métamorphosait en loup et courait aux côtés de Varka, le champion. Ces moments de pur bonheur étaient malheureusement interrompus chaque fois par son éveil.

Nosor et Rong vécurent ensemble une vie de mendiants où chaque jour était un combat. Trop paresseux pour trouver un métier honnête, trop orgueilleux pour avouer son inaptitude pour le travail manuel, Nosor avait enseigné à Rong à voler pour survivre en lui transmettant l'art du mensonge et de l'escroquerie, deux de ses spécialités. Sous le regard de son éducateur, le garçon avait été contraint de mentir et de voler pour mettre la main sur quelques pièces afin de les nourrir tous les deux. Habitué dès son plus jeune âge à exécuter toutes les volontés de Nosor, Rong lui avait toujours obéi avec docilité.

Le nomade avait donc toujours laissé à Rong le soin de leur trouver à tous les deux, et quotidiennement, de quoi se nourrir ainsi qu'un endroit sec où passer la nuit. En outre, il s'était toujours assuré d'avoir le ventre plein avant de donner ses restes à l'enfant. Considérant ces conditions comme médiocres, Nosor avait somme toute mené une existence assez confortable. Sa méthode d'éducation, propre aux peuples nomades d'Anatolie, avait pour but de responsabiliser rapidement les enfants et d'en faire des êtres débrouillards. Ce ne fut pas facile pour Rong, mais la méthode avait fait rapidement ses preuves, car à sept ans il savait capturer les serpents et allumer un feu sous la pluie. À neuf ans, il volait à la tire comme pas un, et à dix ans, il maniait le poignard comme un professionnel et fabriquait déjà ses propres poisons. Oui, Nosor avait toujours été très fier de lui !

À cause de leurs combines, tous deux étaient souvent considérés comme des indésirables dans les villes où ils passaient. Or, le jour où le nomade entendit parler d'un pays qui accueillait les étrangers à bras ouverts, il n'hésita pas un instant.

— Rong! Prépare nos affaires, nous partons pour un long voyage! Oui! Nous quittons l'Anatolie pour aller nous installer au nord! Va nous trouver des vêtements chauds ainsi qu'une tente, ça nous sera utile en route! Allez, va!

Quelque part dans les contrées hostiles du nord se trouvait le bassin du Tarim, où vivaient des Tokhariens qui demandaient l'aide d'étrangers pour s'établir de façon permanente. Ils avaient besoin d'hommes solides pour se défendre des barbares jaunes qui les empêchaient de développer une communauté. L'ennui, c'est que nul ne pouvait exactement dire où se trouvait le fameux territoire. Tous ceux qui avaient entrepris l'expédition n'en étaient jamais revenus pour transmettre les indications sur le meilleur chemin à suivre. De plus, de nombreuses légendes circulaient au sujet d'un dragon, trois fois gros comme un navire babylonien, qui survolait le désert menant à la mer d'Aral, un passage obligé pour les voyageurs qui souhaitaient atteindre le bassin du Tarim! La bête avalait apparemment d'un seul coup de gueule n'importe quel imprudent qui s'aventurait en ce lieu. Par ailleurs, le bassin du Tarim avait la réputation d'être un pays envahi de serpents où il était pratiquement impossible d'éviter leur morsure et inévitable d'en mourir. Et c'était sans compter la présence des barbares jaunes, abominables guerriers sanguinaires aux réactions plus imprévisibles les unes que les autres.

Malgré les rumeurs, Nosor était décidé à suivre la route du Nord dans l'espoir d'atteindre le Tarim, une terre fantastique où lui et Rong seraient accueillis chaleureusement. Cependant, en cours de route, Nosor tomba gravement malade et un matin, sous la tente, dans son agonie, il raconta à Rong une nouvelle histoire. C'est ainsi que l'enfant entendit le récit de son kidnapping alors qu'il était seulement un bébé.

— Est-ce que Varka est mon père? demanda-t-il sèchement.

— Non... pas du tout... Ton véritable père se nomme Sénosiris, répondit le nomade en crachant du sang. Oublie Varka. Lui, je l'ai tué de mes mains... et il n'est pas ton père... c'est impossible...

— Tu mens, vieux singe! ragea le jeune homme. Tu m'as trop souvent dit que je ressemblais à Varka, que nous avions plusieurs choses en commun! Je pourrais très bien être son fils! Si j'ai son corps et son esprit, c'est donc son sang qui coule en moi. Tu l'as tué avant de me prendre à ma mère, c'est ça? Maintenant que tu te meurs, dis-moi la vérité! Parle!

— Si tu savais comme… c'est compliqué… beaucoup plus que… que tu ne peux te l'imaginer. Tu es un être spécial, Rong… et Börte Tchinö, cette maudite déesse, veille sur toi…

— De qui parles-tu encore? Pourquoi cette Börte Tchinö qui t'enrage tant? A-t-elle quelque chose à voir avec moi? Est-ce ma mère?

— En quelque sorte, oui… Elle est la mère de tous ces stupides loups… Heureusement, au moins, il n'y a plus de dactyles… plus de spectres… Terminé, la vie d'esclave!

— Tu divagues, Nosor. Concentre-toi sur mes questions, j'ai besoin de savoir! Pourquoi m'avoir enlevé à ma famille, Nosor? Pourquoi me le dire seulement maintenant?

— Tout est arrivé comme dans un rêve… Je… je crois que c'était la volonté de la déesse des loups… Ton destin est ici… et tu dois y accomplir de grandes choses… Tu n'es pas comme les autres… Tu es d'une race nouvelle qui… qui un jour… gouvernera le monde…

Rong poussa un énorme soupir. Le vieil homme avait perdu la tête plus que jamais, et ses questions demeureraient donc sans réponse valable.

— Je te déteste, Nosor. Je t'ai toujours haï. Puisqu'il est l'heure des bilans, laisse-moi te surprendre à mon tour. Je suis content de savoir que tu n'es pas mon père, car j'ai toujours pensé que tu étais médiocre. J'ai eu honte de toi, honte d'être ton fils, honte de marcher avec toi. À cause de toi, je suis devenu un voleur et un mendiant, et je sais…

Il s'interrompit brusquement. Nosor venait de rendre son dernier souffle.

— Tu me fais pitié, pauvre idiot! Que les vautours se régalent de ta chair, tu ne mérites pas de sépulture!

En colère, le jeune Rong abandonna son protecteur sous la tente, sans même réciter une prière.

Rong était alors âgé d'une dizaine d'années, et devait prendre son destin en main.

Il avait donc continué seul sa route jusqu'à ce qu'il arrive dans un village côtier de la mer d'Aral, où l'avait reçu ce même pêcheur qui venait de recueillir Sénosiris.

— Rong est demeuré un bon ami, il vient régulièrement nous visiter, ma femme et moi! confia le pêcheur à son invité égyptien, une fois qu'ils furent attablés pour le dîner. En arrivant chez nous, il ne parlait pas notre langue et il était très méfiant. Il n'acceptait pas facilement notre hospitalité! Enfin, au bout de quelques semaines, son animosité est enfin tombée et nous nous sommes mis à pêcher ensemble. Il a eu un véritable coup de foudre pour la mer! Il m'y accompagnait tous les matins! C'est lors de nos sorties en mer que je lui ai appris tout doucement à parler la langue du pays. Il est très doué! En très peu de temps, il a pu nous raconter un peu sa vie. Pour ma part, les quelques années qu'il a passées ici font partie des meilleurs moments de ma vie. Avant Rong, jamais je n'avais rencontré quelqu'un d'aussi débrouillard! Par exemple, il sait réparer des barques avec deux fois rien!

Sénosiris sourit en entendant parler des nobles qualités de son fils.

— Dire qu'il fait la guerre dans le bassin du Tarim! Ces satanés barbares jaunes pourraient bien accepter de partager leurs oasis! Bref, on dit que Rong est un solide guerrier qui n'a pas froid aux yeux. Un véritable héros! Sauf… à la pleine lune…

— À la pleine lune?

— On ignore pourquoi, mais à la pleine lune, Rong tombe très malade, expliqua l'hôte. Au début, je le croyais en proie à des crises de démence, mais je me suis rendu compte que ce n'était pas le cas. On aurait dit une malédiction! Il a de bien étranges agissements qui ne le prennent qu'à la pleine lune!

— Comment est-il? Pouvez-vous décrire son comportement?

— Il devient comme un animal sauvage captif, répondit le pêcheur. Ici, il tournait en rond dans sa chambre en poussant des cris de supplice. Mais dès qu'apparaissaient les premiers rayons de soleil, il redevenait normal. Rong n'a jamais eu aucun souvenir de ces crises…

Sénosiris réfléchissait.

L'Égyptien savait que le mouvement de la lune et des étoiles avait une influence sur les êtres humains. Il connaissait aussi le pouvoir des eaux de ce fameux lac où se rendait la mère de Rong, Électra, qui chaque fois s'y transformait en louve. Si elle s'y était baignée enceinte, il serait assez logique de croire que le fœtus eût pu en être affecté.

— Le lac… la lune…, murmura Sénosiris. Il y a certainement un lien…

— Que dis-tu? demanda le pêcheur.

— Non, rien, je réfléchissais, c'est tout.

— Enfin! poursuivit le pêcheur. C'était bien peu de choses à endurer pour tous les services qu'il nous rendait… et qu'il nous rend toujours lors de ses visites! Ce Rong, il est si serviable, travaillant et plein d'humour que son départ nous a arraché le cœur, à ma femme et moi. Nous l'aurions bien gardé avec nous!

— Et il vous a quittés pour la guerre…

— Le matin où il a appris que les barbares jaunes approchaient dangereusement de la mer d'Aral, il a décidé de se joindre aux forces des Tokhariens, installées plus à l'est. Selon lui, c'est la meilleure façon de préserver la paix ici, et il se fait un point d'honneur de la défendre! Je dois avouer que, depuis son départ, l'ennemi est demeuré bien loin de chez nous. Il faut dire qu'avec la tête qu'il a, Rong!

— Sa tête? s'étonna Sénosiris. Qu'a-t-elle de particulier?

— Oh! Tu ne savais pas?

— De quoi parlez-vous?

— Mais Rong est… comment dire… euh… il est tout blanc…

— Je ne comprends pas.

— Voilà… En plus de sa peau, ses cheveux, sa barbe, bref, tous les poils de son corps sont blancs! Un fantôme… Un fantôme avec des yeux aussi rouges que ceux d'un lapin! Le pauvre garçon doit toujours se couvrir, car il supporte difficilement le soleil. Sa mère était-elle… enfin, elle…

— Sa mère avait les cheveux noirs comme la nuit et la peau aussi foncée que la mienne, dit doucement Sénosiris avant de poursuivre sur un ton plus enthousiaste. Là d'où je viens, la particularité qu'aurait selon vous mon fils est considérée comme une marque divine, et on regroupe dans les temples ceux qui en sont atteints. Les prêtres sont convaincus qu'en leur compagnie ils obtiendront de meilleurs résultats auprès des dieux. Je suis très impatient d'aller à sa rencontre.

— Tu verras, sourit le pêcheur, malgré sa blancheur, ton fils est un homme beau et costaud ! Ce garçon n'a que des qualités ! Il ne te décevra pas.

VIII

— LES MONSTRES ATTAQUENT ! ILS ATTAQUENT ! hurla l'éclaireur égyptien. ILS SONT LÀ, JE LES AI VUS, ILS ARRIVENT !

— PROTÉGEONS L'AMBASSADEUR ! À VOS POSITIONS ! ordonna le commandant.

Dans un concert de lames tirées des fourreaux, les hommes s'exécutèrent. Les regards dirigés vers le sud, ils constatèrent rapidement que l'éclaireur ne s'était pas trompé.

Trois horribles créatures qu'on aurait dit sorties des enfers couraient à vive allure en direction du convoi qui ramenait chez lui un émissaire égyptien. Le cortège diplomatique rapportait de la Nubie un coffre plein à craquer de joyaux et autres objets de grande valeur, et se dirigeait vers Memphis, la grande capitale de l'Empire. Le pharaon Mérenptah, soupçonnant une insurrection prochaine de la Nubie, avait prélevé là-bas un impôt supplémentaire qui ferait passer aux Nubiens toute envie d'indépendance. La récolte avait été plus que fructueuse, et un bataillon d'élite en assurait la protection, ainsi que celle de l'émissaire mandaté pour garantir le juste paiement des Nubiens.

— Vérifiez s'il s'agit d'une embuscade ! cria un guerrier en brandissant sa lance. Pour l'instant, ils ne sont que trois, mais il pourrait en venir d'autres ! Ces monstres se déplacent peut-être en grand nombre !

— Soyez vigilants ! prévint le commandant. On dirait des enragés !

— Soyez tranquille, chef ! répondit un soldat au visage marqué par de nombreux combats. Nous avons vaincu les

Hittites, les Achéens et les Nubiens. Ce ne sont pas trois petites bêtes qui viendront à bout d'un détachement aussi aguerri que le nôtre !

— À la bonne heure !

Jamais des brigands avisés n'auraient songé à attaquer un convoi, aux étendards royaux qui plus est, se déplaçant sous une protection aussi impressionnante. Une bande de fanatiques auraient pu tenter une mission suicide contre les meilleurs éléments de l'armée du pharaon, mais il aurait fallu qu'ils aient perdu la tête, parce qu'affronter des hommes à ce point armés était tout à fait absurde. C'est pourtant ce que les frères W'rn avaient décidé de faire. Comme de mauvais mercenaires, ils attaquaient en plein jour une troupe lourdement armée, sans stratégie ni armes. Dévalant une colline à toute vitesse, Lune, Mort et Grand fonçaient tête baissée vers la mort.

— Je n'en crois pas mes yeux ! dit le commandant en voyant les assaillants s'approcher de ses troupes de façon aussi téméraire. Mais… Mais attendez ! Ces créatures… mais c'est impossible… on dirait…

— … Osiris-Path et… et ses frères ! compléta un guerrier, aussi abasourdi que son chef. Ce n'est pas vrai ! Il s'agit d'Osiris-Path et de ses frères !

La seule évocation du nom d'Osiris-Path avait provoqué un frisson d'effroi parmi les soldats, surtout chez les plus expérimentés qui avaient côtoyé la puce d'Osiris. Ces hommes connaissaient la puissance, la force et le courage de leur ancien général, car la plupart d'entre eux avaient assisté à la prise du royaume de Bakhtan. Ils avaient raconté à leurs compagnons comment la princesse avait été dévorée par le désormais célèbre boucher du Goshen. Le monstre avait été banni d'Égypte, mais, depuis, nul ne savait s'il était toujours en vie. Des rumeurs voulaient qu'il eût détruit des villages dans les terres du Sud et qu'il se fût attaqué sans raison à tous les Égyptiens qu'il avait croisés sur sa route. On prétendait également qu'Osiris avait fait tomber de sa chevelure deux autres puces aussi puissantes et avides de sang que lui afin qu'elles le rejoignent. Selon les commérages, les créatures avaient une mission divine, celle de s'emparer du pouvoir de Mérenptah. Elles descendraient le Nil jusqu'à Memphis et tueraient le pharaon.

— ATTENTION ! CE SONT TROIS PUCES D'OSIRIS ! hurla le commandant à en perdre la voix.

— Le gros, là, c'est… c'est Osiris-Path ! souffla un soldat transi de peur. Houlà ! Nous n'avons aucune chance…

De son index, un autre montra Grand W'rn, la langue pendante sur le côté, qui arrivait à toute vitesse.

— C'est lui, le grand… Et les autres, ce sont ses frères…, balbutia-t-il. Jamais nous ne vaincrons… c'est impossible ! Les humains ne peuvent rien contre les dieux !

La panique gagna la centaine de soldats qui, malgré toute leur expérience et leur grande supériorité numérique, tremblaient comme des moutons condamnés à l'abattoir.

— ARCHERS ! EN POSITION ! lâcha le commandant en s'éloignant autant que possible de la première ligne. LANCEZ… FLÈCHES !

Une volée de projectiles furent tirés en direction des trois fils de W'rn. Rapides comme l'éclair, les triplés parvinrent presque à tous les éviter. Seul Mort W'rn en attrapa deux dans le flanc gauche. Furieux d'avoir été touché, Mort poussa un cri si puissant que les Égyptiens reculèrent tous d'un pas. La douleur de ses blessures n'empêcha pas le monstre de poursuivre sa course dès qu'il eut enlevé d'un coup de patte les tiges de bois enfoncées dans sa chair. Les yeux injectés de rage, il accrut sa vitesse, doubla son frère Grand, et bondit le premier sur les boucliers de la défense égyptienne.

La seconde suivante, Grand W'rn et Lune W'rn se joignirent à lui pour déchirer de toutes leurs dents les premières victimes de ce qui allait être un massacre.

— Tuez-les ! Tuez-les ! répéta frileusement l'émissaire, réfugié parmi les coussins de son char diplomatique. Finissez-en ! Vite ! Tuez-les ! Mais ce sont des monstres ! Qu'ils sont agressifs ! Hou ! Hou ! Allez-vous-en !

— Ne craignez rien, mes hommes connaissent leur métier, intervint le commandant. Cependant, ce ne sont pas des adversaires habituels puisqu'il s'agit de trois puces d'Osiris !

— Alors, écrasez-les comme des puces, que nous poursuivions notre chemin ! hurla l'ambassadeur exaspéré, mais surtout inconscient du réel danger. J'exècre la violence, et la vue du sang me répugne ! Hâtez-vous, commandant ! HÂTEZ-VOUS !

Malgré les vociférations de l'ambassadeur, la situation continuait d'empirer. Pour des hommes habitués à affronter des ennemis normaux, se voir attaqués à coups de griffes par des démons enragés les déstabilisait. Qui plus est, les fils de W'rn bougeaient à une vitesse déconcertante et faisaient des mouvements impossibles à prévoir. Par ailleurs, les bêtes anticipaient aisément les coups d'épée des Égyptiens, qu'ils bloquaient avant de leur ouvrir la gorge avec précision. Grand W'rn et Mort W'rn dégageaient les agonisants et Lune W'rn terminait le travail en leur brisant le cou. Les hommes de Mérenptah n'étaient pas de taille à se défendre et tombaient comme des mouches.

— Ils ne sont que trois ! Comment cela est-il possible ? demanda l'ambassadeur. Mais tuez-les, bande d'incapables ! Vous avez l'obligation de me protéger ! Un peu de courage, bande de fainéants !

— Fermez-la, ambassadeur, ou je me charge moi-même de vous ! gueula le commandant. L'heure est grave, et mes hommes prennent tous les moyens pour éliminer ces… ces choses !

— JE VOUS INTERDIS DE VOUS ADRESSER À MOI SUR CE TON, PAUVRE VALET ! ET TUEZ-MOI CES SALOPERIES VELUES !

Les soldats du pharaon avaient tous en mémoire les histoires effrayantes qui circulaient sur Osiris-Path, et plus la bataille progressait, plus ils croyaient en la véracité des récits. Rien de ce qu'ils avaient entendu ne semblait exagéré. Ces bêtes étaient de véritables machines à tuer qui pouvaient à elles seules défier presque toute une armée. Contre autant de fougue, de rage et d'adresse, mieux valait fuir plutôt que de terminer sa vie, le corps en lambeaux, entre leurs pattes.

— Commandant ! fit l'un des soldats. Nous n'y arrivons pas ! Les créatures sont plus rapides que le léopard et plus fortes que l'éléphant ! Les tigres disposent de dents et de griffes moins dangereuses que les leurs ! Nous n'avons pas affaire à des animaux, commandant, mais à une espèce qui sait se déplacer sur deux ou quatre pattes ! Les hommes sont débordés ! Ils n'y arrivent pas, commandant ! Les puces d'Osiris sont invulnérables !

— En plus, elles ne sont même pas armées…, souffla le commandant devant la déconfiture de ses hommes.

— Au combat! brailla l'ambassadeur à l'intention du soldat. Cessez de jacasser, et rapportez-moi la tête de ces horreurs!

— Voyez comme le sang de nos frères les stimule! Pfff, ils en salivent! Bientôt, il n'y aura plus personne en vie! Je vous en conjure, il faut partir, commandant.

— MAIS NE ME DITES PAS QUE…, riposta l'ambassadeur de la fenêtre de son char. Les armées du pharaon ne reculent jamais! J'informerai moi-même le souverain de toute tentative de désertion! Me suis-je bien fait comprendre?

Normalement, aucun soldat de Mérenptah n'aurait jamais, au grand jamais, eu l'idée d'abandonner un champ de bataille. Même en situation de défaite, tous auraient craint les terribles représailles du pharaon. Le régent était intransigeant envers ses armées de qui il exigeait un dévouement absolu. Sans autre procès que le témoignage d'un supérieur, les déserteurs se voyaient jetés aux crocodiles et terminaient leur vie dans le ventre des reptiles. Dans l'armée égyptienne, il n'y avait pas de place pour les poltrons.

— Vous retournez vous battre, oui ou non? insista l'émissaire de Mérenptah. Remuez-vous! On a besoin de vous! Allez, dépêchez!

La situation n'avait toujours rien d'un combat normal. Ils avaient beau être vaillants, les soldats affrontaient des êtres surnaturels. Qu'y avait-il de déshonorant à fuir des créatures d'origine divine contre lesquelles la bataille était inégale?

Plus rapides que leur commandant à prendre la décision, des soldats de dernière ligne eurent l'inspiration de ne pas se joindre au carnage, reculant d'abord de quelques pas. Le mouvement de recul en entraînant un autre, ils enchaînèrent avec un autre pas, puis un autre, et finirent par détaler comme des lièvres.

— Nooon! Que faites-vous? s'écria l'ambassadeur en les apercevant. Revenez immédiatement, c'est un ordre! Vous en subirez les conséquences, bande de lâches!

— Fuyez! Fuyez, ambassadeur! lança un des soldats en passant à la course devant son char. Si vous voulez revoir l'Égypte, courez!

— Ça ne fonctionne pas ainsi ! répondit l'homme d'État, de moins en moins rassuré. Nous sommes les plus forts ! C'est nous, les vainqueurs ! LES ÉGYPTIENS, C'EST NOUS !

Un terrible craquement d'os, puis les cris atroces d'une nouvelle victime firent soudainement réagir l'ambassadeur. Il bondit de son char et s'éloigna à toute vitesse du lieu de la bataille.

— C'EST LA MALÉDICTION DES DIEUX QUI FRAPPE ! brailla-t-il. Aidez-moi, au secours !

— Chacun pour soi ! riposta le commandant. Sauve qui peut ! Tout est perdu !

Tous quittèrent instantanément le champ de bataille, y compris les derniers combattants faisant face aux frères W'rn, en oubliant derrière eux le fameux butin. Parmi les cadavres, les monstres célébrèrent leur victoire en poussant des cris tribaux impressionnants.

— J'avais raison, dit ensuite Mort en examinant la blessure sur son flanc. Ils n'étaient pas de taille… Personne ne l'est… Nous sommes beaucoup trop forts ! Le monde est aux W'rn !

— Laisse-moi voir ta blessure, dit simplement Lune W'rn, qui ne tenait pas à stimuler davantage l'esprit belliqueux de son frère. Je vais mettre de la salive, ça devrait aider à guérir les plaies.

— C'est douloureux, mais je ne crois pas que ce soit grave. Quelle bataille c'était, non ? Mes cicatrices me le rappelleront !

Grand W'rn, que toute cette action avait affamé, détacha une main du bras d'un cadavre.

— Oui, une bien belle bataille, et de quoi manger durant des jours ! gloussa-t-il en lui sectionnant l'index d'un coup de crocs. Dommage qu'on ne puisse pas conserver toute cette chair. Tu imagines le festin si nous pouvions tout rapporter au village ? On pourrait nourrir des familles entières pendant au moins une lune ! Pff, quel gaspillage !

— La chasse, c'est bien beau, grogna Lune, mais rappelons-nous que nous sommes à la recherche de notre père. Depuis des mois, nous avançons au hasard… Sans plan ni indice, nous ne progressons pas dans notre quête. Tiens, Mort, ta plaie est nettoyée.

— Tu as raison, répondit Grand W'rn, la bouche pleine. Et pendant ce temps, mère attend notre retour… euh, à tous les quatre. Il faut faire plus vite, mais c'est difficile, sans indice…

— Nous avons parcouru toutes les rivières du pays, et chaque fois que nous pensions trouver un indice, rien ! ajouta Mort W'rn. Nous écoutons le chant de l'eau, nous prions les dieux aussi, mais jamais nous n'avons de réponse. W'rn a disparu, il n'existe plus ! C'est ce que je crois. Maintenant, ramassons toute cette viande et rapportons-la au village ! Voilà qui sera utile, et nous serons accueillis en héros !

— Mort ! Nous avons promis à mère de revenir avec W'rn ! riposta Grand, furieux des propos tenus par son frère.

— Et si je m'étais trompé ? réfléchit Lune à voix haute. Et si, au lieu de remonter le courant des rivières, nous nous rendions là où elles se déversent ? Qui sait, W'rn se trouve peut-être à la base de l'une ou l'autre des chutes ou des cascades ? C'est ça... il se cache probablement dans l'un de ces endroits !

— Ou peut-être bien dans les étoiles ! lança Mort W'rn, plein d'ironie. Ou au fond d'un lac ? Ou dans la montagne ? Ou dans une grotte ? Tiens, dans le cul d'un singe !

— Cesse, Mort ! Tu ne m'aides pas ! grogna Lune W'rn. Alors que je cherche des solutions, toi, tu ne trouves que des problèmes !

— Tu n'en sais pas plus que nous deux, Lune ! rajouta Mort. Alors cesse de faire le malin, ça m'énerve !

— Je ne sais peut-être pas, Mort, mais au moins je me sers de ma tête, pas seulement de mes muscles !

— C'est ça, cherche, grommela Mort. Pendant ce temps, moi, je mange de la viande fraîche et je continue de penser que tous devraient en profiter au village ! En plus, c'est tellement drôle de nous battre avec ceux que nous croisons sur la route, non ? Mère n'a qu'à attendre encore un peu. De toute façon, c'est ce qu'elle sait faire de mieux... à part, bien entendu, s'arranger pour exciter les mâles du village !

Sur ce, Grand W'rn se rua violemment sur son frère insolent et le maintint fermement au sol.

— Tu parles ainsi de mère une seule fois encore et je t'arrache la tête ! siffla-t-il entre ses dents. Mère est sacrée. On ne parle pas contre mère. Tu me comprends bien, Mort ?

En guise de réponse, Mort W'rn montra les dents. Grand W'rn était plus fort que lui et il pouvait devenir très violent lorsqu'il était en colère. En outre, avec ses blessures au côté, mieux valait ne pas lutter avec son frère.

Mort W'rn cessa toute résistance contre Grand, et émit un léger grognement.

— Bien, fit Grand W'rn en le relâchant.

Durant la dispute de ses deux frères, Lune W'rn avait porté son regard vers une grosse caisse amarrée sur le char abandonné par les soldats. Intrigué, il s'en approcha, brisa les liens qui retenaient le coffre au véhicule et força pour tenter de l'ouvrir, mais il échoua. Il examina de nouveau le coffre et découvrit un système de fermeture assez simple à démonter. En quelques coups de griffes, il l'arracha et souleva le couvercle.

À sa grande stupéfaction, des centaines et des centaines de pierres aux couleurs toutes plus vives les unes que les autres recouvraient partiellement une bonne quantité de magnifiques objets de valeur. Ébloui, il plongea la main dans le trésor et fit glisser les pierres entre ses doigts.

— C'est beau, murmura-t-il. Des étoiles…

Il referma sa main au hasard sur un objet plus élancé que les autres et le sortit du lot. C'était un petit ouvrage de sculpture représentant un être moitié homme, moitié loup.

— Mais… mais c'est W'rn, murmura-t-il, complètement sidéré. Il est exactement comme mère nous l'a tant de fois décrit… C'est le signe que nous cherchions…

Curieux de savoir ce que leur frère était en train de maniganc-er, Mort W'rn et Grand W'rn allèrent le rejoindre. Ils aperçurent immédiatement qu'il tenait entre les mains une petite statue d'ivoire qui leur ressemblait.

— C'est… c'est notre père, c'est W'rn, déclara avec émotion Lune W'rn. Notre père nous envoie un signe… Regardez, c'est bien W'rn, n'est-ce pas?

La statuette avait été sculptée avant leur naissance, lors du passage du célèbre Osiris-Path en visite à la cour du roi nubien. Elle était l'œuvre d'un artiste fortement impressionné par le visiteur venu rendre hommage aux dirigeants du pays et qui avait sollicité une audience auprès de la princesse de Bakhtan. Pendant plusieurs semaines, il avait résidé au palais, permet-tant ainsi au sculpteur de l'observer à sa guise. En dépit du mystère de sa présence en Nubie, la puce d'Osiris fut reçue avec les grands honneurs. On l'autorisa à se promener librement dans la cité du palais, ce qui contribua énormément à exciter l'imagination des habitants. Les artistes du pays, flairant la bonne affaire, s'étaient mis à immortaliser son portrait dans de la pierre ou encore sur des papyrus. Or, seul le sculpteur officiel du palais, un individu présomptueux dont le principal talent consistait à être le cousin du souverain, songea à le représenter dans une défense d'éléphant qu'il offrit ensuite à la princesse de Bakhtan. La femme accepta aimablement le présent, qu'elle refila par la suite au roi nubien en guise de remerciement pour avoir fait escorter son ami Osiris-Path hors du territoire. Las des œuvres de son protégé, le souverain avait relégué celle-ci, sans plus d'attentions, dans le trésor royal. La sculpture était médiocre, mais l'ivoire dans lequel elle avait été taillée avait une grande valeur. C'est ainsi que la représentation de W'rn avait fini par se retrouver dans le butin royal destiné au pharaon. Par le plus grand des hasards, elle était maintenant entre les mains de ses fils.

Bien qu'ils détenaient un coffre rempli de pierres précieuses, d'or et d'autres objets de très grande valeur, les frères W'rn n'avaient d'yeux que pour la statue du Râjâ, qui représentait beaucoup plus pour eux.

— Il nous ressemble, fit Mort W'rn. Les dents… les griffes… et beaucoup de poils ! Il est beau… Mère avait raison.

— Tu crois vraiment que c'est lui ? demanda Grand W'rn, tout de même impressionné. C'est peut-être quelqu'un d'autre…

— Non, c'est lui, affirma Lune W'n en effleurant les détails de la sculpture. Mon cœur me le dit. Écoutez ! Il veut nous montrer la route qui nous conduira à lui ! Vous entendez ?

— Mais…, balbutia Grand W'rn, qu'est-ce que tu racontes ? Ce bout de défense d'éléphant ne peut pas nous guider. Tu entends vraiment quelque chose, toi ? Moi, je n'entends rien !

— Grand a raison, Lune, cesse de dire des sottises. Cette chose ne nous mènera nulle part ! s'exclama Mort W'rn. Je n'entends rien non plus ! Tu deviens fou !

Lune ne prêta pas attention aux propos de ses frères et leur fit signe de se taire. Il se retourna et coucha délicatement la statuette sur une grande pierre plate à demi enfoncée dans le sol. D'un mouvement de la main, il la fit tourner sur elle-même.

Grand et Mort cessèrent de respirer en regardant la statuette de W'rn ralentir puis s'arrêter en leur indiquant une gigantesque montagne, à des lieues de là.

— Nous devons nous rendre à la montagne, mes frères, dit solennellement Lune W'rn. Notre père nous le demande. C'est ainsi qu'il nous indique le chemin à suivre.

— Mais cette montagne est en Nubie! C'est précisément de là que sont originaires les hommes que nous venons de massacrer…, fit Grand W'rn, embêté. Si nous allons dans leur pays, nous risquons de nous faire tuer... Ils doivent être très nombreux et bien armés là-bas. Il serait sage d'y penser un peu…

— Je ne suis pas d'accord, grogna Mort W'rn, heureux de contredire son frère. Les hommes de ce pays ne sont pas comme nous, ils ont peur du noir. Nous vivrons cachés le jour et avancerons la nuit. Ainsi, nous serons toujours en sécurité. C'est ce que je propose!

— C'est une excellente idée, Mort! le félicita Lune W'rn dans un sourire radieux. Suivons ton plan, et nous serons vite avec notre père. J'espère que nous pourrons le convaincre de revenir avec nous! Mère serait si heureuse!

— Je dois avouer que c'est une très bonne idée, Mort, ajouta Grand W'rn en tapotant affectueusement la tête de son frère. Parfois, tu es presque aussi intelligent que Lune. Pas toujours, mais de temps en temps!

Pour une des rares fois dans sa vie, Mort W'rn regarda ses frères dans les yeux et sentit qu'il faisait partie d'une famille. Même s'ils lui reprochaient continuellement son mauvais caractère, ses frères savaient reconnaître sa valeur. Le petit mouvement de tendresse de Grand W'rn ainsi que le sourire de Lune W'rn lui témoignèrent de sa place au sein du groupe et l'assurèrent de son rôle important dans les recherches. Il faisait partie des W'rn, et Sumuhu'alay serait très fière de lui.

Mort W'rn afficha un sourire en coin, balança sa tête de haut en bas pour signifier son contentement et dansa sur place pour faire rire Grand et Lune, ravis de ce soudain changement d'attitude. Tous les deux l'imitèrent avec beaucoup de plaisir.

— Dans ce cas, allons-y, mes frères! s'exclama Lune en se dandinant de gauche à droite. Apportons des provisions et marchons vers ce pays qui nous attend!

— Et le coffre? demanda Mort en cessant de remuer.

— Nous devrions l'emporter, fit Grand W'rn. J'ai remarqué que les gens, en dehors du pays de D'mt, semblent avoir une fascination pour les pierres brillantes. Elles pourront peut-être nous être utiles, qui sait?

— Ce sera beaucoup trop lourd à transporter, répliqua Lune W'rn.

— Moi, je le ferai, dit d'emblée Mort W'rn. Je peux très bien le porter sur mon dos.

— Alors, nous partagerons la tâche, suggéra aussitôt Grand W'rn. Tu ne seras pas seul à t'embarrasser de ce poids.

— Je parie que je le porterai plus longtemps que toi, le taquina Mort W'rn. Vous savez tous les deux que je suis le plus fort!

— Nous verrons bien, dit Grand W'rn en riant, pour relancer son frère.

— Maintenant, hâtons-nous, père nous attend! décida Lune en portant la statuette sur son cœur.

IX

Depuis leur dernière réunion, six membres de l'ordre du Bouc avaient décidé de se retirer de l'organisation. Les dernières révélations concernant Osiris-Path les avaient convaincus de partir. Selon eux, Aï était allé trop loin et toute cette recherche finirait par leur porter malheur. Il valait mieux quitter le bateau pendant qu'il en était encore temps. Pas question d'affronter la colère des dieux ou de se mettre en quête d'Osiris-Path. Le suicide, très peu pour eux !

La nouvelle séance de l'ordre du Bouc s'ouvrit donc avec une assemblée réduite à quatre membres. Ils avaient encore cette fois une nouvelle explosive à se mettre sous la dent. Cela leur fit vite oublier la désertion en bloc de leurs compagnons. Après la lecture de leur charte, et à la lumière vacillante des bougies, ils échangèrent sur les dernières rumeurs.

Un bruit circulait dans Memphis, selon lequel un important convoi royal avait été attaqué par trois créatures en tous points semblables au grand Osiris-Path. Les bêtes, sorties de nulle part, avaient apparemment pris d'assaut l'un des meilleurs bataillons de la garnison du pharaon, qui escortait un de ses ambassadeurs. Dans un affrontement à sens unique, la moitié des soldats seraient morts dans d'horribles souffrances. Partout en ville, on ne parlait que de la force surnaturelle des trois puces d'Osiris, qui correspondrait à celle de cent hommes. Aussi vifs que le vent et précis comme la boussole, aucun guerrier n'était arrivé à les dominer. Trois monstres sans âme et sans cœur tombés des cheveux d'Osiris. Même criblés de flèches, ils avaient continué à se battre comme des fauves enragés.

Voilà ce qu'on racontait à Memphis au sujet des triplés W'rn. Malgré les démentis officiels du pharaon et les appels au calme, la ville demeurait survoltée. Mérenptah pouvait bien essayer de contrôler l'information, mais dès leur retour, les survivants de l'attaque avaient raconté à leurs proches leur désastreuse mission. De fil en aiguille, le récit de l'embuscade du convoi de Nubie avait pris des proportions immenses. Dans les tavernes de la place du marché, au lavoir, partout, les bavardages allaient bon train et rapportaient deux ou trois versions des mêmes faits.

— J'y étais, et je vous jure que ça s'est passé comme je vous le dis ! répétait un des survivants au petit auditoire qui l'entourait. Voyez ces plaies, ce sont eux ! Des horreurs ! Voyez la profondeur de cette blessure ici ! UN SEUL COUP DE GRIFFES ! ME VOILÀ PRESQUE HANDICAPÉ À VIE ! Oh, croyez-moi, ils étaient monstrueux et tuaient nos hommes par pur plaisir ! Par simple jeu, croyez-moi ! Ils nous supprimaient les uns après les autres sans que nous puissions nous défendre. Rien que de repenser à leurs sales sourires, j'en ai la chair de poule ! Quelle horreur !

Un autre, un peu plus loin, devant le kiosque d'un marchand de fruits, pleurait à chaudes larmes.

— J'aurais pu les aider, mais j'ai fui ! Ce n'était pas des humains ! Il n'y avait rien à faire ! Jamais je n'ai vu autant de férocité et de méchanceté chez un ennemi. Dès qu'ils se sont approchés de moi, j'ai pris mes jambes à mon cou. Jamais je n'aurais reculé devant un de ces chiens de Nubiens ou de Hittites, mais ils n'avaient rien de commun avec eux… C'étaient des… des monstres ! De véritables bourreaux poilus à grande gueule !

Même l'ambassadeur, interdit de parole sur le fameux événement, ne pouvait s'empêcher de raconter l'affaire à qui voulait l'entendre. Où qu'il fût entre les murs du palais, l'homme relatait à sa façon la scène de l'embuscade.

— J'étais prêt à défendre chèrement ma peau, si vous saviez ! Une épée dans une main et un poignard dans l'autre, j'attendais seulement qu'ils s'approchent de mon char pour en attraper un et lui enfoncer une lame dans le dos ! J'allais risquer ma vie pour sauver le trésor rapporté de Nubie lorsqu'un des nôtres m'a donné par inadvertance un coup avec sa lance, alors qu'il fuyait comme un lapin. À demi assommé, je n'ai pu mettre mon plan à exécution et j'ai préféré assurer la retraite des hommes encore capables de sauver leur vie. Nous avons donc dû nous résoudre à abandonner le coffre pour permettre à beaucoup d'entre nous de survivre à cette malédiction divine. Par contre, si c'était à refaire, je me jetterais sans doute dans la bataille. Malgré tout, j'ai le sentiment du devoir accompli !

— Quel courage, ambassadeur ! s'exclama un jeune scribe ébahi d'admiration.

— On ne devient pas un homme en buvant du lait de chèvre ! répondit l'homme d'État sur un ton sentencieux. C'est dans l'épreuve que l'on différencie les héros des gens ordinaires ! Pour ma part, je n'ai fait que mon devoir. L'avenir dira si je mérite qu'on raconte encore cet exploit dans les siècles futurs !

— Votre modestie vous honore.

— Oh ! je vous en prie…

Outre l'attaque du cortège, d'autres rumeurs sur les puces d'Osiris circulaient déjà en ville depuis quelques semaines. Des villages de la Haute-Égypte avaient été attaqués par des êtres surnaturels se déplaçant essentiellement la nuit. Les victimes avaient été particulièrement nombreuses dans les communautés d'Abou Simbel, Philae et Assouan. Des témoins rapportaient avoir vu la silhouette de trois êtres étranges en direction de Louxor. De toute évidence, les créatures descendaient le Nil et devraient se trouver dans les alentours de Memphis d'ici un mois tout au plus.

— Que cela est excitant ! Alors, Aï, avec toutes ces informations, comment envisage-t-on la chose ? s'exclama Hény. Il serait temps d'agir ! Nous devons penser à une façon d'arrêter ces monstres !

— Tu ne songes quand même pas à ce que nous les affrontions ! s'inquiéta Aï. Si les meilleurs combattants du pharaon ont été incapables d'en venir à bout, je n'ose même pas imaginer ce qu'il adviendrait de nous. Tu as écouté comme moi les récits des témoins, et tous s'entendent pour dire que nous avons affaire à des guerriers divins !

— Eh bien, si l'ordre du Bouc demeure inerte, j'ai bien peur que toutes ces années de recherches et de rencontres n'aient été inutiles ! affirma Hény, contrarié. Je suis désolé, Aï, mais il est temps de passer à l'action, et tout de suite !

— Je suis d'accord avec Hény, intervint Ra-ou. Et je pense qu'il en est de même pour Kashu ! N'est-ce pas, Kashu ? Bien… Notre raison d'être est de venger le massacre du Goshen. Si ces créatures sont bien les descendants d'Osiris-Path, notre devoir est d'agir tout de suite. Nous détenons beaucoup d'informations et il est temps de les utiliser.

Aï soupira. Il était certes convaincu de l'urgence d'agir, mais lui et ses amis ne devaient pas procéder n'importe comment. Au-delà d'un plan, ils avaient besoin d'une idée de génie pour réussir à éliminer les puces d'Osiris sans risquer leur propre vie.

— Il faut anticiper les mouvements de l'adversaire, et pour cela on doit d'abord connaître ses motivations, déclara Aï avec l'autorité d'un chef. Pourquoi donc ces créatures s'approchent-elles particulièrement de nos grandes villes égyptiennes ? Qu'est-ce qui motive ces monstres à descendre le Nil ? Bien sûr, il y a Memphis, mais pourquoi ?

— Pour assassiner le pharaon ? fit Kashu, tentant une hypothèse. Une vengeance quelconque…

— Mérenptah a forcé Osiris-Path à l'exil, mais cela n'a rien à voir avec eux, répondit Ra-ou.

— Et s'ils voulaient simplement abattre le plus d'humains possible ! lança Hény. Ils semblent tuer par plaisir.

— Mais non, Hény, si c'était le cas, ils ravageraient tous les villages de la côte ! s'impatienta Ra-ou. Attendez… je crois savoir ce qu'ils veulent…

— Vas-y, nous t'écoutons, dit Aï qui ne demandait pas mieux que de trouver une solution.

— Il n'y a pas si longtemps, nous avons supposé que les trois créatures en question pouvaient être les fils d'Osiris-Path, oui ou non ?

— Tu as raison, répondit Hény. Ça, et une multitude d'autres possibilités.

— Alors, je vous pose cette question, continua-t-il. Toutes les personnes qui n'avaient jamais vu leurs parents que j'ai croisées dans ma vie désiraient ardemment les rencontrer. Et si nos trois monstres descendaient le Nil dans l'espoir de retrouver Osiris-Path, leur père ?

— Comme nous ? fit Hény, hébété.

— Exactement, mais pas pour les mêmes raisons, expliqua Ra-ou. Imagine que les trois enfants de la puce d'Osiris veuillent en savoir davantage sur leurs origines... Grâce aux parchemins de Sénosiris, nous avons énormément d'informations... Par exemple, nous savons qu'il existe dans un pays lointain un lac pouvant métamorphoser les humains en loups. Nous connaissons l'histoire de leur père et de son voyage jusqu'ici. Nous détenons possiblement toutes les réponses à leurs questions ! Enfin presque... Nous ignorons où se trouve présentement leur père.

— Je suis d'accord pour leur donner des renseignements, fit Aï, intéressé, mais si nous nous arrangeons pour les rencontrer, je doute qu'ils nous laissent le temps de nous expliquer. D'ailleurs, parlent-ils seulement notre langue ?

— Un soldat disait qu'ils communiquent entre eux avec des borborygmes et des grognements ! Ce n'est pas un langage que nous pouvons employer...

— Et si nous les apprivoisions ? proposa Kashu. Comme avec les animaux, prenons le temps de les approcher, et de gagner leur confiance !

Ra-ou leva les yeux au ciel. Il y avait une marge entre domestiquer un animal quelconque et s'approcher sans danger des trois puces d'Osiris.

De toute évidence, l'ordre du Bouc était trop faible pour intervenir. Malgré toute la bonne volonté de ses membres, ceux-ci n'avaient pas les moyens nécessaires pour arriver à quoi que ce fût concernant les puces d'Osiris.

Cependant, Aï demeurait positif. Il ne rejeta pas l'idée de Kashu, qu'il considérait comme assez intéressante.

— Selon moi, dompter les puces d'Osiris est la meilleure voie à prendre dans les circonstances ! s'exclama-t-il. J'ai beau examiner divers scénarios, il n'y a pas cent façons de faire ! Si ces créatures souhaitent trouver Osiris-Path autant que nous-mêmes, il serait stupide de ne pas tenter de s'associer à eux.

Hény et Ra-ou écoutaient attentivement.

— Pensez-y, continua Aï. La vie d'esclave ne commence-t-elle pas à vous peser ? En nous unissant à ces bêtes, nous aurons une garde personnelle et nous pourrons enfin quitter le Goshen pour le nord !

— Attends, là, tu rêves ! répliqua Ra-ou. Je ne suis pas prêt…
Je ne peux pas quitter ma famille… et partir comme ça, vers le
nord !

— Tu préfères travailler toute ta vie pour les Égyptiens ?
demanda Kashu sur le ton de la raillerie. Je te rappelle que tu es
un fils d'esclave et que tes chances d'avoir une meilleure vie ici,
dans ce pays, sont minces. Et tes futurs enfants, tu leur souhaites
une vie d'esclaves aussi ? Écoute-moi bien, Ra-ou. Aussi petite
soit-elle, nous avons une chance de quitter ce territoire maudit,
et il faut saisir l'occasion !

— Pfff ! Si c'est pour aller sur le territoire des Thraces ! riposta
Ra-ou avec une mine renfrognée. Je n'ai rien à faire là-bas ! De
toute façon, les prophètes ont prédit la marche de notre peuple
vers la terre promise, et j'y crois, moi ! Ils ont annoncé que se
lèvera un homme qui nous montrera la voie vers la liberté, alors
je n'ai nul besoin de fuir au nord !

Ses trois camarades ne purent se retenir de pouffer de rire.

— Décidément, Ra-ou, tu es bien naïf ! dit Hény en repre-
nant son souffle. Les prophètes répètent ces mêmes âneries
depuis des siècles ! Ne viens pas nous dire que tu crois en ces
absurdités ? Tout le monde sait qu'ils sont de mèche avec le
pharaon pour nous amadouer et pour que nous travaillions
sans dire un mot en espérant le soi-disant grand jour ! Ra-ou,
réveille-toi !

— Les dieux existent pour tous les peuples sauf pour nous, de
la tribu de Lévi ! dit Aï, redevenu sérieux. Peux-tu seulement me
dire la dernière fois où une divinité nous a signifié sa présence ?
Regarde ailleurs comme elles se manifestent ! Horus est partout,
il guide son peuple ! Et nous ? Qui nous accompagne ? Nous
sommes seuls devant notre destin, Ra-ou. Et si tu veux mon avis,
je ne trouve pas ça plus mal.

Ra-ou ne répondit rien. Ses amis avaient un jugement sévère,
mais tout compte fait ils n'avaient pas tort. Aï venait de lui dire
ce que son père et son grand-père lui avaient pourtant souvent
répété, mais il se rendait maintenant à l'évidence. Être né esclave
était une chose, vouloir s'en sortir en était une autre.

— Bien, dit-il, comment allons-nous accomplir le miracle
d'apprivoiser ces monstres sans nous faire tuer ? Comment

réussirons-nous à négocier ? Sans vouloir vous offenser, ce projet semble aussi stupide que d'avoir la foi dans les prophètes !

Ra-ou marquait un point.

— Tendre un piège et retenir les trois monstres prisonniers le temps d'apprendre à communiquer avec eux ? proposa Kashu. Attirons-les dans un endroit précis pour les capturer. Qu'en pensez-vous ?

— Un piège ? fit Aï. Je suis d'accord, mais à quel endroit ?

— Et si c'était ici ? répondit Hény avec des étincelles dans les yeux. Ce temple serait un endroit parfait, pensez-y ! Les murs de pierre les retiendront facilement, et il n'y a qu'un seul accès à protéger. Autre avantage, personne à part nous ne vient jamais ici. Nous pourrions installer à l'entrée une herse de métal reliée à un appât placé plus loin, à l'intérieur. Simple et efficace ! Avec peu de moyens, nous emprisonnons les fils d'Osiris-Path. Pour nous quatre, ce sera un jeu d'enfant de bricoler l'installation !

— En effet, confirma Ra-ou. Et nous avons déjà tous travaillé la pierre…

— Je sais où trouver une herse digne de ce nom ! s'exclama Kashu. À l'entrepôt de la forge où je suis assigné, il y a des vieilleries dont personne ne se sert, dont une grille parfaite pour notre plan.

— Moi, je volerai un mouton dans les pâturages royaux près du Nil, il servira d'appât ! ajouta Aï avec enthousiasme. Nous sommes sur la bonne voie !

Ce soir-là, les quatre membres de l'ordre du Bouc terminèrent leur réunion avec un programme bien rempli pour les semaines à venir.

X

Aï, fils d'Aha, marchait seul vers le chantier de construction où il œuvrait avec son père tous les jours. Le soleil allait bientôt se lever sur une autre de ces harassantes journées de travail. Ces dernières semaines, le travail d'Aï consistait à tailler la pierre avec d'autres jeunes de son âge, et chaque matin, il se réveillait les muscles endoloris et le moral à plat. Même si les esclaves du Goshen disposaient d'un minimum de liberté, il n'en demeurait pas moins qu'ils étaient avant tout des prisonniers, et cette pensée lui pesait de plus en plus.

Dans quelques instants, le soleil inonderait bientôt les fondations du futur grand palais de Mérenptah, sur lesquelles s'affairait Aï du matin au soir, dans la poussière et la chaleur suffocantes. Avant d'aller chercher ses outils, il se rendit sur les berges du Nil. Tout en demeurant prudent comme toujours afin d'éviter une mauvaise rencontre avec un crocodile, le jeune homme, mélancolique, s'approcha de l'eau et cueillit quelques fleurs qu'il contempla un instant avant de les jeter dans le courant. Contrairement à lui, elles étaient maintenant libres.

— Partez rejoindre la mer, petites fleurs, songea-t-il dans un soupir. Moi, je reste prisonnier de ce maudit pays d'où je ne sortirai jamais. J'y travaillerai toute ma vie et, comme mes ancêtres, j'y mourrai sans avoir connu autre chose que la sueur, la misère, la peur…

Il cria alors sa rage à l'horizon.

— Je vous envie, fils d'Osiris-Path! Vous êtes libres de courir, de chasser, d'explorer et même de tuer! Vous êtes forts et indépendants! Que suis-je, moi? Un moins que rien! Un insignifiant grain de sable dans le désert!

Puis, calmé, le jeune esclave reprit sa marche vers le chantier. S'il avait le malheur d'arriver en retard, les Égyptiens le lui feraient chèrement payer.

« Rien ne fonctionne, pensa-t-il en accélérant le pas. Le piège est pourtant installé au temple depuis presque deux lunes, et toujours aucun signe des créatures d'Osiris-Path. Ces monstres sont trop intelligents pour se laisser prendre comme des enfants ! Nous avons été bien naïfs de croire en leur capture. L'ordre du Bouc, pfff ! Une organisation construite sur une fantaisie d'enfant demeurera toujours une fabulation ! Si nous ne sommes plus que quatre membres, c'est bien parce que les autres ont compris que tout ce cirque n'était qu'un jeu minable. Nous ne sommes bons qu'à nous raconter des histoires ! Il faudra que j'accepte ma condition… que je baisse la tête, comme père. C'est impossible pour nous de venger le massacre du Goshen et de retrouver Osiris-Path ! Ce sont les hommes libres qui réussissent de tels exploits, pas de minables esclaves… Nous sommes quatre pathétiques demeurés ! Voilà exactement ce que nous sommes… »

Aï était à bout de nerfs. Il se sentait vaincu, brisé et ne croyait plus en son avenir. Toutes ces années au sein de l'ordre du Bouc avaient entretenu l'espoir d'une vie différente de celle de ses aïeux, mais aujourd'hui la réalité le rattrapait. De toute évidence, il ne changerait pas son destin et devait retrouver un peu d'énergie avant de commencer sa journée.

« Je dois faire plus vite, sinon j'aurai droit au fouet ! »

Sur la terre humide de la berge, Aï aperçut soudain de drôles d'empreintes de pieds. Il s'arrêta, et vit les traces de longues griffes à l'extrémité de chacun des orteils ! En outre, la profondeur des marques lui fit penser que leur auteur devait être assez lourd. Aï se frotta les yeux pour s'assurer qu'il n'avait pas la berlue.

« Et si c'était… Non… c'est impossible ! Non, non, je me fais des idées… c'est un fauve, c'est tout ! Pourtant, l'empreinte est presque celle d'un être humain… »

Les premières lueurs du jour venaient de dissiper le voile grisâtre de l'atmosphère, dévoilant à Aï des centaines d'empreintes fraîches tout autour de lui.

— Ce sont eux... Plus de doute maintenant, dit-il à voix haute. Les fils d'Osiris-Path... ils sont tout près, c'est certain. Que faire, mais que faire?

La seule idée de terminer sa vie dans l'estomac d'un de ces monstres cannibales fit paniquer Aï. Il ne bougea plus et décida de se faire le plus silencieux possible. Si l'un d'eux se trouvait encore dans le coin, mieux valait ne pas l'alerter. Tout mouvement de sa part pouvait attirer l'attention, et se faire remarquer était bien la dernière chose qu'il souhaitait.

Aï ferma les yeux et respira profondément pour se concentrer sur les sons environnants. Il entendit le clapotis de l'eau, le chant de deux, peut-être trois espèces d'oiseaux, de faibles coassements, mais rien d'autre.

« Un seul bruit louche, et je me jette à l'eau. Si les fils d'Osiris-Path ne savent pas nager, je pourrai m'en sortir. Le Nil sera mon unique porte de sortie... si les crocodiles ne se mettent pas de la partie. Reste calme, Aï... Écoute autour et reste confiant, tu as la situation bien en main. Excepté ces traces, rien ne semble anormal pour l'instant... Tu n'as pas de raison de t'énerver... »

Après un certain temps, Aï comprit qu'il n'était pas la cible des monstres qui étaient passés par là, sans doute beaucoup plus tôt. Soulagé par ce constat, Aï remua doucement la tête pour regarder autour de lui. Rien, ni personne. Pas même un insecte.

« Ouf, j'ai vraiment eu la peur de ma vie! se dit-il, le regard toujours vigilant. De toute façon, les fils d'Osiris-Path doivent être loin à l'heure actuelle. Ils ne risqueraient pas de s'approcher de Memphis en plein jour. »

Aï négligea encore de rejoindre ses camarades de travail, car sa curiosité naturelle le poussa à suivre les pistes distinctes de trois créatures. De toute façon, ce n'était pas quelques minutes de plus qui alourdiraient la punition que lui réservaient déjà les gardiens du chantier. Des traces laissées dans les herbes longues trahissaient la scène qui s'y était déroulée. Il était clair qu'un crocodile avait été attaqué ici, possiblement par les fils d'Osiris-Path.

— Ils sont arrivés par ici, dit-il à voix basse, puis ils se sont divisés. Deux sur les côtés, un derrière... hum... D'accord... Voilà, ici les empreintes sont moins enfoncées, c'est le plus petit des trois qui reste en retrait pour faire le guet. Si les choses tournent mal pour ses frères, il n'a qu'à bondir pour leur prêter main-forte, mais, *a priori*, ce n'est pas son rôle. Manifestement, ces monstres ne sont pas dénués d'intelligence. Ils ont développé une technique de chasse intéressante… Ils ont une façon de faire, un mode d'attaque planifié.

Aï suivit des yeux les empreintes qui s'éloignaient des herbes hautes de la berge et qu'un sillage, derrière, effaçait partiellement. Probablement la queue du crocodile traînant dans le sable.

«C'est clair, se dit Aï. Les fils d'Osiris-Path ont attaqué leur proie ici avant de l'amener plus loin, sans doute pour la manger dans un endroit discret… Je n'en reviens tout simplement pas! Les pistes des enfants du Râjâ, la bête venue du Nord! C'est un rêve qui se réalise… Je dois suivre ces pistes pour en apprendre plus.»

Rapidement, les spéculations d'Aï se confirmèrent puisqu'il découvrit, en s'éloignant du rivage, la patte d'un crocodile à moitié mangée.

«Ils devaient ignorer que les pattes de crocodiles, ça ne se mange pas… Trop de tirailles, presque pas de viande… Ils devaient être affamés pour s'attaquer à ce genre de bête.»

Prudemment, Aï continua à suivre les pistes un moment, puis se ravisa.

«Qu'est-ce que je fabrique? Je dois me rendre le plus vite possible au chantier, sans quoi les gardes ne se gêneront pas pour frapper mon père à ma place. De toute façon, ces pistes me conduiraient directement dans la gueule de ces maudits monstres qui doivent s'être endormis après avoir mangé.»

Aï prit la direction du chantier, mais rapidement, l'intérêt du fondateur de l'ordre du Bouc l'emporta sur le bon sens.

«D'un autre côté, je ne peux laisser passer cette chance extra-ordinaire de voir de mes propres yeux les fils d'Osiris-Path. Bon… je mentirai aux gardes égyptiens en espérant qu'ils me croient. Je leur raconterai que j'avais été assigné à une autre tâche… C'est ça, je leur dirai que je devais donner un coup de main aux forges royales. S'ils vérifient, Kashu me couvrira.»

L'affaire était réglée.

«Maintenant, si je continue à suivre cette piste, est-ce que j'avance vers la mort? Serait-il plus sage d'alerter les soldats égyptiens ? Hum, cela détruirait mon alibi pour justifier mon retard au travail... De toute façon, ils ne me croiraient pas... Il faudrait que je réussisse à m'approcher assez près des monstres pour pouvoir les observer à leur insu. Ce serait tout simplement fantastique ! »

Avec mille précautions, Aï traversa un ancien marécage tapissé de joncs asséchés et se glissa dans les herbes hautes.

« J'imagine la tête de Hény lorsque je lui dirai avoir vu les fils d'Osiris-Path ! Et Ra-ou, et Kashu, alors ! »

En progressant à travers l'herbe drue, Aï jubilait à l'idée d'annoncer la nouvelle à ses camarades. Un vent léger se leva. Le cri d'un faucon résonna au loin.

« Doucement... lentement, pour ne pas te faire voir ni entendre... une autre piste ici, encore une... »

Une odeur de pourriture monta soudainement aux narines d'Aï qui la reconnut immédiatement. Un voisin et ami de son père travaillait le cuir pour le compte des armées d'Égypte, confectionnant des jambières et des coudes en peau de crocodile. Comme il arrangeait lui-même les animaux avant de procéder au tannage, une odeur pestilentielle caractéristique de viscères de crocodiles se répandait alors dans tout le voisinage.

« Je ne sais pas ce que peuvent bien manger ces gros lézards pour être si puants. En tout cas, celui-là ne doit pas être très loin. Ça y est... »

Un crocodile éventré et abandonné gisait à quelques pas de lui. Malgré l'odeur insupportable des viscères du reptile, le jeune esclave s'en approcha et se pencha au-dessus de lui. Le corps mutilé était encore frais.

« Ils ont pris le cœur... les yeux... la chair de son ventre. Je dois partir d'ici au plus vite, ils ne doivent pas se trouver bien loin... »

Dans son empressement, le jeune esclave trébucha sur un coffre de bois à demi caché par les hautes herbes. Le couvercle grand ouvert dévoila une quantité incroyable de pierres précieuses, de bijoux et d'objets d'art.

« Qu'est-ce que... C'est un trésor... un véritable trésor... Je viens de découvrir un trésor ! »

Il glissa ses mains dans les joyaux pour s'assurer qu'il ne rêvait pas. Entre ses doigts se trouvait la solution à sa misérable existence. Avec un seul de ces joyaux, il pourrait acheter sa liberté et celle de sa famille. Une poignée lui permettrait d'affranchir de l'esclavage ses amis Kashu, Hény et Ra-ou et tous leurs proches.

« Comment ces bêtes se sont-elles retrouvées avec ce coffre ? songea-t-il. Pour l'instant, je dois prendre le plus de joyaux possible, et je reviendrai chercher le coffre avec de l'aide. En attendant, il faut que je lui trouve une cachette au cas où les fils d'Osiris-Path reviendraient le prendre. Houlà, c'est une nouvelle vie qui commence pour moi… »

Le jeune homme saisit avec avidité une poignée de pierres multicolores qu'il glissa dans les goussets de ses vêtements.

« Si les trois monstres ont tout laissé en plan ici, repas, trésor… c'est sans doute qu'ils ont été dérangés… Et si c'était moi ? Est-ce qu'ils sont en train de m'observer ? Aïe ! C'est vrai, on n'abandonne pas ainsi un trésor… J'ai commis une erreur… je n'aurais pas dû suivre leurs traces !… »

À cet instant précis, la caresse d'un souffle chaud dans son cou le fit tressaillir. Aï reconnut une respiration animale.

« C'est la fin… », pensa-t-il.

Malgré tout, l'adolescent tourna légèrement la tête et aperçut un visage mi-homme, mi-animal. La gueule d'un des fils d'Osiris l'effleurait. Un cauchemar. La bête exhibait son impressionnante dentition incrustée de lambeaux de chair de crocodile. Une véritable horreur sur deux pattes !

Aï savait qu'un malheur se présentait rarement seul. Il bougea les yeux et constata qu'une autre créature s'était approchée et postée derrière lui. Il l'avait compris un peu plus tôt sur le rivage, ces monstres chassaient selon une technique précise, et ils étaient en train de la mettre à exécution. Dans quelques secondes, il serait dépecé comme un mouton et sa carcasse irait rejoindre les restes du malheureux crocodile.

Aï s'était mis à trembler de peur, procurant ainsi davantage de plaisir aux créatures qui grognèrent de satisfaction. En devinant l'excitation de ses prédateurs, Aï se mit à pleurer et, terrifié, mouilla son pantalon.

— Je… je suis… désolé, balbutia-t-il. Je ne voulais pas vous voler… J'ignorais que… enfin… Les pierres précieuses… elles sont toujours là, voyez…

Aï sentit quelque chose de gluant sur sa nuque. Des spasmes de dégoût lui traversèrent la colonne vertébrale. Après l'avoir léché, Mort W'rn envoya rouler Aï, d'un seul coup de patte, jusqu'aux pieds de Grand W'rn. Les pierres précieuses qu'il avait dissimulées dans ses vêtements se retrouvèrent sur le sol tels des éclats de verre. Le voleur avait été capturé la main dans le sac !

— Je suppose que vous… que vous êtes le chef, parvint à dire Aï, tout tremblotant d'effroi. Ne me tuez pas… je vous en prie… Je ne parlerai à personne de votre passage ici… Je n'en parlerai même pas aux autres membres de l'ordre… Ne me tuez pas. Je suis désolé pour le… pour le trésor, je… je ne sais pas ce qui m'a pris… Je suis quelqu'un d'honnête… Ma faute est grande… je…

Grand W'rn se tourna vers Mort W'rn.

— Il a peur de nous, fit-il dans la langue gutturale propre aux habitants du pays de D'mt. Regarde comme il tremble ! La peur est une marque de respect. Cet homme sait à qui il a affaire et il ne nous provoque pas. Devrions-nous quand même le tuer ?

— Pourquoi pas ? ricana Mort W'rn en se pourléchant les babines. Les peureux ne méritent pas de vivre. Il n'y a pas de place pour les faibles. Et puis, il a bon goût…

Lune W'rn, posté derrière Aï, se joignit à la conversation de ses frères.

— Il est seul, personne ne l'a suivi, grogna-t-il. Il n'a pas d'armes, ce n'est donc pas un chasseur, ni un guerrier. C'est un imprudent ! Il a dû suivre nos pistes… celles-là mêmes que Mort devait effacer, ce qu'il a négligé de faire parce qu'il avait trop faim ! Mort, tu as mis notre sécurité en danger.

— Ferme-la, Lune ! rétorqua Mort, en colère. Je voulais tout effacer après avoir mangé ! Tu devrais plutôt me remercier, car cet homme est ici grâce à ces pistes. Il sera bien meilleur que la bête verte !

Devant cette manifestation de grognements de toutes sortes, Aï crut comprendre qu'on débattait sur son sort. Ce petit sursis lui redonna confiance, et il essaya d'entrer en communication avec eux.

— Je suis Aï, lança-t-il d'une voix mal assurée, et je suis votre ami. Moi, Aï ! Ami ! Moi, Aï !

Agacé par ses jacassements, Mort W'rn assena un violent coup de poing à la figure d'Aï qui se retrouva face contre terre, le nez en sang.

— Je ne voulais pas vous contrarier… désolé…

Grand W'rn était las de l'attitude prompte et agressive de son frère. Il ne servait à rien de se défouler ainsi sur de la nourriture, aussi agaçante fût-elle.

— Qu'en faisons-nous ? enchaîna Mort W'rn en montrant Aï de son long doigt. Moi, je crois que nous devrions l'éliminer maintenant et continuer notre chemin ensuite.

— Quant à moi, je n'ai plus faim, répondit Lune W'rn. Il est si énervé que sa viande sera aussi dure que celle de la bête verte. Tuons-le, mais laissons-le faisander quelques jours avant de le manger, il n'en sera que meilleur.

— Hum hum, approuva Mort W'rn. Dépeçons-le et emportons les morceaux. J'aime bien que nous ayons des provisions, ça nous évitera d'avoir à manger de la grosse bête verte.

Mort se préparait à se jeter sur Aï lorsque ce dernier aperçut la statuette d'Osiris-Path que tenait dans ses mains Grand.

Instinctivement, Aï montra l'objet du doigt.

— Osiris-Path ! Le Râjâ ! C'est votre père, non ? C'est Osiris-Path ! Je le connais ! Je vous le jure !

Lune retenait Mort, encore prêt à tuer Aï, tandis que Grand tendit la statuette vers Aï.

— Oui, c'est bien Osiris-Path, il habitait ici, mais il vient d'un lointain pays du Nord, continua Aï. Là-bas, on l'appelle le Râjâ et… c'est un roi, un très grand roi !

Lune W'rn relâcha Mort et regarda ses frères les yeux remplis d'espoir.

— On dirait que la proie connaît vraiment notre père, grogna-t-il.

— C'est vrai qu'il est agité depuis qu'il a aperçu la statuette de W'rn. Tu comprends quelque chose à ce qu'il dit, toi ?

— Non, mais je crois qu'il sait des choses qui pourraient nous être utiles, répondit Lune. La peur l'a quitté et il est plein de confiance maintenant ! Cette proie n'est pas venue à notre rencontre pour rien… Et si c'était W'rn qui nous l'avait envoyée ?

— C'est ça ! Un envoyé spécial qui se remplit les poches avec nos pierres ! pouffa Mort. Ce n'est qu'un petit voleur qui a accepté de mourir, voilà pourquoi il ne tremble plus. Moi, je dis, de la viande, c'est de la viande ! Je ne fais pas confiance aux hommes qui vivent hors du pays de D'mt. Il faut le tuer et le manger, voilà tout !

Aï comprit rapidement que son salut passerait par la statuette d'Osiris-Path. Il devait tenter par tous les moyens de se faire comprendre. Pour survivre, il devrait se montrer plus attrayant vif que mort.

— Je peux vous montrer des papyrus concernant Osiris-Path, fit-il en s'agenouillant devant Grand qui tenait toujours la statuette. Faites-moi confiance et je vous montrerai les rouleaux qui contiennent tout sur l'histoire de votre père. Car il s'agit bien de votre père, non ?

Aï baissa la tête.

— Il rend hommage à notre père, non ? s'étonna Grand W'rn. W'rn est aussi un dieu pour les humains ?

— Oh, grand Osiris-Path, épargne-moi, je t'en prie, implora Aï. Si tu empêches tes fils de me manger, je jure de saborder l'ordre du Bouc et de ne plus jamais chercher ta trace…

Lune W'rn l'interrompit en l'attrapant par les cheveux et le cloua au sol pour mieux l'examiner.

— Ne me faites pas de mal, gémit l'esclave. Écoutez-moi, je connais l'histoire de votre père ! Tout est écrit sur les papyrus ! Ils sont dans le temple, pas très loin d'ici ! Faites-moi confiance et vous ne serez pas déçus… Je vous traduirai… Nous trouverons une façon de communiquer… Épargnez-moi, je vous en conjure…

— Lune W'rn avait entendu les lamentations de l'homme, et bien qu'il ne comprît rien de ses paroles, le fils de W'rn se dit qu'il semblait honnête. Ils avaient affaire à une âme claire, dénuée des caractéristiques propres aux traîtres ou autres menteurs.

— Cela prouve qu'il est honnête, puisque ce n'est pas une hyène !

— Regarde son doigt ! dit Grand. Il nous indique quelque chose, là-bas.

— Il nous demande de le suivre, fit Lune W'rn. Je pense que nous devrions le garder en vie encore un moment. Il nous conduira peut-être à W'rn, qui sait !

— Mais je suis d'accord pour ne pas le tuer tout de suite. Ainsi, sa viande sera encore fraîche si nous décidons de le tuer ce soir ! Il sera moins nerveux aussi, donc plus tendre.

— Depuis des jours que nous cherchons un indice, réfléchit à voix haute Grand W'rn. Nous avons suivi toutes les indications de la statuette, et voilà qu'on tombe sur cet homme. Je pense comme Lune : nous devons essayer de comprendre ce qu'il veut nous dire. Suivons-le.

— Toi, Grand, tu es toujours d'accord avec Lune, ironisa Mort. Lorsqu'il parle, on dirait que c'est mère que tu entends !

— Fais bien attention à toi, Mort, le prévint Grand sur un ton grave.

— Je n'ai pas manqué de respect à mère, rajouta Mort, mais à toi seulement !

— Cessez de vous chamailler ! intervint Lune. Se battre entre nous est tout à fait ridicule et inutile ! Venez, nous n'avons rien à perdre à suivre la proie.

— Pfff ! Faites-en votre affaire ! lança Mort en retournant aux restes du crocodile. Moi, je préfère encore manger de la bête verte, d'ailleurs j'ai faim. N'oubliez pas de me garder un bon morceau de la proie lorsque vous vous déciderez enfin à la tuer.

Mort W'rn plongea sa main dans la chair coriace du crocodile, et en extirpa des viscères qu'il déchiqueta bruyamment.

Aï devina avec soulagement qu'il n'était pas encore au menu, mais il eut beaucoup de mal à se retenir de vomir devant le spectacle dégoûtant qu'offrait Mort W'rn. Son attention fut cependant vite détournée lorsque Lune lui colla la statuette sur le bout du nez.

— Alors, tu sais où est W'rn ? Réponds, mais réponds donc ! gronda Lune W'rn. Où est-il ? Fais le signe de tout à l'heure ! Montre du doigt la direction, allez !

— Je... je ne comprends pas ce que vous me dites, bafouilla-t-il. Je... je sais des choses... j'essaie de vous expliquer...

—Réponds ! insista Lune W'rn en remuant la statuette de W'rn devant le visage du jeune esclave. Où est W'rn ? Où se trouve-t-il? Par là? Montre avec ton doigt, c'est facile, regarde, fais comme moi! Là-bas, là-bas ou là-bas? Montre! Vite!

— Perte de temps! gloussa Mort W'rn en se débattant avec une bouchée de viande. Comme toutes les proies, il est stupide. Il ne comprend rien à ce que tu racontes!

Aï, qui sentait la tension monter dangereusement, prit un risque en criant le mot qu'il avait entendu répéter.

— W'RN!

Lune afficha un abominable sourire.

— W'rn! Lui, c'est W'rn? s'exclama Aï en désignant la statuette. W'rn! Pour moi, il est Osiris-Path! Au-delà de la grande mer, il est le Râjâ, mais ici, vous le nommez W'rn! D'accord, lui, c'est W'rn!

— W'rn, répéta Lune, aussi content que son vis-à-vis d'avoir enfin réussi à communiquer.

— Non, ce n'est pas une proie ordinaire, murmura Grand W'rn, tout étonné. Il essaie d'apprendre à parler. Il comprend. Il est plus intelligent que tous ceux que nous avons croisés sur notre chemin.

— Tu veux dire qu'il est plus intelligent que ceux que nous avons MANGÉS sur notre chemin! lança Mort en riant.

Lune et Grand l'imitèrent.

Aï les voyant s'amuser ainsi, devint encore plus inquiet pour sa vie et décida de suivre son intuition. Sa dévotion à W'rn lui sauverait peut-être la vie, comme ce fut le cas quelques instants plus tôt.

— W'rn! W'rn! W'rn! fit-il en se courbant comme un roseau dans le vent. Je suis un adorateur de W'rn! Il est mon maître, ma libération et je l'aime passionnément!

— W'rn! répéta Lune qui n'avait plus l'intention de tuer la proie. W'rn! W'rn, c'est lui! Mon père, le remarquable W'rn!

Grand W'rn se contorsionna de satisfaction.

— C'est fantastique! articula-t-il avec bonheur. La proie connaît notre père et le vénère comme un dieu. Cet humain est sage et adore, tout comme nous, le grand W'rn. N'est-ce pas merveilleux?

Mort W'rn se contenta de rire encore plus fort et frappa avec plaisir le cadavre du crocodile.

Lune W'rn continuait d'observer la ferveur que manifestait la proie à l'égard de leur père et poussa un hurlement de bonheur.

— Il a compris son nom. Nous sommes sur la bonne route! W'rn est avec nous, car la proie est son envoyé!

Lorsqu'il comprit que sa vie était sauve, Aï cessa progressivement ses courbettes. Les fils d'Osiris-Path étaient nettement moins agressifs. Ils avaient perdu toute hostilité envers lui et communiquaient entre eux en utilisant de petits sons plus grêles.

Aï se releva doucement, mais garda la tête baissée.

— Je vais vous conduire là où vous en apprendrez beaucoup sur votre père.

Il répéta cette même phrase plusieurs fois de suite, en invitant les créatures à le suivre à l'aide de grands gestes du bras.

Les fils de W'rn déchiffrèrent l'intention de la proie et lui firent comprendre qu'ils acceptaient de la suivre. Lune W'rn remit la statuette sous sa ceinture et aida Grand W'rn à ramasser les pierres précieuses dispersées sur le sol.

— Viens, Mort, lui lança Grand en chargeant le coffre sur son épaule.

— J'y vais, mais je continue de ne pas avoir confiance en lui, maugréa Mort. Il nous réserve un mauvais coup, je le sens. Nous devons le tuer… On ne doit jamais faire confiance à de la nourriture…

— De toute façon, tu n'as confiance en personne, Mort, même pas en nous! persifla Lune.

— C'est en votre jugement que je n'ai pas confiance, répondit Mort. Vous êtes présomptueux, et ensuite on se retrouve avec des complications.

— Allez, nous suivons une bonne piste! l'encouragea Grand W'rn. Mère serait très fière si elle nous voyait!

— J'arrive, grommela Mort.

Les monstres du pays de D'mt suivirent Aï dans le désert rocailleux du Goshen. Ils marchèrent longtemps avant d'atteindre le chemin qui les mena au temple abandonné, siège de l'ordre du Bouc.

Durant le trajet, Aï avait fait particulièrement attention aux patrouilles de l'armée égyptienne qui parcouraient régulièrement le désert à la recherche d'esclaves en fuite. S'il s'était fait prendre, de surcroît en compagnie des W'rn, les autorités le lui auraient fait chèrement payer.

— C'est ici, voici l'endroit, leur annonça Aï à l'entrée du temple.

En espérant de tout cœur que son plan fonctionne, le jeune esclave fit signe à Grand W'rn de déposer le coffre, ce qu'il fit sans se questionner. Nul n'aurait jamais laissé un tel trésor sans surveillance, mais pour lui et ses frères ces objets n'avaient pas de réelle valeur.

Aï pénétra le premier dans le temple et disparut dans l'obscurité. Les trois W'rn marchèrent à sa suite.

— Ça sent la viande pourrie, grogna Mort W'rn. Je n'aime pas cette odeur! Ça sent le piège!

— Tais-toi, Mort! répondit Lune. Nous vivons un moment très important…

Au fond du temple, le cadavre putréfié du mouton qui devait leur servir d'appât avait été oublié sur le mécanisme de fermeture de la herse. Plus repoussant qu'invitant pour les W'rn, l'animal aurait dû être remplacé par un autre, beaucoup plus frais.

Comme il le faisait normalement pour les réunions de l'ordre du Bouc, Aï alluma les chandelles, et la lumière des flammes commença à danser sur les murs. Puis, de façon solennelle, il sortit de leur cachette les rouleaux de Sénosiris et les déploya au centre de la pièce pour les montrer aux fils d'Osiris-Path. Les monstres ne savaient pas lire, mais ils examinèrent les dessins et poussèrent des hurlements de bonheur lorsqu'ils reconnurent W'rn représenté sur le papyrus.

C'est le moment que choisit Aï pour faire quelques pas à reculons vers la porte du temple.

— C'est bien lui! s'exclama Grand W'rn. Et ici, qu'est-ce que c'est?

— Je n'en sais rien pour l'instant, répondit Lune en regardant les cartes géographiques que désignait Grand. Je dois étudier ces dessins plus attentivement pour le savoir. Pour l'instant, je crois que ce long trait est la grande rivière que nous suivons depuis des jours et des jours.

— Quoi, ces dessins peuvent nous dire où se trouve W'rn? s'exclama Mort W'rn. Comment cela est-il possible?

— C'est un peu comme les étoiles, Mort, expliqua Lune. Il y a des configurations dans le ciel qui...

Un bruit métallique venait de retentir. Les trois W'rn montrèrent les dents et se mirent en position d'attaque. Griffes sorties et muscles tendus, ils étaient prêts à défendre leur vie.

— La proie! Où est la proie? hurla Mort W'rn.

Les trois frères se précipitèrent vers l'entrée du temple pour vite se rendre compte qu'ils ne pouvaient plus en sortir. Une grille les y retenait prisonniers. Aï l'avait refermée sur eux et s'enfuyait en traînant le coffre rempli de pierres précieuses.

Mort poussa des aboiements de frustration, puis essaya de toutes ses forces de briser les barreaux de métal. Peine perdue, la herse était solide et demeurait inflexible.

— Je le savais! Je le savais! grogna-t-il en frappant sauvagement le métal. Cette proie nous a ridiculisés! Nous aurions dû la tuer!

Porté par la peur que les monstres arrivent à se libérer, Aï parvenait à avancer assez rapidement malgré le fardeau qu'il traînait.

— J'aurai un palais au bord de la mer, se disait-il pour s'encourager à aller plus vite. Ma famille sera libre... mes amis aussi... L'ordre du Bouc triomphe aujourd'hui... Plus vite, Aï... Tu dois mettre le coffre en sécurité... Ce sera un grand palais où je vivrai heureux... Vite... vite... S'ils s'échappent, je suis mort... Vite...

S'ils avaient eu davantage de connaissances techniques, les fils d'Osiris-Path auraient deviné qu'il leur suffisait de retirer les tiges des charnières de la herse pour la faire tomber.

— Nous sommes pris au piège! pesta Mort W'rn. La proie a été plus intelligente que nous! Quelle honte!

— Essayons encore! proposa Grand W'rn en fonçant sur la grille. POUSSONS!

Rien n'y fit. Les W'rn finirent par s'épuiser à essayer de rompre les barreaux de métal.

— Nous ne sortirons pas d'ici de cette façon, conclut Lune W'rn, furieux. La prochaine fois, je t'écouterai, Mort. Tu avais raison, mon frère, de ne pas te fier à la proie.

— Je retrouverai cette vermine, cracha Mort, fou de rage. Je lui mangerai d'abord les orteils, puis les doigts, lentement, un à un pour le faire souffrir. Je l'avalerai vivant !

— Il faut sortir d'ici, lança Grand W'rn en tâtant les murs.

— Nous sortirons, assura Lune, ne t'inquiète pas, nous sortirons !

XI

Ra-ou, Kashu et Hény restaient bouche bée devant le trésor d'Aï.

Pour eux, descendants de Jacob dont la population était estimée à six cent mille en Égypte, l'opportunité de s'extraire de la misère était utopique. Qu'ils fussent potiers ou maçons, bergers ou tailleurs de pierre, la plupart étaient d'abord des serviteurs habitués à vivre dans des conditions de misère à la limite du supportable, et où l'espérance de vie ne dépassait pas les cinquante ans. Le peuple vivait courageusement, se nourrissant de la promesse d'une terre nouvelle où ils pourraient enfin s'épanouir. Or, ce nouveau royaume, Aï et ses amis le tenaient entre leurs mains. Oui, il était maintenant possible d'atteindre la terre promise.

Il y avait assez de richesses dans ce coffre pour s'offrir encore plus que tout ce qu'ils désiraient. À travers les pierres précieuses, Aï avait découvert de petites statuettes d'ébène finement sculptées, une grande quantité de bijoux en or dont quelques-uns empaquetés dans une peau de panthère, et des contenants d'encens.

— Tu as vraiment volé ce coffre aux fils d'Osiris-Path ? finit par articuler Kashu qui avait peine à croire au récit d'Aï.

— Puisque je vous le dis ! répondit Aï avec insistance. Et, je le répète, ils m'ont suivi jusqu'au temple, je les ai emprisonnés, et me voici avec le trésor.

Ra-ou se pencha au-dessus du coffre et fit glisser les pierres entre ses doigts.

— Le convoi qui a été attaqué par des créatures… Vous savez, celui qui rentrait de Nubie avec les recettes d'un impôt spécial ?

Je crois que… enfin, ceci appartient au pharaon ! Si la garde nous trouve en possession de son trésor, vous pouvez être certains qu'on nous coupera la tête !

— Tu as raison ! continua Hény. Il ne faut pas se méfier que de la garde ! Personne n'hésitera à nous éliminer pour mettre la main là-dessus.

— Si nous agissons avec précaution, répondit Aï, nous parviendrons à fuir Memphis pour nous forger ensuite une autre identité. Vous verrez, nous réussirons à nous soustraire à l'esclavage.

— C'est cela, allons nous installer dans une autre ville, le temps de nous trouver une couverture, enchaîna Ra-ou. Par exemple, nous pourrions devenir des marchands d'armes et nous payer des mercenaires pour assurer notre protection.

— Notre propre armée, bonne idée ! s'exclama Kashu. Ensuite, nous revenons à Memphis pour acheter des esclaves que nous libérerons, en commençant par les membres de nos familles !

L'idée fit l'unanimité au sein des membres de l'ordre du Bouc, mais une autre question vint à l'esprit de Ra-ou.

— Euh… où sont les… les, enfin… que faisons-nous des…

— Des fils d'Osiris-Path ? demanda Aï. En principe, ils sont toujours prisonniers du temple, et je ne vois pas comment ils s'en évaderaient ! Du reste, je n'ai pas l'intention d'y remettre les pieds !

— J'ai craint que… enfin, bon… Imaginez qu'ils déjouent le piège, c'est certain qu'ils vont te retrouver, Aï, et nous avec… Ils voudront aussi récupérer leur trésor… Ils vont nous manger vivants, c'est certain ! Moi, je… je n'ai pas envie de finir comme ça, tu comprends, Aï ? Ce sont des êtres fous à lier… ils sont trop dangereux !

— C'est vrai… J'ai vu leurs dents et leurs griffes de très près, il n'y a pas de créatures plus dangereuses que ces trois-là, affirma Aï. Nous en sommes bien conscients et nous nous préparerons en conséquence. Par contre, je pense qu'ils ne pourront jamais sortir du temple par eux-mêmes, ce qui nous donne énormément de temps.

— Tu veux dire que si personne ne vient à leur secours, ils pourraient même mourir dans le temple ? demanda Hény, un peu surpris.

— Exactement, et n'est-ce pas là la mission première de l'ordre du Bouc ? répliqua Aï. Nous existons pour venger le massacre des enfants du Goshen et en faire payer le prix à son auteur, Osiris-Path. Pourquoi donc épargner sa progéniture ?

— Mais ils mourront de faim… et de soif ! s'écria Hény.

— Tu préférerais peut-être que nous allions au temple pour les confronter ?

— Non, bien sûr que non ! Loin de moi cette idée, Aï ! C'est que… je trouve la solution inhumaine.

— Tu as raison, intervint Ra-ou, car, justement, ce ne sont pas des HUMAINS !

Dans le lourd silence qui suivit, chacun prit conscience qu'il condamnait les fils d'Osiris-Path à une mort lente et souffrante. Pour des esclaves habitués à subir des sévices et non à les infliger, la situation était inconfortable. Mais avaient-ils vraiment le choix ?

— C'est tout de même ironique que ce soit les propres fils d'Osiris-Path qui nous permettent de venger le massacre du Goshen, songea Kashu à voix haute. C'est assez inattendu comme situation.

— Là n'est pas la question, trancha Aï. Qui est d'accord pour que nous abandonnions les monstres dans le temple ? Moi, je suis pour.

— Et si nous faisions parvenir un message au pharaon indiquant où se trouvent les monstres ? proposa avec enthousiasme Hény. Leur sort se retrouvera entre ses mains !

— Moi, je préfère les laisser crever ! lança Ra-ou. Après tout le mal qu'ils ont fait autour d'eux, ils méritent une mort lente. Je suis d'accord avec Aï !

— Tu as raison, Ra-ou, pas de pitié pour ces êtres abjects, renchérit Kashu. En plus, nous gardons le trésor ! Je suis également avec Aï.

— Bon, dans ce cas…, fit Hény qui tentait de se résigner. J'aurais aimé leur donner une chance… pas spécialement pour eux, mais surtout pour moi. L'idée de me sentir responsable de la mort d'une créature de dieu me dérange. Comme si j'éprouvais de la compassion.

— Rassure-toi, Hény, c'est la bonne décision, dit Aï. Maintenant que cette question est réglée, nous devons penser à quitter rapidement et discrètement le Goshen en emportant le trésor.

— Je propose que nous agissions cette nuit, dit Kashu. Nous pourrions aller à la forge prendre discrètement des armures de soldats, faire ensuite une visite chez le marchand de chevaux, à côté, le temps de nous procurer des montures qui nous permettront d'atteindre la mer au lever du jour. À partir de là, tout sera plus facile!

Les quatre membres de l'ordre du Bouc échangèrent un regard complice.

Cette nuit, ils seraient libres.

XII

Dix-sept ans après le départ d'Osiris-Path d'Égypte…

La pleine lune éclairait le campement des barbares jaunes qui profitaient d'une accalmie sous le ciel étoilé. Des moutons cuisant sur la broche embaumaient l'air d'une agréable odeur de viande rôtie. Dans la fraîcheur de la soirée, les hommes buvaient à grandes lampées un alcool de riz aussi fort que puant. Pendant que les étourdis et les fiers-à-bras se lançaient des défis à la lutte, les plus sages s'affairaient à affiler leurs épées sur des tapis de sol, car, dans le bassin du Tarim, mieux valait être toujours prêt à toute éventualité.

Ces soldats avaient été engagés par le roi Xiao Xin, dix-neuvième souverain de la grande dynastie des Shang. Leur mission était simple : regagner les terres du bassin du Tarim, jadis perdues au détriment des Tokhariens, afin d'étendre le royaume de leur maître. La plupart étaient d'anciens cultivateurs formés aux arts de la guerre qui n'avaient pas froid aux yeux. Pour quelques pièces, ils auraient pu vendre leur mère ou leur sœur à n'importe quel encan. Ils n'avaient aucune morale, aucun dieu à louer et personne à aimer. Ils n'en avaient que pour l'argent et le combat. Dans l'esprit tordu de ces hommes, il n'y avait pas plus grand plaisir que d'égorger l'ennemi, prendre sa femme et torturer ses enfants. Leur sauvagerie au combat leur avait valu le nom de barbares jaunes.

Tout autour du camp, à l'écart du grand feu, des postes de garde avaient été érigés et les hommes s'y relayaient. Ce travail de guet, peu prisé par ces guerriers, était néanmoins nécessaire à leur protection.

— Tu vois comme le ciel est clair ? demanda un barbare à son compagnon de garde. Ça m'inquiète ! C'est mauvais signe. Dans mon village, on dit que des nuits comme celle-ci encouragent les ancêtres à revenir sur terre pour régler leurs comptes avec les vivants.

— Dans ton village, vous êtes tous des attardés ! À force de vous accoupler avec des chèvres, vous êtes devenus aussi bêtes qu'elles !

Malgré plusieurs décennies d'efforts, les barbares jaunes ne réussissaient pas à reconquérir leurs terres du bassin du Tarim. Bien que les hommes de l'ouest s'y fussent installés sans l'autorisation du souverain Xiao Xin Shang, ils possédaient un avantage de premier plan leur permettant de résister aux barbares jaunes qui tentaient désespérément de les en chasser. Contrairement aux Orientaux, les Tokhariens connaissaient et pratiquaient la métallurgie. Leur maîtrise de la science du bronze les favorisait nettement, puisque leurs armes et leurs armures avaient dix fois la robustesse des coquilles de noix barbares. Cette supériorité technologique garantissait pour l'instant leurs victoires successives, mais les barbares jaunes étaient coriaces, de plus en plus nombreux et avaient appris à mieux s'organiser avec le temps. Surtout, leurs nombreuses défaites face aux Tokhariens les avaient endurcis.

Encouragé par l'incessante progression de ses troupes, le souverain Xiao Xin Shang, immensément riche, recrutait et formait de plus en plus de guerriers. Pas une semaine ne se passait sans qu'il n'envoie depuis Yin, la capitale, des recruteurs parcourir les vastes territoires de son empire. Ces rabatteurs parfaitement entraînés promettaient d'importantes sommes d'argent aux hommes qui voulaient bien les suivre au sein des armées de Shang, et encore davantage pour qui arriverait, par son courage héroïque, à prendre le bassin du Tarim. Les promesses d'argent étaient rarement honorées, mais les aspirants affluaient de partout dans l'espoir d'échapper à la misère et, qui sait, de voir leur nom à jamais immortalisé par les musiciens compositeurs du souverain.

C'est ainsi que parmi les troupes mercenaires des barbares jaunes se retrouvaient fréquemment des hommes issus de régions éloignées les unes des autres, apportant avec eux cultures et langages divers. Afin d'éviter toute confusion au sein de ses troupes, Xiao Xin Shang avait imposé à ses soldats son propre dialecte. Quiconque parmi ses hommes se faisait prendre à communiquer dans une autre langue que celle prescrite se voyait sévèrement puni. Ainsi, les hommes pouvaient facilement parler entre eux, même s'ils n'avaient rien de bien sérieux à se dire.

— Je te le répète : les esprits des ancêtres se manifesteront ce soir même ! insista le garde superstitieux. Tu ne devrais pas t'en moquer, Xui Pà ! Chez moi, c'est ce que les anciens ont toujours enseigné, et depuis que le monde est monde il y a toujours une grande part de vérité dans les légendes !

— Ferme-la, Kijè ! Observe plutôt ta zone pour t'assurer que les Tokhariens n'approchent pas. De toute façon, tes histoires de village ne m'intéressent pas, surtout que vous, gens du sud, votre ignorance est bien reconnue ! J'ai moi-même déjà été témoin d'un fait assez risible. Un homme de chez toi s'est mis à hurler comme un porc qu'on égorge lorsqu'il a vu neiger pour la première fois. Le pauvre pensait que les étoiles tombaient du ciel !

— Il s'agissait de mon père, répondit Kijè, attristé. Il ne pouvait pas savoir… Nous n'avons pas de neige dans le sud.

— C'était ton père ? pouffa Xui Pà. Elle est bien bonne, celle-là !

— Je t'interdis de rire de mon père, Xui Pà ! Tu ne peux pas comprendre. Ce n'est pas parce que tu es de la ville que tu connais tout !

— La ferme, crétin ! Surveille un peu les alentours, nous pouvons être attaqués à tout moment.

Même si la science du bronze maintenait la prédominance des Tokhariens, leurs militaires étaient trop peu nombreux, et les effectifs diminuaient dramatiquement à chaque bataille. Les familles des Tokhariens s'étaient considérablement étendues au fil du temps, mais leur expansion ne suffisait pas à combler les postes des disparus. Immigrés conquérants venus des lointains pays de l'ouest, leurs ressources en hommes étaient restreintes, car ils ne pouvaient compter sur aucune grande ville traditionnelle où puiser de nouveaux combattants. Les occupants du bassin du Tarim devaient donc mener sans cesse des attaques préventives sur les barbares jaunes pour leur enlever toute opportunité de se regrouper en une large formation susceptible de les vaincre.

— Eh bien, dans mon village de soi-disant crétins, la patience est une vertu, précisa Kijè en serrant les dents, et compte-toi chanceux que je la pratique moi-même. Avec toutes les grossièretés que tu véhicules sur les miens, tu mériterais qu'on te coupe la langue...

— Merci de l'avertissement, ô grand guerrier du fumier de cochon! le nargua Xui Pà. Et ma langue, je saurai bien l'utiliser avec ta sœur quand je passerai dans ton village!

— Tu dépasses les bornes, imbécile! Ne mêle pas ma sœur à nos histoires, grogna Kijè. Je ne suis pas irrespectueux envers ta famille, ne le sois pas envers la mienne.

— Baisse le ton, andouille, tu vas nous faire repérer...

Xui Pà terminait à peine sa phrase qu'une flèche venue de nulle part vint se loger dans sa tête et il s'effondra. Il était mort sur le coup.

« Les Tokhariens! » se dit Kijè, affolé.

Alors qu'il allait brandir le cor d'alarme, Kijè se prit trois flèches simultanément. Comme un patin désarticulé, il tomba à son tour, en crachant tout son sang. Il l'avait bien dit à Xui Pà, ses ancêtres viendraient le chercher cette nuit.

Un Tokharien à la forte carrure, cheveux blancs et peau claire, émergea de l'ombre. À la lumière de la lune, on aurait dit un spectre. À sa suite, une trentaine d'hommes barbus, aussi costauds que lui, sortirent également de l'ombre. L'arc à la main, le premier se pencha sur les cadavres et en retira les projectiles qu'il rangea dans son fourreau.

— Bien visé, Rong! dit à voix basse un des hommes en posant une main sur l'épaule de l'albinos. Il ne reste qu'à raser le camp.

— Est-on bien certain que les vigies ont toutes été neutralisées? s'informa Rong.

— Oui. Rassure-toi, il n'y a plus personne pour sonner l'alarme. Nous les surprendrons comme des lapins dans leurs terriers!

Soudain, Rong chancela en émettant une sorte de feulement. Le souffle court, il finit par poser un genou sur le sol avant de devoir s'asseoir.

— Que se passe-t-il, Rong? s'enquit son camarade. Ça recommence, c'est ça? La malédiction de la lune?

— Oui…, gémit Rong qui sentait ses entrailles se tordre. J'ai mal… Cette maudite pleine lune encore !… Mon corps qui rejette toujours sa lumière…

— Le remède du guérisseur n'agit plus…

— Seulement un temps, car… le mal revient… Moi qui croyais être enfin guéri.

— On te ramène vite au village, décida un de ses hommes. Les barbares jaunes peuvent attendre !

— Non, attaquez ces maudits chiens tout de suite, implora Rong, plié en deux. C'est impératif, ce camp doit absolument disparaître. Moi, je reste ici, vous, allez les égorger au plus vite !

Un soudain et violent spasme le jeta face contre terre en lui arrachant un horrible gémissement de douleur. Rong se mit ensuite à trembler de façon incontrôlable, les jambes d'abord, les mains, les bras et la tête ensuite. Plus que d'habitude, les convulsions se répandirent rapidement dans tout son corps et, en quelques secondes, l'albinos était devenu une marionnette gesticulante. Yeux révulsés et écume aux lèvres, il n'arrivait plus à se maîtriser.

— Tiens bon, Rong, nous retournons plutôt à notre propre camp ! trancha un de ses hommes.

Pour éviter que les cris de douleur de Rong n'attirent l'attention des barbares jaunes, ils le bâillonnèrent et le transportèrent jusqu'à leur camp, près du feu.

Le guérisseur de Backral, un homme honnête, mais aux connaissances limitées, retira le bâillon qui couvrait la bouche de Rong et tenta de lui faire boire un peu d'eau. Au lieu de l'apaiser, le liquide faillit le noyer.

— J'ai déjà vu Rong en crise, mais celle-là est la pire de toutes ! dit l'un des Tokhariens. D'habitude, c'est fini au bout de quelques minutes…

— Je ne sais plus que faire, soupira le guérisseur. Je ne comprends pas… Mon remède aurait dû lui faire du bien, mais on dirait qu'il a eu l'effet contraire ! Pardon, Rong, je n'arrive pas à te soigner ! Je suis désolé, j'ai tout essayé…

— Ah non ! s'exclama un compagnon de Rong. Il commence à saigner… Son nez, ses oreilles ! C'est un très mauvais signe ! Il ne passera pas au travers. S'il nous quitte maintenant, aussi bien dire adieu à notre victoire. Sans lui, nous n'arriverons jamais à tenir les barbares !

— Que faire, que faire ? murmura le guérisseur. Si j'étais magicien...

— Si vous permettez ! entendit-on soudainement. Cette voix inconnue à l'accent étrange fit bondir la bande de Tokhariens qui se retournèrent en dégainant leur épée.

Un homme de taille moyenne à la barbe longue et au visage brûlé par le soleil se tenait dans la pénombre.

— Laissez-moi faire, je vous en prie, continua l'étranger. Je suis le père de Rong et je peux l'aider. Je me nomme Sénosiris, et vous n'avez rien à craindre de moi. Voyez, je ne suis même pas armé.

Hébétés, mais surtout démunis devant le cas de Rong, les Tokhariens, d'un signe de tête, invitèrent Sénosiris à se joindre à eux. L'Égyptien s'approcha, retira sa cape de voyage et l'étendit sur le corps convulsé de son fils.

— Faites de même, ordonna Sénosiris aux guerriers tokhariens, il faut le couvrir parfaitement afin de le soustraire à la lumière de la lune. Ne perdez pas de temps, chaque instant est crucial !

Les hommes s'exécutèrent sans dire mot. Une fois le corps de l'albinos bien enveloppé, les spasmes s'atténuèrent puis disparurent complètement. Sa respiration redevenue normale, Rong se détendit et, épuisé, s'endormit.

— Maintenant, continua Sénosiris, nous devons lui prodiguer les soins dont il a besoin. Pour cela, il faut vite nous rendre chez vous, dans votre village. Vous ne me connaissez pas, mais je vous implore d'accepter ma présence. Je connais la cause de la maladie de Rong, et je répète que je crois pouvoir l'aider.

— Vous prétendez être son père ? fit un costaud du groupe. Rong est notre ami depuis toujours et jamais il ne nous a parlé de vous !

— Rong ignore certainement mon existence, expliqua Sénosiris. Je l'ai cherché partout dans le monde depuis près de vingt ans. Je n'ai pas fait tout ce chemin pour le voir mourir. Je vous en conjure, présentement, je suis son meilleur allié, et le vôtre aussi.

— On ne risque pas beaucoup, dit un autre camarade, cet homme n'a pas l'air bien dangereux, et regardez, il n'a pas les yeux bridés. Si on lui faisait confiance ?

— Pourquoi pas ? trancha le costaud. Si tout le monde est d'accord, ne perdons pas de temps et rendons-nous à Backral.

Les hommes réveillèrent Rong, le placèrent sur une monture et galopèrent à toute vitesse jusqu'à la frontière tokharienne.

— Bienvenue en enfer, dit l'un des hommes en s'adressant à Sénosiris. Vous pénétrez dans le pire endroit du monde, le trou du cul de l'univers ! Impossible d'aller plus creux. Même par temps ensoleillé, la lumière ne traverse jamais le nuage au-dessus du village ! Pour s'y plaire, il faut être un rat, un cafard ou un putois !

Consterné par le sinistre décor, l'Égyptien demeura bouche bée devant les milliers de têtes d'hommes plantées au bout de longues lances qui longeaient la palissade de bois autour du village.

— Ce sont des têtes de barbares ! continua l'homme avec orgueil. Pour eux, nous sommes des démons. Nous entretenons le mythe ! Depuis que nous plaçons les têtes de leurs camarades autour de Backral, ces sauvages ont considérablement diminué leurs attaques. Ça nous permet de souffler un peu ! C'est impressionnant, non ?

L'Égyptien acquiesça de la tête en silence.

— La peur est la meilleure arme contre l'ennemi ! lança un autre en trottant à ses côtés. Vous pouvez être fier de votre fils, car c'est lui qui détient le nombre record de têtes !

— Trois cent onze précisément, tandis que je n'en ai que dix-huit !

Un éclat de rire général se répandit dans le groupe.

— Sans vouloir vous presser, coupa l'Égyptien, il faudrait conduire Rong dans un endroit calme.

Backral et ses alentours n'avaient rien d'un hameau de rêve. On aurait dit un village rasé par le feu et reconstruit avec ses propres débris calcinés. Les grandes palissades de bois surmontant la tranchée où s'empilaient un nombre effroyable de cadavres, que lorgnaient constamment les charognards, donnaient également à Backral son allure de cité cauchemardesque. Des maisons de terre et de bois avaient été bâties un peu n'importe comment sur un sol boueux. Défoncées ou en ruine pour la plupart, les habitations débordaient de vieux meubles fracassés, et leur sol était couvert d'excréments de rongeurs. L'odeur d'urine et de cendre était à ce point pestilentielle que ceux qui n'en avaient pas l'habitude vomissaient systématiquement dès qu'ils passaient la lourde porte du village. Des hamacs avaient été installés un peu partout pour les hommes qui s'y rendaient pour dormir. Le village entier ressemblait à une gigantesque caserne à ciel ouvert. Partout, des guerriers fourmillaient dans le désordre et le chaos. Une quinzaine de forges crachaient leur fumée jour et nuit, résultat du travail de dizaines de forgerons qui se relayaient pour réparer ou fabriquer des armes, des pointes de flèches et des pièces d'armure. Les usines répandaient au-dessus de Backral un nuage si noir que même les vents du nord n'arrivaient pas à le pousser.

L'allure des habitants de Backral était aussi singulière. Estropiés pour la plupart, couverts de plaies ou de cicatrices, sales comme des cochons et à peu près tous alcooliques, les Backraliens entreprenaient chaque journée comme si c'était la dernière, avec le seul souci de rester en vie. Perpétuellement en conflit, ils n'accordaient de valeur qu'à la qualité de leur matériel de guerre. Ces chasseurs de barbares jaunes étaient des durs à cuire qui n'avaient pas froid aux yeux. Toujours en bande, ils pouvaient combattre pendant des jours sans eau ni nourriture. Aussi valeureux que crasseux, ces hommes n'avaient que leur mission en tête ; il fallait tenir coûte que coûte la frontière et repousser les barbares jaunes.

Les hommes installèrent l'albinos dans une des plus belles maisons au centre du village, la seule à avoir encore sa toiture.

— Laissez-nous maintenant, dit Sénosiris. Faites-moi confiance. Je devine que le soigneur de Backral, s'il y en a un, doit être très occupé et j'ai une bonne idée du mal qui le ronge. Tout ce que je demande, c'est de l'eau chaude et du temps seul avec lui.

Les hommes de Rong s'inclinèrent, mais ils placèrent tout de même deux gardes à la porte de la maison. La vie du meilleur guerrier de Backral devait être protégée et, au premier mouvement suspect, le nouvel arrivant serait abattu.

Sénosiris installa tranquillement son fils dans un hamac, puis il prépara un mélange d'herbes qu'il infusa après qu'on lui eut apporté l'eau chaude.

— Bois, dit-il à son fils encore somnolent.

— Que… qu'est-ce que je fais ici… que se passe-t-il ? Les barbares jaunes, ils sont… Et la lune… Mes hommes !

— Une chose à la fois. Calme-toi et bois ceci, répéta fermement Sénosiris. Tout va bien. Tu es chez toi, à Backral. Tes hommes vont tous bien. Tu as eu une bonne crise, et je crois pouvoir t'aider.

Rassuré, Rong prit quelques gorgées du breuvage chaud.

— C'est bon, fit-il, qu'est-ce que c'est ?

— Rien de très savant ni de compliqué, un mélange de plantes, c'est tout, répondit simplement l'Égyptien, heureux de parler enfin à son fils.

— Tu es attentionné, vieil homme, cela me touche beaucoup. Je me sens déjà mieux. Maintenant, si tu le permets, je dois voir mes hommes.

— À ta guise, Rong, mais sache que quand tu franchiras cette porte, tes douleurs reprendront de plus belle, l'avertit l'Égyptien.

L'albinos haussa les sourcils. Comment cet homme osait-il s'avancer de la sorte ? Il l'ignora donc et se leva en le remerciant avant de passer le seuil de la porte. Soudain, Rong fut saisi de crampes qui le paralysèrent. Il avait l'impression qu'une épée lui traversait le ventre. Sénosiris, qui l'avait suivi de près, le saisit par la taille et le ramena à l'intérieur devant le regard ahuri des deux gardes.

Rong se laissa choir au centre de la pièce, et eut besoin de quelques instants pour recouvrer ses esprits.

— Comment savais-tu cela, vieil homme ?

— Cesse de m'appeler vieil homme, Rong ! sourit l'Égyptien. Ai-je donc l'air si âgé ?

L'albinos observa attentivement le visage de l'inconnu.

— C'est vrai que tu n'es pas très ridé, mais ta barbe grise te vieillit, dit l'albinos, les yeux rieurs. Tu as les traits profonds, ta peau est brûlée par le soleil, tes vêtements sont poussiéreux, mais tu as l'œil vif.

— Aussi vif que le tien, Rong, s'amusa l'Égyptien en lui redonnant un peu de son breuvage. Quant à moi, je sais tant de choses sur toi, mais en même temps, j'ignore tout… Je voudrais t'expliquer, mais par où commencer ?

— Et si tu te présentais ?

— D'accord, Rong, c'est ce que je vais faire, mais en te parlant de ton passé. D'abord, sache que ta mère était la plus belle femme que le monde ait jamais connue. Elle avait de longs cheveux noirs et la peau brune comme celle des feuilles qui se dessèchent à l'automne. Un jour, elle devint une grande princesse de Byzance, et des événements curieux la conduisirent à une première union malheureuse avec le roi de Veliko Tarnovo, une ville située dans un pays lointain. Cependant, son mariage prit vite fin quand son époux fut assassiné par un inconnu, la laissant seule pour gouverner le pays. Peu de temps après, je devins son conseiller, et plus tard, beaucoup plus tard… son amant.

— Mais que racontes-tu là ?

— La vérité, Rong. Laisse-moi poursuivre. Je suis d'origine égyptienne. Dans le temps, j'étais jeune et, avec mon maître, nous avons entrepris un long voyage pour témoigner de la naissance prévue d'un grand roi. Mon maître est décédé en cours de route, et c'est seul avec mon âne que j'ai dû rejoindre Veliko Tarnovo. Ta mère était déjà enceinte de ton frère aîné, et après l'avoir sauvée de la noyade j'ai pu me faire une place de choix dans le grand pays des Thraces. Quelques semaines plus tard, j'ai assisté à la venue au monde de ton frère, dans les flammes ardentes d'une Byzance en feu ! J'ai vu ce jeune homme tout à fait exceptionnel ! Je ne cacherai pas que je l'ai aimé comme un fils.

— C'était l'enfant du roi assassiné ?

— Non, Rong, il était le croisement exceptionnel de ta mère avec un envoyé des dieux. Elle fut ensemencée avant son arrivée à Veliko Tarnovo, avant son mariage donc, par l'avatar de Börte Tchinö, la déesse des loups. C'est de ce père céleste qu'est issu le Râjâ, le grand roi, qui est le métissage parfait entre l'homme et l'animal. C'est par lui qu'une nouvelle race d'humains doit voir le jour, et c'est pour le servir que j'ai donné toutes ces années de ma vie.

Manifestement, Rong avait affaire à un fou. Bien que fort sympathique, cet homme n'avait plus toute sa tête.

— Et moi, là-dedans ? s'impatienta Rong. Et d'abord, comment saviez-vous que j'allais de nouveau me sentir mal en passant la porte ? Et je ne sais toujours pas qui vous êtes.

— Tu es aussi impatient que ta mère, répondit Sénosiris avec le sourire. Un caractère de feu, tout comme elle ! Je disais que j'ai vécu longtemps avec ce futur roi qu'on appelle le Râjâ. Nous avons même fait un voyage en Égypte qui, malheureusement, a mal tourné. Pendant des années, je l'ai perdu et ce n'est qu'après de nombreuses lunes de recherches que je l'ai enfin retrouvé dans le pays de D'mt. Il était tombé entre les mains d'une tribu de mangeurs d'hommes. C'est presque par miracle que nous avons réussi à revenir chez nous, à Veliko Tarnovo, pour nous rendre compte que le grand royaume que nous avions jadis connu appartenait maintenant à un autre. C'est aussi à ce moment que j'ai appris la mort de la femme que j'aimais plus que tout au monde, et qu'on m'a affirmé que notre fils avait été enlevé tout bébé par un homme du nom de Nosor Al Shaytan.

— Je le connais...

— Je sais, Rong. Cet homme nous a séparés. À cause de lui, j'ai dû te chercher partout dans le monde. J'ai marché jusqu'au bout de la terre et j'y ai vu la grande mer, connu les mille et un tourments de la Perse, la Caucasie, la Scythie et la Tauride. Je te cherche depuis si longtemps, Rong, que je n'ai même plus le souvenir de ce qu'est dormir dans la sécurité d'une demeure. Pour survivre, j'ai pratiqué tous les métiers, y compris celui de mendiant. Malgré la faim qui me triturait, j'ai poursuivi une quête qui prend fin aujourd'hui, celle de retrouver mon fils.

Rong était ému. Il posa la main sur l'épaule de son père.

— Avant qu'il ne meure, enchaîna Rong, le vieux Nosor m'a avoué qu'il m'avait enlevé dans un pays lointain. Il m'a confié le nom de mon père... Sénosiris. Es-tu cet homme ?

— Je suis Sénosiris. Et mon voyage est enfin terminé.

Les deux hommes se regardèrent longuement dans les yeux et reconnurent leur lien filial.

— Bienvenue, père, fit Rong en le serrant dans ses bras.

— Merci, mon fils ! répondit Sénosiris, étranglé par l'émotion.

Après un moment, l'albinos se dégagea doucement de l'étreinte.

— Dis-moi maintenant, père, quelle est cette étrange maladie qui me rend vulnérable aux rayons de la lune ? Il me tarde de connaître la réponse à ce mystère, car plus le temps passe, plus mes douleurs deviennent insoutenables.

— C'est un peu compliqué, lui répondit Sénosiris, l'air soucieux.

— Je t'écoute…

— Il existe un lac divin, dans les montagnes non loin de Veliko Tarnovo, qui possède l'extraordinaire faculté de transformer les êtres humains en loups.

— Oh !

— C'est à cet endroit que Börte Tchinö, dont je te parlais tout à l'heure, exerce son pouvoir sur la terre. Ce lieu sacré est sous la protection du Râjâ, ton frère, et si on en croit la légende, il est écrit que c'est de ce lieu précis qu'une nouvelle race d'êtres en parfaite harmonie avec la nature devrait voir le jour.

— Et ma maladie dans tout ça ?

— Sache que la lune est la demeure de la déesse des loups, Börte Tchinö. Je pense que ton mal vient du fait que ta mère s'est baignée dans le lac divin alors qu'elle te portait. Tu réagis à la lumière de la lune exactement comme le lac sacré. Les soirs de pleine lune, il s'agite sans bon sens... Je ne sais comment, mais tu es lié à ce lac.

Rong réfléchissait.

— Si je comprends bien, j'aurais un lien avec un trou d'eau à l'autre bout du monde, parce qu'il est aussi perturbé que moi par la lumière de la lune?

— En quelque sorte, oui. C'est difficile à croire, mais c'est possible.

— Y a-t-il un moyen de me guérir ?

— Selon moi, tu dois te rendre au lac divin. Après tout, tu es le prince des territoires qui l'entourent! Enfin, c'est une simple suggestion…

— Non, je dois rester avec mes hommes. Je ne peux pas les abandonner et les laisser affronter les barbares jaunes sans moi! s'écria Rong. Je ne suis pas de ceux qui trahissent la confiance des autres.

— Il s'agit de ta santé, répliqua Sénosiris. Ce soir, je suis arrivé au bon moment pour t'aider, mais bientôt, rien ne pourra plus te sauver. Le lac t'appelle, tu ne dois pas refuser de l'écouter. Tu es dans les plans de la déesse, et elle fait tout en son pouvoir pour te conduire au bercail.

— Je répète que je n'abandonnerai pas mes hommes ! grogna Rong. Nous devons gagner cette guerre avant que tout le bassin du Tarim tombe entre les mains des barbares jaunes. C'est impossible de tout laisser derrière moi !

— ILS ATTAQUENT ! hurla un homme à l'extérieur de la maison. ALERTE, LES BARBARES ATTAQUENT BACKRAL !

— Ce que je disais, père !

Oubliant les conséquences des rayons de la lune sur lui, Rong dégaina son épée et courut à l'extérieur en ordonnant à ses hommes de sauter comme lui sur leur cheval pour sortir de l'enceinte de Backral. Ses compagnons étaient heureux de le voir sur pied, et obéirent sans poser de question. Soudain, Rong fut terrassé par une douleur telle qu'il tomba de sa monture, se heurta violemment la tête sur le sol, et demeura inerte.

Ce n'est que le lendemain, alors que le soleil plombait la terre, que Rong ouvrit les yeux. À ses côtés, Sénosiris avait attendu patiemment son réveil.

— Que s'est-il passé ? bafouilla l'albinos en se frottant les yeux. L'attaque des barbares…

L'Égyptien lui montra l'horizon du doigt.

Rong s'appuya sur son coude, et vit au loin une colonne de fumée s'élever au-dessus de son village. De la montagne où il se trouvait, il pouvait distinguer les étendards des barbares jaunes qui flottaient au-dessus des ruines.

— C'est fini, murmura Rong, complètement affligé. Nous avons perdu Backral…

— Tous tes camarades ont péri, dit Sénosiris, attristé. Je t'ai sauvé de justesse, un vrai miracle.

— Tu me disais que si je refusais d'écouter l'appel de la déesse, elle ferait tout en son pouvoir pour m'amener de force.

— C'est ce que j'ai dit, en effet…

— Eh bien, soit ! grogna Rong. Je vais suivre mon destin qui semble tout tracé.

— M'annonces-tu que le prince Rong de Veliko Tarnovo revient sur ses terres pour assister son frère le Râjâ ?

— Ai-je le choix ? Alors, où se trouve-t-il ce pays des loups ?

— Très loin, répondit l'Égyptien en riant, oui, très loin d'ici !

Troisième partie

Un monde nouveau

I

Vingt ans après le retour du Râjâ au sanctuaire...

· Le soleil venait à peine de se lever lorsqu'un serviteur cogna avec empressement à la porte du maître de Veliko Tarnovo. Le mystagogue, exaspéré par ce réveil brutal, poussa un grognement, puis demanda avec colère la raison de ce vacarme.

— On demande à vous voir, maître! Des hommes venus de très loin... Voilà pourquoi j'ai été mandaté pour vous...

— DES HOMMES! Des hommes de quoi, d'où?

— Je ne sais pas, mais c'est très important... Jamais je n'aurais osé vous arracher aux bras de Morphée s'il ne s'agissait pas d'une situation exceptionnelle.

— Bon, ça va! J'arrive! Entre et aide-moi à me vêtir!

Le serviteur poussa la porte et aida le mystagogue à enfiler une robe de circonstance. Le passage du temps n'avait pas épargné le régent de Veliko Tarnovo. À cause de l'humidité, l'homme souffrait depuis plusieurs années de douleurs aux articulations et aux os. Il avait également des difficultés respiratoires croissantes, ainsi que des maux de dos persistants. Les guerres répétées contre les Perses et la gouvernance du royaume avaient eu raison de sa santé. Quoiqu'il ne fût âgé que d'une cinquantaine d'années, il en paraissait largement plus. Déjà, il marchait les épaules voûtées comme un vieux paysan et ne pouvait plus faire de longs trajets à cheval. Il marchait en s'appuyant sur une canne à cause d'une douleur permanente au genou, et chacun de ses pas lui rappelait que bientôt il perdrait l'usage de ses jambes.

C'est donc péniblement que le mystagogue s'habilla, puis se para des insignes du peuple thrace. Toujours aidé de son serviteur, il se rendit à la grande salle du trône. Une surprise de taille l'attendait.

Dans la pièce, quatre guerriers richement vêtus portant d'énormes casques représentant des têtes de bouc se tenaient droits, immobiles comme des statues. Impeccables, ces hommes étaient parés de très fines cottes de mailles qui paraissaient aussi légères que solides. À leur ceinture pendaient plusieurs épées et dagues de formes étranges, dont les pommeaux étaient sertis d'or et de pierres précieuses. Au cou, ils avaient chacun une énorme chaîne, elle aussi dorée, se terminant par un pendentif représentant une corne de bouc. À l'instar des hommes du Sud, ils avaient la peau sombre, mais leurs traits plus fins ainsi que leur nez plus pointu que celui des Babyloniens leur conféraient une allure plus rassurante. Une vive intelligence brillait dans leurs yeux.

Le mystagogue prit place sur son trône avec difficulté.

Surpris, mais surtout méfiant devant ces quatre guerriers venus le rencontrer, le souverain observa quelques instants leur accoutrement pour s'assurer qu'ils n'arboraient pas de signes ou de symboles ennemis. Toujours soupçonneux envers les étrangers, il se réjouit de constater que ses visiteurs ne semblaient pas être de mèche avec les Perses. Comme rien dans leur attirail ne laissait croire à une menace, il les autorisa à prendre la parole.

— Parlez! Je vous écoute! lança-t-il d'un ton blasé afin de démontrer sa supériorité. Que désirez-vous et pourquoi me faites-vous lever de si bonne heure?

L'un des étrangers fit alors un signe de la main à un petit homme chauve qui se tenait derrière le groupe. À cause de la prestance des quatre guerriers, il était passé complètement inaperçu. Celui-ci s'avança, puis il s'adressa au mystagogue.

— Mes respects et hommages de la part de mes maîtres, dit-il en faisant la révérence. Je me nomme Vanek, je suis un Achéen et j'agirai comme traducteur.

— Hum, grogna le mystagogue. Alors, demande-leur ce qu'ils me veulent, je n'ai pas toute la matinée!

Le traducteur rapporta la question et traduisit rapidement la réponse.

— Mes maîtres s'excusent de solliciter une audience à cette heure matinale, mais leurs hommes et eux ont fait une longue route et ils ont besoin de repos. Ils demandent s'ils peuvent séjourner dans votre ville pendant quelques semaines, avant de reprendre la route.

— C'est tout ? Tes maîtres m'ont dérangé pour cela ! Mais qu'ils se rendent à l'auberge, ces bougres, et cessent de m'importuner avec une requête aussi ridicule. On ne trouble pas le repos d'un roi pour si peu !

— Mes maîtres sont enchantés de votre hospitalité, continua le traducteur après avoir rapporté, mot pour mot, les paroles du mystagogue. Seulement, voilà, les hommes de mes maîtres ne sont pas que quatre. Leurs troupes se divisent en six bataillons qui comptent au total sept cent trente-deux soldats qui attendent, postés non loin de votre ville. Comme ces braves guerriers sont impatients de se restaurer, voilà pourquoi mes maîtres, tous ici présents, ont cru bon de vous réveiller afin que vous ne croyiez pas à l'invasion de votre cité.

— Plus de sept cents bonshommes ! s'exclama le mystagogue. Je comprends maintenant... Dans ces conditions, il est en effet plus sage de demander la permission.

Un des guerriers à la tête de bouc dorée s'adressa au traducteur.

— Mon maître vous assure que ses hommes agiront de manière convenable et responsable dans votre ville. L'ordre du Bouc, dont il est le chef absolu, applique un code d'honneur strict, et les troupes seront fermement contenues.

— L'ordre du Bouc ? Jamais entendu parler...

— Mon maître me demande de vous informer que ses troupes ne sont que de passage et n'ont aucune intention belliqueuse à votre égard. Nous venons d'un lointain pays et poursuivons depuis de nombreuses années des ennemis de notre nation.

— Ah ? Et qui sont ces ennemis que vous recherchez tant ?

— Mon maître aimerait mieux vous entretenir de ce sujet à un autre moment, rapporta le traducteur. Lui et ses compagnons sont très fatigués et ils aimeraient bien se reposer au sein de votre forteresse.

À ce moment, l'un des maîtres de Vanek s'avança au pied du trône et y déposa, dans un geste respectueux, une cassette remplie d'or et de bijoux précieux.

— Mes maîtres me demandent de vous dire qu'il s'agit d'un cadeau pour votre hospitalité. Un gage de notre bonne foi et de nos nobles intentions. Il s'agit aussi d'une reconnaissance de votre autorité. Si vous n'y voyez pas d'inconvénient, nous aimerions installer notre campement près de la place du marché afin que nos soldats soient à proximité des biens et marchandises à vendre.

Le mystagogue prit un moment de réflexion avant d'accepter la proposition.

Une armée étrangère de plus de sept cents hommes au cœur même de sa ville pouvait à tout moment décider de se retourner contre lui. S'il acceptait qu'ils y séjournent, il ouvrait toute grande la porte à de potentiels ennemis. D'un autre côté, s'il refusait de recevoir ces hommes et que les différentes guildes de marchands l'apprenaient, il les aurait sur le dos pendant des mois. L'argument de la sécurité en était un bon, mais faisait-il le poids contre l'économie de sa ville? Cette manne d'acheteurs allait fortement contribuer à la richesse collective de Veliko Tarnovo et, par conséquent, calmer la grogne des commerçants qui lui reprochaient depuis quelques années son manque de dynamisme. Ces étrangers semblaient transporter beaucoup de richesses, alors, pourquoi ne pas en profiter? De plus, ils étaient courtois et ne semblaient pas méchants.

— Très bien, j'accepte que vous établissiez votre camp au cœur de Veliko Tarnovo, mais soyez assurés que mes hommes verront à ce que le calme et la paix règnent en ville. Aucun excès ne sera toléré! Et toutes vos armes devront être entreposées dans la tour à l'entrée de la ville.

— Nous acceptons avec joie de nous soumettre à vos conditions, répondit Vanek de son propre chef. Les hommes de l'ordre du Bouc sont disciplinés et obéissants, vous n'aurez pas de problèmes.

Le traducteur profita du moment pour prendre un peu plus de liberté.

— Si je peux me permettre, grand mystagogue, j'aimerais vous poser une question sur la culture de votre pays. Chez moi, nos légendes racontent qu'il y a fort longtemps, un Égyptien du nom de Sénosiris aurait habité cette ville. En auriez-vous entendu parler?

«Ainsi donc, ces hommes ont entendu parler de Sénosiris...», se dit le mystagogue, qui avait maintes fois entendu le nom de l'étrange conseiller de la reine Électra lorsqu'il vivait à Odessos.

Il toussota pour s'éclaircir la voix.

— Non! mentit-il délibérément. Il n'y a personne de ce nom ici. Je ne vois pas de qui vous voulez parler.

— Je vous remercie infiniment de votre patience, fit le traducteur, mais encore une dernière chose, si vous le permettez.

— Je vous écoute, soupira le mystagogue.

— Y a-t-il beaucoup de loups dans les environs? demanda le traducteur. Mes maîtres ont beaucoup entendu parler de ces bêtes, mais ils n'ont pas encore eu le privilège d'en apercevoir.

— Il n'y a plus de loups dans la région, ni même dans tout le pays, répondit le mystagogue. Ils ont tous été tués.

— Ah! s'exclama le traducteur. Dommage!

Les quatre guerriers et le traducteur quittèrent le palais du mystagogue, accompagnés du chef des armées de Veliko Tarnovo. Celui-ci avait reçu l'ordre de surveiller l'installation du campement des nouveaux arrivants.

— Il ment, c'est évident..., dit Aï à ses compères Kashu, Ra-ou et Hény. Dès que Vanek a prononcé le nom de Sénosiris, j'ai vu son regard changer. Il sait des choses, et nous ne quitterons pas cet endroit avant de les avoir découvertes.

— Je suis d'accord, répondit Hény. Nous sommes enfin arrivés à l'endroit que nous cherchions depuis des années, et ce n'est pas ce vieux souverain bourru qui nous mettra des bâtons dans les roues.

— Ah! Regardez, juste ici! s'exclama soudainement Ra-ou avec un grand sourire. Je me demande bien qui a pu faire cela...

Devant lui, juste à la sortie du palais, sur une colonne de pierre étaient sculptés une dizaine de hiéroglyphes égyptiens.

— Si ce Sénosiris n'est jamais venu ici, eh bien, je me demande qui a bien pu écrire ce message! continua Ra-ou, fortement amusé.

Troublé par l'étrange comportement des visiteurs, le chef des armées posa sa main sur la frêle épaule du traducteur et lui demanda cavalièrement:

— Que disent-ils ? De quoi parlent-ils ? Je te conseille de ne pas me mentir, petit Achéen !

— Ils sont très excités à l'idée de demeurer ici quelque temps ! s'exclama Vanek, feignant la candeur. Comme ce sont de véritables amateurs d'art, ils se demandaient quel extraordinaire sculpteur avait bien pu réaliser les jolis petits dessins qui sont sur cette colonne.

— Oh, ça ? s'exclama le Thrace, qui s'était attendu à un échange plus musclé. Je ne sais pas trop, mais il y en a partout dans la ville. C'est de la décoration ! Dites à vos maîtres qu'ils n'en cherchent pas la signification, ces trucs ne veulent rien dire.

Le traducteur se retourna vers Aï.

— La bourrique qui sert de chef aux armées de cette ville vous informe que ces petits dessins ne veulent absolument rien dire. Il s'agit… d'ornementations.

Les quatre camarades, en bons comédiens qu'ils étaient, firent mine de se satisfaire de l'explication.

— Rien à comprendre… Bien sûr…, ironisa Ra-ou. Il faudrait peut-être lui dire que les petits dessins de la colonne nous indiquent qu'il s'agit du palais d'Électra, la reine du peuple des loups ! Étrange, n'est-ce pas, pour un pays où il n'y a pas de loups ?

— C'est même suspect, rigola Hény. Cher Vanek, pourrais-tu demander à ce pauvre ignare de nous indiquer où se trouvent les autres décorations de ce genre dans la ville ?

— Je le fais immédiatement, dit le traducteur, complice, en se retournant vers le Thrace.

— Mes maîtres, qui adorent ces sculptures, aimeraient pouvoir admirer d'autres parures de ce genre. Est-ce possible ?

— Oui, sans problème ! répondit le Thrace, content de jouer au guide touristique. Il y a même un ancien temple qui sert aujourd'hui d'entrepôt, où les murs en sont couverts. Je vous montrerai… mais avant, allons chercher vos hommes pour les installer en ville !

Le traducteur adressa à ses maîtres un large sourire.

— Nous ne pouvions pas mieux tomber…, leur dit-il. Cet homme me dit que nous aurons beaucoup de lecture à faire !

II

Le soleil allait bientôt se coucher sur les terres arides de la Sogdiane.

— Je t'avais bien dit que le voyage serait long! lança Sénosiris à son fils. Nous avons perdu beaucoup de temps à contourner les zones de guerre, mais ces détours étaient nécessaires pour assurer notre survie. Dès demain, la voie sera libre, et nous pourrons entreprendre notre descente vers le Sud. Pas trop démoralisé?

— Ouf! Je garde la tête haute! Je ne sais pas comment tu fais, père, pour marcher jour et nuit sans te fatiguer, fit Rong en s'asseyant lourdement au sol. Je m'avoue vaincu. Je ne suis plus capable de mettre un pied devant l'autre. D'ailleurs, ce ne sont plus des pieds que j'ai, mais deux blocs de pierre! Ne t'inquiète pas pour mon moral, mais plutôt pour mes orteils!

— Très bien, sourit l'Égyptien, je n'insiste pas plus pour aujourd'hui. Nous passerons la nuit ici, ça te va?

— Si ça me va? C'est de la musique à mes oreilles! Enfin, je vais pouvoir retirer ces bottes!

Pendant que Rong enlevait ses chaussures pour admirer sa collection de cloques, Sénosiris installa le campement.

— À l'odeur, on dirait bien que je suis déjà mort, fit Rong, écœuré par les effluves qui montaient de ses semelles. Quand je pense, père, que tu marches tous les jours pieds nus ou simplement en petites sandales, ça me dépasse!

Sénosiris sourit. En vingt ans de route, la peau de ses pieds avait maintenant acquis la rigidité et la solidité d'un sabot de cheval. Même les cailloux pointus ou les éclats de poterie n'arrivaient pas à pénétrer ses talons.

— Je ne crois pas pouvoir continuer à marcher demain, père…, constata Rong. Je risque de me faire des blessures permanentes si je ne prends pas du repos. J'ai trois ongles noirs et deux qui menacent de tomber ! Regarde !

— Oui… je vois, fit Sénosiris en observant attentivement les lésions qui couvraient les pieds de son fils. Tu as raison, il faut faire quelque chose pour accélérer la guérison. Laisse-moi voir dans mes affaires…

L'Égyptien se rendit à son sac, s'empara d'un pot de terre cuite et le tendit à Rong.

— C'est un onguent de ma fabrication à base d'extrait de cactus… Tu en ressentiras tout de suite l'efficacité. Cependant, il faut en mettre beaucoup. Vas-y, j'en ferai d'autre s'il en manque.

Sans poser de questions, Rong suivit les indications et appliqua généreusement le liniment sur ses blessures. Il ressentit immédiatement une bienfaisante libération.

— C'est de la grande magie, père ! s'exclama-t-il en poussant un soupir de délivrance. Tu es un homme surprenant, tu sais ? Aucune situation difficile ne vient jamais à bout de toi. Et puis, malgré mes jérémiades, tu trouves toujours la patience de me venir en aide. Dès qu'un problème se présente, tu as tout de suite la solution ! C'est… admirable !

— Merci pour ce beau compliment, lui répondit Sénosiris. Merci de tout cœur, Rong ! Mais je n'ai pas vraiment de mérite. Tu sais, je parcours le monde depuis si longtemps qu'il est normal que j'aie développé quelques trucs afin de me faciliter la vie. En vérité, il n'y a pas un problème, parmi ceux que nous avons rencontrés, que je n'ai pas déjà résolu.

— L'expérience ! rigola Rong. C'est tout ce qui me manque pour être comme toi. Ça, et la sagesse ! Puis, il me manque aussi ton optimisme, ta discipline, tes connaissances… Tant d'autres choses me font défaut !

— Chaque chose en son temps, cher Rong ! Pour l'instant, je peux t'offrir du thé. Je t'en verse un bol ?

— Oui, j'accepte avec plaisir… J'ajoute à ma liste de carences : savoir faire correctement le thé. Ça aussi, il faudra que je l'apprenne.

Tout sourire, Sénosiris versa le thé pour son fils, puis se servit.

Ils dégustèrent leur infusion en silence, tout en observant le paysage.

Sous la brise du soir, il n'y avait pas âme qui vive à des lieues à la ronde. Sur cette gigantesque plaine aride où quelques arbres maigrichons avaient réussi, comme par miracle, à s'enraciner dans la terre, Rong savait qu'il n'aurait pas survécu sans l'aide de son père. Il avait l'impression que ce dernier parlait à la terre et que celle-ci partageait avec lui ses secrets. Qu'il fallût trouver de l'eau, du bois pour le feu ou encore de la nourriture, elle répondait à tous leurs besoins.

— C'est paisible ici, fit Rong, ragaillardi par le thé.

— En effet, répondit Sénosiris. Je suis heureux de partager ce moment avec toi.

— Moi aussi, père... Tu as réussi à trouver quelque chose à manger pour ce soir?

— Ah, mais oui! Nous mangerons une soupe de blé sauvage et de figues, tu vas voir, c'est délicieux! dit l'Égyptien en désignant ses ingrédients près du feu. Je termine mon thé et j'attaque le repas. À moins que tu sois affamé, dans ce cas, je...

— Non, ça va... je peux attendre. Prends le temps qu'il te faut!

Chaque jour depuis leur départ de Backral, Sénosiris ramassait une plante par-ci, les feuilles d'un arbre par-là, quelques champignons, des bouts de cactus, un peu d'eau pour sa gourde et pour les réserves, si bien que lorsque le soir tombait, il avait tous les ingrédients pour faire un repas végétarien bien consistant.

— J'ajouterai quelques fleurs au bouillon afin de parfumer le tout! Tu verras, ce sera très bon. C'est l'élément secret du plat!

Toujours aussi impressionné par l'incroyable débrouillardise de son père, l'albinos sourit en se demandant comment cet homme unique avait pu apprendre autant de choses.

— Ce soir, c'est la pleine lune..., dit Sénosiris en soufflant sur son thé. Il faudra que tu te protèges de ses rayons si tu veux dormir. Et pas question de sortir de la tente tant que le soleil ne sera pas levé, d'accord?

— Très bien, père..., se soumit Rong, qui n'éprouvait aucune envie de rechigner. C'est toi, le magicien, après tout! Cela fait un bon moment que j'ai compris que tu as toujours raison et qu'il ne sert à rien de te contredire.

— La lune est dangereuse pour toi, enchaîna l'Égyptien. Tant et aussi longtemps que tu ne te seras pas baigné dans le lac du sanctuaire, elle te fera cet effet.

— Encore une fois, je ne comprends pas trop cette histoire de lac, mais je te fais confiance, père ! Je plongerai là où tu veux, quand tu voudras.

Sénosiris se gratta la tête. Plusieurs fois, il avait essayé d'expliquer à son garçon les vertus du lac du sanctuaire et son phénoménal pouvoir de transformer les hommes en loups. Chaque fois, Rong l'écoutait avec attention, mais ne semblait pas croire qu'un tel miracle fût possible.

L'Égyptien prit le temps de terminer sa boisson chaude, puis commença la préparation de sa soupe.

— Depuis de nombreuses années, j'observe le monde et je constate une chose, Rong, c'est que la vie est plus intelligente que l'humain ne peut le concevoir, dit Sénosiris en déposant dans l'eau ses ingrédients. Il y a encore tant de choses que nous ignorons sur la nature et ses lois. Nous n'avons pas d'autre choix que de faire confiance aux forces invisibles qui mènent nos vies.

— Oui, tu me l'as souvent répété, père… Ton histoire de lac et de loups est fascinante, mais de telles choses me semblent un peu farfelues. Je pourrai y croire lorsque mes yeux le verront, mais en attendant, je ne comprends pas pourquoi la lune m'en veut autant, ni pourquoi je suis si malade lorsque sa lumière me touche ! Pour l'instant, je regarde ta soupe et c'est vraiment tout ce qui m'intéresse ! Hummm, elle a déjà un parfum très agréable !

— Tu comprendras bientôt ce que tu viens faire dans mes histoires de loups. Il faut avoir confiance dans la vie, dans le destin, mais surtout, dans ma cuisine !

— C'est bientôt prêt ? Je crève de faim maintenant !

— Oui, dans quelques instants…, fit Sénosiris. Je te disais tout à l'heure que pour réussir ce plat, il faut un ingrédient secret, tu te souviens ?

— Oui…

— Il s'agit d'une épice que l'on nomme le safran. Tu connais cet aromate ?

— Non, jamais entendu parler.

— On cueille le safran sur les stigmates d'une fleur, continua Sénosiris, et il a l'incroyable vertu de transformer tous les ingrédients de la soupe et d'en unir les saveurs. Si tu goûtes à ma soupe maintenant, tu verras qu'elle est mangeable, mais sans plus… Vas-y!

Rong s'exécuta.

— En effet, elle n'est pas particulièrement goûteuse…, fit-il. Je dirais même qu'elle est un peu ratée!

— C'est parce qu'il y manque le seul ingrédient capable de la métamorphoser, de changer son goût et son apparence. Le safran, Rong, a le pouvoir extraordinaire de provoquer, lorsqu'on l'ajoute à la soupe, une réaction fabuleuse.

Sénosiris laissa tomber avec précaution une pincée de poudre orangée dans le potage.

— Goûte, maintenant!

Rong dégusta encore une fois la soupe.

— Mais c'est…, balbutia-t-il. Mais je… je n'en crois pas mes sens! C'est tout à fait spectaculaire! Ce n'est plus du tout le même plat! Mais quelle saveur! Quelle harmonie! C'est le meilleur plat que j'ai goûté de ma vie!

— N'est-ce pas étonnant? Seuls les Perses connaissent les vertus de cet ingrédient magique, ils le nomment daman-zan, ce qui veut dire, dans leur langue, «celui qui unit et transforme».

— Intéressant…, fit Rong, impatient de se servir. Je peux?

— Pas tout de suite… Écoute-moi bien avant! Comme ma soupe, le lac du sanctuaire où nous allons a besoin d'un élément nouveau afin de se transformer, et je crois que cet ingrédient, c'est toi. Tu comprends ce que je te dis?

— Oui… oui, je comprends tout! s'irrita l'albinos. Mais pour l'instant, je propose ceci: attaquons d'abord la soupe, et nous ferons ensuite des théories le ventre plein, d'accord? J'ai vraiment l'estomac dans les talons!

Sénosiris rigola et servit un bol de soupe à son fils.

Installés en ville depuis quelques jours, Aï et ses compagnons de l'ordre du Bouc avaient eu le temps de se familiariser avec les lieux. Ils avaient fait plusieurs fois le tour de la cité et lu toutes les inscriptions que Sénosiris avait laissées çà et là. En plus de les avoir instruits sur l'histoire de Veliko Tarnovo, ces promenades leur avaient servi à repérer les différents mouvements de la garde. Ils connaissaient maintenant les failles dans la protection de certains bâtiments, surtout l'ancien temple, dont les murs intérieurs étaient apparemment couverts de hiéroglyphes.

Ce soir-là, Vanek pénétra en trombe sous la tente de ses maîtres. Il venait d'apprendre une importante nouvelle.

— L'heure est venue, vous devez faire vite ! dit le traducteur. J'ai entendu dire que l'ancien temple bénéficierait d'une protection allégée ce soir, deux gardes sont soudainement tombés malades. C'est le temps ou jamais d'y aller !

— Pauvres hommes…, fit Ra-ou avec une fausse expression de compassion. J'espère que ce n'est pas grave !

— Oh, c'est vous qui les avez… ? devina Vanek.

— Oui, c'est bien lui qui les a mis dans cet état, le coupa Aï en rigolant. Dans un élan de générosité, le bon Ra-ou a décidé de partager avec eux un mets traditionnel du Goshen qu'il avait bien pris soin d'assaisonner de quelques champignons vénéneux. Ils ne bougeront pas de leur lit avant deux jours !

— Tu tombes bien, Vanek ! fit Hény. Nous avons ces vêtements pour toi.

— Nous allons au temple ce soir, brave Vanek, et tu nous accompagnes ! lança Kashu, qui était déjà en train de se vêtir de noir. L'armure de cuir est à ta taille. Et n'oublie pas de revêtir la cape !

— Oh, mais… je… Vous savez que je…, balbutia le traducteur. Je ne suis pas un homme d'action et… et je ne vous servirai à rien… Pourquoi vous encombrer de moi ? C'est ridicule !

— Vanek, tu nous accompagnes ! trancha Aï d'un ton ferme. Nous avons besoin de toi !

Le traducteur grogna quelques jurons dans la langue achéenne, puis commença à se dévêtir. Quelques minutes plus tard, ils étaient tous prêts à investir l'ancien temple.

Sans trop de mal, le groupe pénétra dans l'enceinte du palais. En marchant discrètement le long des murs, les membres de l'ordre du Bouc réussirent à éviter le regard des gardes et à atteindre le temple.

— Nous n'avons pas été repérés, chuchota Ra-ou à ses amis. Nous sommes passés comme des mouches à travers une toile d'araignée…

— Une toile vraiment mal tissée, ajouta Aï. Nous aurions pu faire le trajet torche à la main en chantant des airs grivois que les gardes n'auraient pas ouvert l'œil. Ils ronflaient si fort.

— À moi de jouer maintenant ! fit Kashu en se penchant sur la serrure de la porte. Très bien, j'ouvre… Ça ne sera pas très long ! Approche la torche, Aï, que je voie clairement ce que je fais. Ce sera vraiment un jeu d'enfant !

Avec précaution, Kashu inséra dans l'orifice de la serrure une tige de métal et commença à travailler son mécanisme. À peine eut-il commencé à la crocheter que la porte s'ouvrit lentement d'elle-même. Elle n'avait pas été fermée à clé.

— Apparemment, rien ne me résiste…, s'étonna Kashu en invitant ses camarades à pénétrer les lieux. Je vous en prie. Ce fut le boulot le moins difficile de toute ma vie.

— Tu es un as…, le taquina Aï en passant le seuil.

— Sans toi, je ne sais pas ce que nous ferions, s'amusa Ra-ou qui le suivait.

— Ta mère serait fière de toi ! se moqua Hény en emboîtant le pas à son camarade.

— Moi, je ne dis rien…, ajouta Vanek. J'espère seulement que vous trouverez un jour une serrure à la mesure de votre talent. Mais pour l'instant, depuis que je vous connais, je ne peux pas dire que vous ayez effectué de grands exploits.

— Est-ce ma faute si chaque fois que j'attaque une serrure, elle n'est jamais verrouillée ? grogna Kashu en pénétrant dans le temple. Et puis, zut !

Une fois que tous furent entrés dans le bâtiment, Aï sortit de ses affaires quelques lampes à huile. En s'aidant d'un tison de braise placé préalablement dans un petit pot de terre prévu à cet effet, il alluma les mèches avant de confier les lampes à ses amis. La lumière chassa bientôt les ténèbres, et la première pièce du temple se dévoila à leurs yeux.

À travers de vieilles charrettes empilées les unes par-dessus les autres, des meubles brisés et d'anciennes armures rouillées, Hény, Aï, Kashu et Ra-ou découvrirent des centaines de hiéroglyphes taillés dans la pierre des murs. Toutes les parois intérieures de la pièce portaient les marques de Sénosiris.

— Ce type était un véritable génie ! s'exclama Hény. C'est un vrai travail d'artiste ! Regardez la précision de ces inscriptions… Magnifique !

— L'alignement est parfait…, s'émerveilla Aï.

— Regardez ici, près de la porte, leur fit remarquer Ra-ou. On dirait que c'est un enfant qui a écrit ceux-là. Voyez ! Ça raconte l'histoire d'Osiris et Isis ! Tout le récit y est ! Fascinant !

— Ce doit être le Râjâ qui a fait ces dessins, lança Aï, satisfait. Notre Osiris-Path a aussi du talent pour l'écriture !

— Je suggère, mes maîtres, dit le traducteur anxieux, que nous procédions avec plus de rapidité. Plus nous tardons, plus nous risquons d'être découverts ! Il serait important que notre visite ici demeure secrète. Je n'ai pas envie d'expliquer au mystagogue ce que nous faisons ici ce soir.

— Vanek a raison, dépêchons-nous, déclara Hény. Dispersons-nous et recueillons le plus d'informations possible sur Sénosiris. De toute évidence, notre homme a vécu en ces murs de nombreuses années, et il a sûrement laissé derrière lui bon nombre de choses qui pourraient nous être utiles.

Efficaces et coordonnés, les compagnons se dispersèrent dans le temple.

D'un petit dessin à un autre, ils parcoururent la fabuleuse histoire d'un homme d'exception.

Toute la vie de Sénosiris était là, gravée minutieusement dans le mur de pierre. De son départ d'Égypte avec son maître alors qu'il était encore un tout jeune apprenti, jusqu'à son ascension au poste de conseiller principal de Veliko Tarnovo, l'histoire de son existence couvrait les murs de son ancienne demeure. Les entrecoupant çà et là de magnifiques descriptions de la reine Électra desquelles transpirait son amour pour elle, l'auteur étalait sans pudeur ses sentiments les plus intimes. Il évoquait souvent le Râjâ comme s'il s'agissait d'un fils. D'une tendresse infinie envers lui, il espérait le voir grandir dans le bonheur, malgré son apparence physique plutôt unique.

— C'est beau…, fit Ra-ou en essuyant une larme.

— Tu es vraiment un admirateur inconditionnel du sage Sénosiris, non? lui demanda Hény. Je te comprends. Moi aussi, je l'aime bien. Il raconte si bien les choses…

— Depuis les rouleaux de la bibliothèque de Memphis jusqu'à ce temple, expliqua Ra-ou, je découvre cet homme et, de ce fait, j'ai l'impression aujourd'hui de le connaître intimement. Mon désir le plus cher serait de le rencontrer un jour. Que cela reste entre nous, mais je le trouve beaucoup plus intéressant qu'Osiris-Path.

— Ah oui? s'étonna Hény. Je garde pour moi la confidence, je n'en parlerai pas à Aï.

— Venez voir! lança soudainement Kashu. J'ai trouvé la description du lac sacré, c'est tout à fait fascinant!

En bon scribe qu'il était, l'Égyptien avait décrit précisément la situation géographique du lac, ainsi que les travaux de fortifications qu'il avait lui-même menés tout autour du sanctuaire. Il décrivait l'endroit comme un point de jonction entre les dieux et les hommes, un lieu unique où l'âme humaine pouvait entrer en contact avec les puissances supérieures du monde. Cette eau extraordinaire qui avait le pouvoir de faire muter les individus en bêtes était née de la volonté de Börte Tchinö, le loup bleu, une figure mythologique importante chez le peuple thrace. Bien que sa reine Électra attribuât davantage les vertus du lac aux pouvoirs divins d'Artémis, le résultat d'une baignade en ces eaux était toujours spectaculaire.

— Nous devons à tout prix trouver ce lac! fit Hény.

— De toute évidence, c'est à cet endroit que se cache Osiris-Path ! enchaîna Aï.

— Si nous trouvons ce lac, je ne pourrai pas m'empêcher de sauter dedans ! s'exclama Ra-ou. J'aime mieux vous avertir, je suis trop curieux, et je veux vivre l'expérience de me transformer en loup !

— Si tu fais cela, Ra-ou, tu deviendras comme eux et nous devrons te tuer, le réprimanda Kashu. Comme je n'ai pas envie de te trancher la tête, abstiens-t-en, s'il te plaît.

— Regardez ici ! s'exclama soudainement Vanek.

Plus loin, le traducteur s'affairait à déchiffrer une série de symboles dans une toute petite pièce du temple.

— C'est le rapport de santé du Râjâ, de notre Osiris-Path ! fit Vanek. Ici, l'évolution de sa croissance, et là, son comportement. Regardez comme Sénosiris fait des liens entre les comportements de l'enfant et ceux des animaux ! Il y a un tableau comparatif juste là. On y voit très nettement que le monstre a hérité de facultés extraordinaires…

— Épatant ! fit Aï, le nez planté dans les hiéroglyphes. À l'âge de quatre ans, il aime la viande crue et, à cinq ans, le voilà qui s'échappe pour la première fois des murs d'enceinte de la ville. Il est retrouvé avec seize lapins morts à ses pieds, trois jours plus tard !

— À cinq ans, il pouvait donc survivre seul dans la forêt ! s'étonna Hény. Moi, à cet âge, j'arrivais à peine à reconnaître ma maison.

— Ces notes-là, continua Vanek, nous montrent l'évolution de sa force et de ses réflexes, par rapport à ceux d'un louveteau normal. Il est largement supérieur sur tous les points ! Écoutez cela… À huit ans, il sait tuer un cerf à mains nues… À neuf ans, il court plus rapidement qu'un sanglier ! Vous imaginez ?

— Mais ce qui est le plus intéressant, c'est son comportement, l'interrompit Ra-ou. On peut lire ici qu'en plus d'être physiquement fort comme un véritable animal, il s'exprime par signes et comprend l'Égyptien à six ans. Sénosiris lui apprend les mathématiques et l'astronomie aussi. Le jeune Râjâ connaît par cœur tous les contes du Nil à dix ans, et il peut nommer tous les dieux du panthéon égyptien. Pas mal !

— S'il est si intelligent que tu le dis, Ra-ou, explique-moi alors comment il a pu perpétrer un massacre aussi terrible que celui du Goshen, laissa tomber Kashu, un peu dérangé par l'admiration de son ami pour Osiris-Path. Jamais un être humain doté d'un peu de cœur et d'esprit n'aurait pu accomplir un tel carnage ! C'est avant tout un monstre !

— Mais je ne sais pas pourquoi il a fait une telle chose, Kashu ! s'exclama Ra-ou, surpris par le commentaire. Je ne suis pas en train de le défendre, je ne fais que partager avec vous ce que je découvre. J'ignore comment il en est arrivé à commettre cette boucherie immonde dans le Goshen ! Et je suis d'accord avec toi, il s'agit bien d'un monstre !

— Le temps file, mes amis. Continuons notre enquête, les coupa Aï. Peut-être tomberons-nous sur d'autres pistes !

Les quatre compagnons se replongèrent dans l'exploration du temple.

Vanek, intrigué par un couloir sombre situé tout au fond du bâtiment, décida de le suivre. Le passage menait à une porte mal fermée. Sans trop de mal, il réussit à la faire bouger et pénétra dans une pièce du sous-sol, sans fenêtre.

C'est alors que la lumière de sa lampe lui révéla la tête d'un gigantesque loup, la gueule ouverte, qui s'apprêtait à l'attaquer.

— NOOOON ! hurla-t-il de toutes ses forces avant de tomber sur le dos. NON ! AU SECOURS ! LES LOUPS ATTAQUENT !

Aussitôt, les quatre compères dégainèrent leurs épées et foncèrent à toute vitesse en direction des cris. Ils retrouvèrent le traducteur sur le sol, s'agitant comme un dément devant une grande statue représentant un loup sortant les crocs.

— Alors, Vanek, on a peur d'une sculpture maintenant ? dit Aï pour taquiner son ami, en rengainant son arme. Ne t'en fais pas, cette bête-là ne bougera jamais de son socle !

— Il faut avouer, à la décharge de Vanek, que cette sculpture est si bien réussie qu'on la dirait vivante ! dit Kashu en observant la finesse des traits. L'attention donnée aux détails est fabuleuse… Moi qui sais tailler la pierre, je vous confirme que c'est une pièce tout à fait fabuleuse ! Le pharaon verserait une fortune pour mettre la main là-dessus.

— Désolé… désolé… je…, balbutia le traducteur en se relevant. Avec toutes vos histoires de loups, j'ai cru que je me faisais attaquer. Pardonnez-moi… j'ai été stupide. Je ne voulais pas risquer d'alerter les…

— Par tous les dieux ! le coupa Ra-ou. Mais regardez-moi cette pièce !

Des centaines de peintures réalisées sur de grands panneaux de bois et de sculptures taillées dans le marbre y étaient entreposées.

— En plus d'écrire son histoire, Sénosiris l'a aussi sculptée et dessinée…, continua Ra-ou dans un élan d'admiration. Regardez, cette femme que l'on voit sur des dizaines d'œuvres doit sûrement être la reine Électra. Ici, il y a un portrait !

— Cette femme est d'une extraordinaire beauté ! s'exclama Hény, émerveillé. Regardez ses lèvres, on dirait qu'elles sont mouillées. La délicatesse de ses traits contraste avec la puissance de son regard ! Ce portrait est tout à fait exceptionnel !

— Et il y en a d'autres, aussi beaux, de ce côté ! fit Kashu. Voyez, il y a des représentations de notre Osiris-Path ! Ici, on le voit tout petit, puis jeune adulte sur celle-là ! Décidément, je me demande où ce Sénosiris a trouvé le temps pour faire tout cela !

— C'est un mage ! lança Ra-ou, dithyrambique. Un véritable mage qui possède tous les talents et comprend le monde dans ses subtilités. Il connaît les secrets des sciences aussi bien que ceux de l'art et sait, de ses mains, en appliquer les règles. Rien ne semble échapper à ce Sénosiris, sinon une chose, l'art subtil de la divination ! Autrement, c'est un homme parfait ! Je suis vraiment ému…

À ce moment, Aï s'empara d'une planche de bois sur laquelle apparaissaient très clairement quatre têtes de bouc entourées d'une aura dorée.

— Et ça ? fit-il. Si ce n'est pas nous, je me demande bien ce que représentent ces boucs !

Ra-ou approcha sa lampe du tableau.

Sénosiris avait vu juste : les quatre têtes de bouc étaient en tout point identiques à celles qui ornaient leurs casques. En arrière-plan, on pouvait même voir de lointaines pyramides.

— Un mage ! C'est un véritable mage ! s'exclama de nouveau Ra-ou. Depuis les premiers parchemins de la bibliothèque de

Memphis, mon admiration pour lui ne cesse de croître. Il a même vu l'avenir, vous imaginez ? Il a dessiné le symbole de notre ordre sans connaître notre existence ! C'est grandiose, non ?

— Oui… Et ce sera un honneur pour moi de mettre fin à ses jours, fit brutalement Aï. Je me ferai un plaisir de le transpercer de mon épée si je le croise !

— Tu veux toujours te débarrasser de ce que tu ne comprends pas, Aï ! fit Ra-ou, choqué, mais surtout dégoûté par l'attitude grotesque de son ami. Sénosiris n'est pas un monstre, il ne mérite pas le sort du Râjâ ! Pourquoi voudrais-tu lui donner la mort ?

— Simple, Ra-ou. Nous sommes à même de constater que sans lui, le Râjâ ne serait jamais venu en Égypte, n'aurait jamais servi le pharaon et n'aurait pas perpétré le massacre du Goshen. Sans ce Sénosiris, rien de tout cela n'aurait été possible. C'est lui qui a tout enseigné à Osiris-Path et qui en a fait un monstre assoiffé de sang ! Malgré sa remarquable intelligence et ses prodigieux dons, ses actions doivent être punies. N'est-ce pas ce que nous avions convenu ? Osiris-Path et ses complices doivent payer pour le massacre des enfants du Goshen ! L'amour que lui porte Sénosiris fait de lui un complice méritant la mort, voilà tout !

— Bien sûr, c'est évident…, répondit Hény. Seulement, je comprends aussi l'admiration que Ra-ou peut avoir pour l'Égyptien. À force de le connaître et d'en apprendre sur sa vie, on s'attache au personnage, c'est tout ! Moi-même, je ne le vois plus du tout comme je l'ai déjà…

— J'entends du bruit, taisez-vous ! l'interrompit Kashu. Ça vient de la grande salle du haut, par où nous sommes entrés…

— Allons voir, murmura Aï.

Sans faire le moindre bruit, les quatre compagnons et leur traducteur quittèrent la pièce des œuvres d'art pour revenir au couloir. Discrètement, ils éteignirent leurs lampes à huile et gravirent les quelques marches les séparant de la grande salle. Puis, bien à l'abri des regards, ils observèrent en silence.

À la lueur d'une bougie, un homme habillé d'une armure de cuir et d'un casque métallique marchait lentement dans la pièce. Il était grand, avait de larges épaules et portait la barbe. Les yeux fixés sur un mur, il semblait lire les hiéroglyphes.

Aï attira l'attention de ses compagnons sur le fourreau de l'épée de l'intrus. Il était très long et paraissait d'une souplesse étonnante. Puis, en observant avec un peu plus d'attention l'étrange objet, les membres de l'ordre du Bouc virent clairement qu'il ne s'agissait pas d'un fourreau, mais bien d'une queue !

« Tous ces poils qui ressemblent à une barbe, c'est…, pensa Aï dont l'estomac s'était soudainement noué. C'est de la fourrure… Non, c'est impossible, ce n'est pas… »

L'homme était effectivement recouvert des pieds à la tête d'un épais pelage. Il avait aussi de très larges mains munies de longs ongles pointus ressemblant à des griffes. Ce monstre ne pouvait être que celui qu'ils chassaient depuis tant d'années, celui à qui ils avaient dédié toute leur vie. C'était bien Osiris-Path !

— C'est lui…, chuchota Aï à ses compagnons.

Absorbé par la lecture des hiéroglyphes, le Râjâ ne remarqua pas qu'il était observé. Chaque fois qu'il était revenu dans l'ancien temple au cours des vingt dernières années, la voie s'était toujours trouvée libre. Comme à chacune de ses visites, il avait attendu la tombée de la nuit et gravi furtivement la muraille de Veliko Tarnovo. En s'aidant uniquement de ses puissantes griffes, il avait, encore cette fois, réussi son ascension sans attirer l'attention des gardes. Tel un chat, le Râjâ s'était promené silencieusement dans la ville endormie et s'était rendu jusqu'à l'ancienne demeure de son ami Sénosiris, celui qu'il avait toujours considéré comme son père.

— Il est très concentré sur sa lecture…, murmura Aï qui était le mieux positionné pour le voir. Pour l'instant, c'est tout ce qu'il fait…

Le Râjâ accomplissait ce dangereux pèlerinage deux ou trois fois par an depuis son retour d'Égypte. Après chacune de ses lointaines expéditions à la recherche de loups qu'il reconduisait ensuite au sanctuaire, la lecture des hiéroglyphes de Sénosiris lui donnait l'impression de revenir à la maison. À travers les histoires et les pensées de l'Égyptien, il revivait avec nostalgie les moments importants de sa propre vie. Entre les murs du vieux temple, il avait passé les plus beaux moments de sa jeunesse, tout près de Sénosiris et bien loin de la grosse Phoebe.

Dans la pénombre, les membres de l'ordre du Bouc n'en croyaient pas leurs yeux. Ils avaient devant eux l'unique Osiris-Path, le boucher du Goshen, en chair et en os. Malgré toute l'expérience qu'ils avaient accumulée au cours de leur chasse aux créatures maléfiques du monde, aucun membre de l'ordre ne souhaitait l'affronter là, tout de suite, sans une préparation plus adéquate. Ils avaient tous en tête les histoires affreuses concernant le meurtre de la princesse hittite, man-gée toute crue, ainsi que les incroyables exploits du monstre en combat singulier. Les récits entourant le passage d'Osiris-Path en Égypte étaient si nombreux que le personnage faisait maintenant partie des légendes. Au même titre que les dieux, il avait sa place dans la grande histoire du pays. Bien que toute représentation de lui fût interdite par le pharaon Mérenptah, les récits de ses aventures se promenaient de bouche à oreille et le maintenaient en vie dans l'esprit du peuple. Osiris-Path n'avait jamais été aussi vivant sur les rives du Nil et dans les royaumes avoisinants.

Paralysés par la peur, les cinq membres de l'ordre priaient en silence pour que le monstre ne les découvrît pas.

Une légère odeur de sueur humaine vint soudainement exciter l'odorat du Râjâ. Il perçut très nettement les effluves que provoquent la peur et l'anxiété chez l'homme. Ne se sachant plus seul dans la pièce, le Râjâ regarda discrètement autour de lui. Ses yeux uniques, capables de percer les ténèbres, lui révélèrent la présence de cinq hommes dans le passage menant à la pièce des œuvres d'art. Mine de rien, le Râjâ souffla la flamme de sa bougie.

Un lourd silence tomba sur la grande salle maintenant plongée dans l'obscurité.

Le temps s'écoula…

Lentement…

Une heure passa, peut-être deux… avant que Kashu, nerveux et angoissé, ose bouger les lèvres.

— Vous croyez qu'il est parti? chuchota-t-il presque imper-ceptiblement. Et si nous rallumions nos lampes?

— Je ne l'ai pas entendu se déplacer vers la porte…, murmura Aï. Comment savoir s'il est encore là?

— Il faut prendre le risque, susurra Vanek à l'oreille d'Aï. Nous ne pouvons quand même pas passer la nuit ici, sans bouger.

— Oui, allumons…, fit Ra-ou à son tour. Nous verrons bien.

— D'accord, je m'en occupe, conclut Hény en sortant de ses affaires un petit bâton, un archet et un petit pot de terre cuite contenant des mousses.

Habitué à cette tâche, Hény enroula le bâtonnet de bambou dans la corde de l'archet et s'activa à le faire tourner dans le pot de mousses. En quelques minutes seulement, il obtint une petite flamme dont tout le groupe se servit pour allumer les lampes à huile.

La lumière inonda leur cachette.

Aï fit signe à ses compagnons de ne pas faire de bruit, puis leur indiqua de le suivre. Comme il allait faire un premier pas vers la sortie, ses yeux tombèrent dans les pupilles dilatées du Râjâ.

Osiris-Path était nez à nez avec lui.

Un frisson d'horreur traversa Aï de la tête aux pieds.

Le Râjâ sourit. Il y avait de nombreuses années que le boucher du Goshen n'avait rencontré d'étrangers. Patient, il avait eu le loisir de les observer, jusqu'à ce que Kashu brise enfin le silence. D'après leur accent, ils provenaient selon lui de la Basse-Égypte, probablement d'une région située non loin de Memphis. Entre eux, ils parlaient le dialecte des esclaves du Goshen, une langue de sous-hommes.

Aï sentit le souffle chaud d'Osiris-Path sur son visage et se figea de terreur. Immobile comme une statue, il cessa même de respirer. Derrière lui, ses compagnons de l'ordre du Bouc en firent autant, contemplant, pétrifiés, les spectaculaires crocs du monstre qui leur faisait face.

Amusé par la frayeur qu'il leur causait, le Râjâ grogna un bon coup en montrant les dents. Aussitôt, Vanek urina dans ses vêtements, comme par réflexe de soumission. Ra-ou, quant à lui, baissa les yeux tout en récitant une prière pour ses derniers moments dans le monde des vivants. À l'image d'Aï, Hény se transforma en statue de pierre pendant que Kashu, incapable d'en supporter davantage, tomba instantanément dans les pommes. Pour des guerriers qui s'étaient donné la noble mission de venger leur peuple en tuant Osiris-Path, cette performance n'était en rien remarquable.

Le Râjâ approcha son nez des oreilles et du cou d'Aï, afin de mémoriser son odeur. Où qu'il aille dans le futur, le Râjâ pourrait désormais le sentir à une lieue à la ronde. Plus loin encore, si le vent était favorable.

La pression était trop forte pour Aï, car une cascade de larmes coula soudainement de ses yeux. Résigné à la mort, il se demandait, au dernier jour de sa vie, s'il avait fait les bons choix. Lui qui avait entièrement dédié sa vie à l'ordre du Bouc faisait maintenant le point sur son existence. Trop occupé par sa mission vengeresse, il n'avait pas eu le temps d'entretenir une relation durable avec une femme, ni d'avoir des enfants. Aussi riche qu'un roi, il aurait pu facilement avoir une famille et lui offrir une vie magnifique, loin de toutes inquiétudes. Mais au lieu de cela, il avait établi avec ses compagnons une forteresse sur une île, monté une armée de braves soldats et fait décupler son argent en dirigeant une flotte de bateaux commerciaux qui servaient aussi bien les Égyptiens que les Achéens ou encore les Hittites. Sans scrupules, lui et ses compagnons faisaient du commerce avec tous ceux qui payaient bien. Ses navires, toujours lourdement armés, transportaient des biens précieux pour les souverains du monde. En échange d'une partie de la cargaison, l'ordre du Bouc pouvait transporter des armes afin de soutenir une révolte de paysans et, le lendemain, aider le souverain lésé à mater la rébellion.

Mais aujourd'hui, devant le Râjâ, il réalisait que toutes les fabuleuses richesses qu'il avait accumulées dans son île ne serviraient plus à rien, car jamais il ne reverrait ses terres. Tous les efforts qu'il avait déployés dans cette grande expédition visant à ramener la tête d'Osiris-Path aux esclaves du Goshen n'avaient servi qu'à précipiter sa propre mort. Lui qui se croyait prêt à affronter ce redoutable ennemi se rendait bien compte aujourd'hui de sa propre stupidité. La créature qui se tenait devant lui avait la force de dix hommes et pouvait, d'un seul coup de griffes, déchirer une armure de métal. Jadis, Aï avait croisé ses fils sur les rives du Nil et malgré que ces trois créatures lui eussent alors semblé fort impressionnantes, Osiris-Path les surpassait considérablement. Celui-ci avait une force intérieure, une aura de puissance qui, par sa seule présence, glaçait d'effroi.

Le Râjâ tendit le doigt et recueillit une des larmes d'Aï sur le bout de sa griffe.

Avec les années, le souverain du sanctuaire avait développé beaucoup de compassion pour la race humaine. Les hommes étaient si faibles et si démunis. Ces êtres étaient pauvres, spirituellement vides, et refusaient d'embrasser la liberté. Encore plus dépendants que leurs chiens, les humains attendaient à leur tour d'être domestiqués afin de se soumettre à leurs maîtres. Et des maîtres, ils en avaient des dizaines !

Sous l'emprise de leurs dieux, de leurs lois et de leurs rois, mais surtout de leurs peurs, les humains passaient le plus clair de leur vie à se plier aux volontés d'autrui. En échange d'un peu de nourriture et d'un minimum de sécurité, ils étaient prêts à endurer un travail harassant et humiliant. Normal, puisque, dès leur naissance, leurs enfants étaient élevés comme de petits chiots dociles. Dressés comme des animaux domestiques par le biais de récompenses et de punitions, les jeunes humains apprenaient rapidement à rentrer dans le rang et à obéir. Ainsi, ils grandissaient en se comportant de façon à faire plaisir à leurs semblables, à ne pas leur déplaire. Plaire à leurs dieux, à leurs supérieurs, respecter leurs lois, leurs juges et leurs parents, voilà tout ce qui importait aux hommes. Plaire, pour ne pas subir la punition. Vivre en cage plutôt que d'assumer la liberté, tel était le sens de leur misérable vie. Leur obéissance faisait pitié à voir.

Osiris-Path tenait la vie de ces cinq pauvres humains entre ses mains. Il n'appartenait qu'à lui de devenir leur bourreau ou leur sauveur.

Heureusement pour Aï et ses amis, le Râjâ n'avait pas envie de les tuer. Ces hommes ne constituaient pas une menace et, de plus, ils ne l'avaient pas attaqué ni même provoqué. Selon les règles implicites qui régissaient la meute des hyrcanoï vivant au sanctuaire du lac, le respect de la vie primait sur la condamnation à mort, à moins que celle-ci soit nécessaire à la survie du clan. Il était permis de donner la mort, mais pas sans raison.

Ayant accepté sa propre mort, Aï se détendit et prit la parole.

— Je m'appelle Aï, fils de Aha, et je suis un enfant d'esclaves du Goshen, dit-il dans la langue égyptienne, d'une voix posée et mesurée. Avant de mourir, je veux te dire, monstre, que mes frères ont été sauvagement assassinés de ta main et que nous sommes venus jusqu'à toi afin de les venger. L'ordre du Bouc, que je représente, n'a que cet unique objectif depuis sa création : te mettre à mort. Nous avons capturé tes trois enfants, qui sont prisonniers sur notre île, et maintenant, nous sommes venus pour toi. Tue-moi, mais sache que d'autres viendront, et ce, jusqu'à ce que tous les êtres maléfiques comme toi soient complètement éliminés de notre monde. Vas-y, je suis prêt à mourir…

Le Râjâ, étonné par ces révélations, recula d'un pas.

Ces hommes étaient donc les descendants des esclaves égyptiens dont il avait calmé les ardeurs révolutionnaires, jadis, alors qu'il servait le pharaon ? Aï avait parlé de trois enfants. Trois de SES enfants, prisonniers sur une île… Décidément, cet homme avait beaucoup à dire, et il ne méritait pas de mourir avant de lui avoir révélé tous les détails de ces histoires.

Le Râjâ s'élança, le poing dans les airs.

Avide d'informations, le grand Osiris-Path assomma Aï d'un bon coup sur la tête, puis le saisit par la taille comme s'il s'agissait d'un gros ballot de paille. Il le déposa ensuite négligemment sur ses épaules et disparut dans l'obscurité.

Un lourd silence envahit l'ancien temple.

Toujours incapables de bouger, les membres de l'ordre du Bouc eurent besoin de longues minutes pour reprendre leurs esprits. Tout était arrivé si vite.

— Il est… il est parti… parti avec Aï ? demanda Ra-ou en ouvrant un œil. Nous sommes toujours vivants ?

— J'ai mouillé mon pantalon…, murmura Vanek. C'est honteux… Je suis un lâche… un poltron.

— Quand j'ai vu ses dents… j'ai… j'ai revu toute ma vie se dérouler devant mes yeux, déclara Hény en essuyant deux grosses larmes sur ses joues. J'étais certain d'y passer… Je n'ai jamais, mais jamais eu aussi peur de toute ma vie… Je suis si heureux d'être encore là.

— Tu crois que Kashu est mort de peur ? s'enquit Ra-ou en se penchant sur le corps inanimé de son ami.

— Non, il respire, répondit Vanek en l'examinant à son tour. Il a perdu connaissance, c'est tout… C'est toujours moins honteux que de faire dans ses vêtements !

— Qu'est-ce qu'on fait maintenant ? demanda Hény, encore troublé par l'aventure qu'ils venaient de vivre.

— On rentre au camp, proposa Ra-ou. Et on prie pour Aï. Il n'y a rien d'autre à faire pour l'instant.

IV

Dans le crépuscule d'une chaude journée de marche, Sénosiris et son fils aperçurent au loin les feux d'une ville. De leur position, la cité leur semblait de bonne taille, ce qui laissait croire en leurs chances d'y trouver un endroit confortable pour se reposer. Peut-être y avait-il des thermes ? Un marché où des légumes frais et des fruits juteux seraient enfin disponibles ? Située sur le rivage d'une vaste mer au bord de laquelle les grands quais d'un port se tenaient debout contre les vagues, cette cité arrivait à point.

— Un poisson grillé, père ? suggéra Rong en salivant. Il me reste quelques pièces de bronze, c'est moi qui offre !

— Ce n'est pas de refus, accepta Sénosiris. Nous profiterons un peu de l'endroit pour refaire nos forces. Tu offres aussi le vin ? Après les mois de disette que nous venons de vivre, j'ai bien envie de faire un peu la fête !

— Parfait pour le poisson et le vin ! Un bon lit et un bain chaud ne nous feront pas de mal non plus… Et puis, nous pourrons aussi en profiter pour faire laver nos vêtements. Je sens que nous allons dépenser tout ce qu'il nous reste d'argent !

— Je ne crois pas, non ! fit soudainement une voix derrière eux. Personne n'ira nulle part sans notre permission !

Cinq hommes armés de grands bâtons sortirent des buissons environnants et encerclèrent Sénosiris et Rong.

— Pour avoir accès à la ville, dit l'un d'eux avec un sourire malicieux, il faut payer un droit de passage. Montrez-moi ces pièces dont vous parliez tout à l'heure, je vais moi-même prélever le montant nécessaire. Allez, dépêchez-vous, notre horaire est très chargé !

— Regarde celui-là, fit un autre voleur en pointant l'albinos, il est déjà blanc de peur ! Vite, donne tes pièces !

Les brigands pouffèrent d'un rire belliqueux.

Sénosiris soupira un bon coup, puis chercha sa bourse dans ses vêtements.

— Non, père ! l'arrêta Rong. Il n'est pas question de donner quoi que ce soit à ces hommes.

— Il vaut mieux obéir, mon fils, cela nous évitera des problèmes.

— Désolé, père... mais il est hors de question que je cède sous la menace. De plus, lorsque ces pantins jouent aux durs, j'ai pitié, car je me dis qu'ils ne savent pas à qui ils ont affaire. Des idiots comme ceux-là, il en faudrait toute une armée pour réussir à m'apeurer !

— Tiens, tiens..., s'amusa l'un des voleurs, voici un homme qui n'a manifestement pas peur de mourir ! Lorsque nous en aurons terminé avec toi, je te jure que tu auras retrouvé tes couleurs ! Nous allons faire de toi un...

— S'il te plaît, épargne-moi tes bravades, jambon ! le coupa Rong qui commençait à bouillir de colère. Je vous donne une dernière chance, à toi et à tes lèche-bottes, de quitter cet endroit en vie. Partez tout de suite, et j'éviterai de vous éventrer un à un.

— Et comment exécuteras-tu cet exploit ? Tu n'as même pas d'arme ! lança le plus petit du groupe sur un ton railleur. À cinq contre un, je crois bien que tu devras payer.

Prudent, Sénosiris fit signe à Rong de se calmer.

— Ne t'inquiète pas, Rong, ce ne sont que des pièces..., dit-il en essayant de se faire convaincant. Ils en ont probablement plus besoin que nous ! Laisse, ça ne vaut pas la peine.

— C'est ça, écoute ton vieux et file-nous l'argent tout de suite ! continua le petit. Ma patience commence à être à bout !

— Tu me demandes, puceron, comment j'arriverai à te tuer sans arme ? grogna l'albinos, envahi par une bouffée de rage. Je le ferai avec mes mains !

Sénosiris trouva enfin sa bourse et la tendit aux voleurs.

— Prenez-la et partez tout de suite si vous tenez à la vie, leur dit-il. Je vous conseille de partir... maintenant... car dans quelques secondes, personne ne pourra plus le retenir.

Rong ressentit soudainement une douleur intense lui déchirer le bout des doigts. Il regarda ses mains et constata que ses ongles ensanglantés avaient été remplacés par de longues griffes légèrement recourbées.

— Je prends ton argent avec plaisir, vieux singe ! cria un voleur en assenant un violent coup de bâton derrière les genoux de Sénosiris. Ensuite, je te tuerai pour m'avoir fait perdre mon temps !

— NE TOUCHE PAS À MON PÈRE ! hurla Rong en bondissant sur le brigand.

Avec la seule force de son bras droit, l'albinos passa sa main à travers le ventre de l'assaillant et le souleva de terre avec une facilité déconcertante. Portée dans les airs, la victime poussa un terrible cri de douleur avant de voir son sang et ses viscères se répandre sur le sol. Excité par la terreur de sa victime, Rong poussa un hurlement de satisfaction.

L'albinos n'était plus le même. Il avait maintenant la figure déformée et ressemblait à un monstre.

Devant cette soudaine métamorphose, les autres voleurs déguerpirent à toute vitesse, mais aucun ne fut assez rapide pour éviter le châtiment de Rong. Laissant retomber brutalement sa première victime, l'albinos se lança à la poursuite des fuyards.

Vif comme un fauve, il bondit dans le dos du moins rapide et le mordit violemment au cou. L'homme était condamné à mourir au bout de son sang. Il l'abandonna pour concentrer sa prochaine attaque sur un autre malheureux. D'un puissant coup de poing, il lui défonça le crâne.

— Arrête, Rong ! Calme-toi ! lui cria Sénosiris. Viens plutôt m'aider !

Insensible aux paroles de son père, l'albinos continua son carnage.

Les deux derniers brigands se virent décapités comme des poulets. Ils tombèrent mollement sur le sol, telles des marionnettes désarticulées. Mais Rong n'était pas encore rassasié. Il voulait du sang, plus de sang encore ! La rage avait pris le dessus sur sa raison, et l'albinos piétinait en cherchant autour de lui de nouvelles proies à chasser.

— Calme-toi, Rong ! Calme-toi maintenant ! lança Sénosiris, toujours par terre, incapable de se relever. Ils sont tous morts, du calme maintenant…

L'albinos se retourna vers son père et constata que le pauvre homme avait une jambe tordue. La fureur qu'il avait ressentie commença alors à se dissiper lentement. Les griffes qui étaient soudainement apparues tombèrent une à une, laissant des plaies béantes au bout de ses doigts. Il n'avait plus d'ongles, seulement des trous qui saignaient abondamment.

— Viens ici, Rong, l'enjoignit Sénosiris, tu dois m'aider à me relever. Nous devons rapidement nous rendre en ville afin que je voie un guérisseur. J'ai sûrement la jambe cassée et il faut agir tout de suite…

Étourdi, Rong posa un genou sur le sol. À bout de souffle, il prit quelques instants pour recouvrer ses esprits.

— J'ai l'impression que ma tête va exploser, père ! fit l'albinos en s'approchant de lui. Et regarde mes mains ! Que s'est-il passé ? Je… je ne comprends pas…

— Nous en reparlerons plus tard, fit Sénosiris dans l'urgence. Fouille vite les cadavres et partons d'ici. Dans l'état où ils sont, je crois bien qu'ils n'auront plus besoin de leur argent, ni de leurs parures.

Rong s'exécuta en essayant d'oublier sa douleur aux mains et dénicha quelques bourses bien remplies.

— Eh bien, je crois que nous sommes riches ! s'exclama Rong. Je prends aussi leurs armes, nous les vendrons en ville.

— Tu as probablement entre les mains le fruit de leur journée de brigandage, enchaîna Sénosiris. Nous l'utiliserons mieux qu'eux…

Rong chargea ensuite son père sur ses épaules et le porta, non sans difficulté, dans la ville.

Quelques heures après leur mésaventure, Sénosiris était couché dans la maison du meilleur guérisseur de l'endroit, sa jambe immobilisée bien droite entre deux éclisses de bois. Tout près du lit, Rong avait les mains emmaillotées dans de larges bandes de lin. Pour quelques pièces par jour, ils seraient logés et nourris pendant leur convalescence.

— Tu peux m'expliquer ce qui s'est passé, là-bas, quand je me suis mis en colère ? demanda Rong à son père.

— Tu portes dans ton sang le lac du sanctuaire, mon fils…, répondit Sénosiris. Je te l'ai souvent répété, mais chaque fois tu as fait la sourde oreille. Ta mère, Électra, a mis deux enfants au monde. Le premier fut conçu grâce à la semence d'un loup, l'autre, par celle d'un homme, moi. Ton frère, le Râjâ, ressemble à une bête, mais possède l'âme d'un humain. Toi, tu ressembles à un homme, mais ton âme est celle d'un loup. Vous êtes complémentaires, uniques et indissociables.

— C'est l'animal en moi qui a ressurgi devant les brigands, c'est cela ?

— Tu commences à comprendre, Rong, fit Sénosiris. Ton esprit s'ouvre enfin…

— Il faut avouer que c'est dur à avaler !

— Je crois que c'est ta colère qui a déclenché une partie de la transformation, déduisit Sénosiris.

— Et les rayons de la lune ont le même effet sur moi, c'est bien cela ? conclut Rong.

— Oui, je crois bien que c'est cela, répondit Sénosiris. Je n'ai pas de certitude, mais je crois sincèrement qu'ils déclenchent chez toi la métamorphose.

— Eh bien, voilà que je me transforme en monstre… Décidément, je ne suis pas au bout de mes peines !

* * *

Le mystagogue était encore une fois en colère.

Réveillé au beau milieu de la nuit par ses invités de l'ordre du Bouc, il s'était difficilement levé de son lit pour les rencontrer dans la salle du trône.

— Ne me laisserez-vous jamais dormir en paix ? grogna-t-il en prenant place sur sa chaise royale. J'espère que vous avez une bonne raison de me déranger en ce moment !

— Nous désirons vous informer que notre chef, Aï, vient tout juste d'être enlevé par Osiris-Path, expliqua le traducteur. Il faut immédiatement réveiller vos troupes afin que, conjointement, nous foncions à leur poursuite !

Le mystagogue soupira avec impatience.

— Votre chef ? demanda-t-il sur un ton exaspéré. *Osir-Prot* ? Mais de quoi me parles-tu ? Je n'y comprends rien !

— Vous n'êtes pas sans savoir que vos terres abritent un monstre dangereux qui se fait appeler le Râjâ? traduisit Vanek, répétant les propos d'Hény. Chez nous, nous appelons cette horreur Osiris-Path. Eh bien, cette bête affreuse, mi-humaine, mi-animale, était entre les murs de votre ville ce soir, et elle a emporté Aï, notre chef, avec elle.

— Écoute bien, traducteur, et rapporte mes mots avec le plus d'exactitude possible, répondit le mystagogue. Dis à tes petits amis que leur histoire ne m'intéresse pas et que je retourne me coucher. Aucun de mes soldats ne sortira ce soir. Aussi, dis-leur bien que s'ils me dérangent encore une fois avec leurs stupides histoires, je me chargerai de les expulser de la ville.

Vanek s'exécuta. Vexé, Ra-ou renchérit.

— Très bien. Nous comprenons qu'un homme aussi malade que vous puisse s'intéresser davantage à son lit qu'à la sécurité de ses gens, traduisit Vanek. Cependant, nous avons besoin de savoir si vous connaissez le Râjâ et si vous avez entendu parler du repaire des hyrcanoï. L'endroit, que ces hommes appellent le sanctuaire, serait situé au sommet d'une montagne et abriterait un lac magique.

— Pfff! fit le mystagogue. Ce sont de vieilles histoires! Des légendes que l'on raconte aux enfants pour les apeurer! Tous les loups du pays ont été tués, et des humains capables de se trans-former en bêtes, ça n'existe pas. Allez vous coucher et fichez-moi la paix!

— Dans ce cas, comment expliquez-vous ce que nous avons vu dans l'ancien temple qui vous sert maintenant d'entrepôt? lança soudainement Vanek de lui-même. Il s'agissait bien d'Osiris-Path! Je l'ai vu de mes yeux et, ce soir, nous avons tous failli y rester!

— Mais qu'est-ce que vous faisiez là, dans ce temple? demanda le mystagogue, soudainement plus intéressé. Cet endroit est loin de la place du marché, non?

Vanek regarda anxieusement Ra-ou, Hény et Kashu.

— Je crois que je viens de nous mettre dans le pétrin, leur dit-il. Je lui ai dit que nous étions au temple ce soir et il désire savoir ce que nous faisions là.

— Crétin…, murmura Hény.

— Quel idiot…, chuchota Ra-ou, incrédule.

— Dis-lui que nous avons vu une ombre mystérieuse derrière notre campement et que nous l'avons suivie jusqu'à cet ancien temple. C'est là qu'Osiris-Path s'est dévoilé et qu'il a bondi sur Aï. Nous avons essayé de le maîtriser, mais nous en avons été incapables. Voilà pourquoi nous étions en ces lieux ! Et je t'en prie, Vanek, ne te trompe pas.

Le traducteur s'exécuta, mais le mystagogue parut sceptique.

— Bon ! conclut-il en se levant. Dehors ! Disparaissez de ma vue !

Les trois membres de l'ordre du Bouc ainsi que leur traducteur quittèrent la résidence du souverain. Ils devraient se débrouiller seuls.

Dehors, un homme, caché derrière le tronc d'un chêne centenaire, apparut soudain devant eux et leur fit signe de s'approcher. Avec précaution, ils s'avancèrent vers lui, et Vanek se chargea du premier contact.

— Dites à vos maîtres que je sais où se trouve le sanctuaire qu'ils recherchent, dit l'homme à voix basse. C'est précisément à cet endroit que ma mère habitait avant sa mort. Je dis sa mort, mais en fait, elle a disparu, et je suis certain que ces monstres y sont pour quelque chose. Contre une bonne bourse, je peux vous servir de guide.

— Qui nous dit que nous pouvons avoir confiance en vous ? demanda Vanek après avoir rapporté les mots de l'étranger.

— À vous de voir. Je n'ai aucune garantie à vous proposer, dit l'homme. Sachez simplement que je suis l'ancien espion du mystagogue et que je suis un excellent guide. Même avec cette jambe de bois, je peux me déplacer rapidement.

L'homme présenta sa jambe et y donna quelques coups pour la faire résonner.

— Je la dois au mystagogue qui m'a envoyé combattre les Perses, au lieu de m'utiliser pour mettre à sac ce sanctuaire maudit. Je lui ai tout donné sur un plateau d'argent, mais il n'a pas voulu m'écouter. Eh bien, aujourd'hui, les monstres qui habitent ce lieu ont prospéré et ils sont nombreux et dangereux. C'est une sorcière qui est derrière tout ça, et je vous jure qu'elle n'est pas commode. Alors, marché conclu ?

Après avoir écouté la traduction de Vanek, les trois compagnons de l'ordre du Bouc conclurent d'un simple regard que le jeu en valait la chandelle.

— Mes maîtres seront heureux de vous donner l'or que vous désirez recevoir, dit Vanek. Cependant, vous devez savoir qu'au moindre signe de trahison, ils vous couperont la tête séance tenante.

— Tu diras à tes maîtres qu'ils n'ont pas besoin de s'inquiéter… Je connais cette montagne par cœur et je sais quel chemin prendre afin que nous puissions nous approcher du sanctuaire sans être repérés. De là, il vous sera possible de lancer une attaque surprise et de raser l'endroit. Par contre, avertissez bien vos soldats de ne pas reculer lorsque les monstres se jetteront sur eux. Il faudra tenir vos positions et ne pas vous laisser impressionner !

— Ne vous inquiétez pas. Les hommes de l'ordre du Bouc ne reculent jamais…

V

Lorsque Aï ouvrit les yeux, il avait la tête plongée dans l'eau et manquait dangereusement d'air. Après un court moment de panique et quelques désagréables bulles, une force bien supérieure à la sienne le tira par les cheveux. Enfin, il put avaler une grande bouffée d'air.

Le Râjâ venait, à sa façon, de réveiller son prisonnier.

Aï eut besoin d'un moment pour se souvenir des événements qui l'avaient mené jusqu'à cette trempette forcée. Il se remémora sa visite dans l'ancienne demeure de Sénosiris, ainsi que sa déplaisante rencontre avec Osiris-Path.

Le monstre était toujours à ses côtés.

— Que… que me… me veux-tu ? demanda Aï, apeuré et désorienté. Si tu as l'intention de me tuer, fais-le tout de suite ! Autrement, cesse de jouer avec moi !

Osiris-Path lui jeta un simple coup d'œil, puis lui fit signe de le suivre. Du doigt, il désigna un sentier qui montait abruptement dans la montagne.

— Pas question que je te suive, monstre ! lança Aï afin de regagner un peu de sa dignité. Même mort, je ne collaborerai jamais avec toi. Tu es le boucher du Goshen, et je vengerai mes frères et mes sœurs qui se…

Aï reçut une gifle en plein visage. Il bascula et se retrouva étendu par terre de tout son long. Le Râjâ avait été d'une telle rapidité qu'il n'avait même pas vu bouger son bras.

— Espèce de salaud…, murmura-t-il en serrant les dents. Je te ferai la peau… Je te jure que tu me paieras ça…

Le Râjâ pouffa et réitéra son invitation. De toute évidence, il voulait qu'Aï le suive immédiatement et sans rechigner.

La lèvre fendue, le chef de l'ordre du Bouc se releva péniblement.

Bien qu'il n'y eût personne autour d'eux, Aï se sentit soudainement observé. Il faisait jour, et les rayons de soleil qui perçaient le feuillage donnaient à la forêt une allure magique. Les arbres semblaient le regarder, le dévisager. À ses pieds coulait un ruisseau profond où le mouvement de l'onde allait à contresens du courant. Plus habitué aux endroits semi-désertiques et aux étendues arides, l'odeur de la terre humide provoqua chez lui une soudaine nausée. Il tomba sur-le-champ à genoux et vomit.

« Mais que se passe-t-il ici ? J'ai l'impression de me trouver en plein milieu d'un rêve, ou plutôt d'un cauchemar. Allons, il faut que je me ressaisisse ! »

Immobile sur le sentier qui serpentait dans la montagne, le Râjâ siffla un bon coup pour attirer l'attention d'Aï.

Une troisième fois, il lui fit signe de le suivre.

« Si tu penses que je vais te suivre, se dit Aï en essuyant le sang sur sa lèvre, tu te trompes… Plutôt mourir que de grimper cette montagne avec toi, sale meurtrier… Jamais je n'obéirai à un ordre d'Osiris-Path… Je ne collabore pas avec les assassins sanguinaires. »

Le chef de l'ordre du Bouc se remit sur ses pieds et fit un bras d'honneur au Râjâ. Il tourna les talons et partit dans la direction opposée.

Comme il allait faire un premier pas vers son salut, Aï vit tout à coup quelques silhouettes bouger entre les arbres. Une bonne dizaine de loups, tous aussi gros que des vaches, se dévoilèrent. De toute évidence, il lui fallait obligatoirement prendre le sentier de la montagne ou en subir les conséquences.

— Si je comprends bien, lança-t-il furieusement aux bêtes, on ne me donne pas le choix !

Les énormes bêtes qui l'entouraient n'avaient pas l'air très amical, et plusieurs d'entre elles montraient déjà les dents.

— D'accord, j'ai compris… Finalement, je crois bien que je vais suivre votre maître !

Aï commença son escalade. Chacun de ses pas était suivi avec attention par les loups qui l'escortaient discrètement. Ceux-ci bougeaient furtivement entre les arbres. Malgré leur grande taille, ils se fondaient facilement dans la végétation.

Pendant son ascension, Aï marcha sur le bord d'une falaise, d'où il put apercevoir une grande vallée remplie de vignes. Des dizaines de personnes y travaillaient sous la surveillance de quelques gros loups.

— Des esclavagistes…, pensa-t-il, sautant aux conclusions. Pas surprenant, de la part d'Osiris-Path. Il a bien retenu les leçons du pharaon ! Ces pauvres ne connaîtront jamais la liberté… Je les plains de tout mon cœur.

Aveuglé par ses certitudes, Aï ne vit pas que les loups autour des vignes ne surveillaient pas les travailleurs, mais patrouillaient plutôt pour assurer la sécurité de la vallée. Il ne remarqua pas non plus que plusieurs enfants s'amusaient à courir librement à travers les vignes. Deux gamins étaient même montés sur le dos d'un gros loup et lui tiraient les poils. Les cueilleurs, hommes et femmes, n'étaient visiblement pas des esclaves soumis à l'humiliation du fouet.

L'ascension du prisonnier s'arrêta enfin lorsqu'il déboucha devant un grand bâtiment de pierre à l'allure menaçante. Aï reconnut tout de suite le sanctuaire qu'avait décrit Sénosiris sur les murs de l'ancien temple.

« Me voici chez l'ennemi…, se dit-il en s'approchant de la grille d'entrée. Le royaume des maudits… C'est dans cette enceinte que se trouve le fameux lac. Je serai digne dans la mort et avancerai vers elle la tête haute ! »

Bloqué devant la grille fermée, Aï remarqua que son escorte de loups avait disparu. C'est alors qu'une belle et grande jeune femme venue de nulle part ouvrit le portail et l'invita à pénétrer dans la cour intérieure du sanctuaire. De longs cheveux blancs tombaient sur ses épaules. Cette femme avait la peau très blanche et de jolies petites oreilles pointues. Quoique fort gracieuse dans sa robe longue, la créature avait d'inquiétants yeux de loup.

« Mais… est-ce une nouvelle espèce de monstre ?… se dit Aï, étonné de la soudaine apparition. Décidément, je ne suis pas au bout de mes surprises… Osiris-Path, les loups, et maintenant ça… J'ai l'impression d'être passé dans un autre monde. »

D'une élégance et d'une finesse aériennes, la femme blanche lui fit signe de la suivre. Ensemble, ils traversèrent les jardins du sanctuaire avant d'atteindre la porte principale du bâtiment.

« C'est l'endroit dont parlait Sénosiris dans ses écrits…, pensa Aï en admirant les lieux. Voici donc l'endroit qu'il a lui-même fait construire, où la reine Électra aimait tant venir se reposer. Cet homme avait beaucoup de goût et avait sans contredit un grand talent d'architecte ! Rendons aux Égyptiens ce qui leur appartient, ce sont de grands bâtisseurs… »

Sous l'invitation de son guide, Aï ouvrit la porte et entra dans le sanctuaire.

Le bâtiment était rempli de ces créatures étranges à la peau fine et presque translucide. Aï vit leurs longs doigts munis d'ongles rouges qui tranchaient nettement avec la finesse de leur apparence. Pieds nus, ils ne possédaient que quatre orteils. Tous avaient le même regard animal, et leurs yeux étaient beaucoup plus grands que ceux d'un être humain normalement constitué. Il y en avait des dizaines, mâles, femelles et enfants, qui le dévisageaient. Parmi eux, il y avait aussi des humains tout à fait normaux.

Poussé dans le dos par son accompagnatrice, Aï traversa le grand hall pour déboucher sur le bord d'un très grand bassin où l'eau ondulait calmement.

« Si je me fie à ce que j'ai lu chez Sénosiris, un plongeon dans ce lac me transformerait immédiatement en loup… »

Le Râjâ l'attendait.

Habillé de vêtements propres et couronné de quelques anneaux d'or dans les cheveux, le roi congédia l'escorte d'Aï. Puis, il lui demanda d'un signe de la main de bien vouloir l'accompagner près d'une grande colonne où se trouvaient gravés tous les hiéroglyphes du vocabulaire égyptien.

Pendant son déplacement, Aï remarqua le profond silence qui régnait dans le sanctuaire. Avec stupéfaction, il comprit rapidement que les habitants des lieux ne communiquaient pas par la parole, mais se faisaient des signes avec agilité et précision. Leurs mains et leurs doigts dansaient dans les airs.

« Ces monstres sont d'une surprenante intelligence, pensa Aï, et ne doivent pas être pris à la légère. Osiris-Path a su bien s'entourer, mais c'est l'ordre du Bouc qui aura le dernier mot. Si je ne suis pas exécuté, je verrai bientôt mes armées attaquer ce sanctuaire, j'en suis certain… Hény, Ra-ou et Kashu ne me laisseront pas moisir ici bien longtemps. »

Arrivé près de la colonne, le Râjâ fit quelques signes aux promeneurs humains et humanoïdes qui conversaient ensemble. Les créatures aux oreilles pointues se retirèrent en silence, alors que les humains adressèrent verbalement leur contentement au roi avant de prendre congé.

Maintenant seul avec Aï, le souverain du sanctuaire indiqua à son invité la colonne de pierre couverte de hiéroglyphes.

Avec son doigt, le Râjâ toucha quelques symboles. Aï comprit aussitôt.

— Tu veux savoir si je t'ai menti, l'autre nuit, lorsque je t'ai parlé de tes fils, Osiris-Path? demanda-t-il, bien content de voir qu'il avait piqué la curiosité de son ennemi. Eh bien, non! J'ai dit la vérité. J'ajouterai aujourd'hui que tous les trois sont mes prisonniers depuis de nombreuses années!

Aï mentait, mais cette stratégie lui sauverait peut-être la vie. Si Osiris-Path voulait voir ses fils, il devrait l'épargner.

Pendant quelques secondes, le Râjâ parut désarçonné.

— Je vois que tu ne t'attendais pas à entendre une telle révélation! fit le chef de l'ordre du Bouc en souriant. Est-ce que je me trompe en affirmant que tu ne connaissais pas l'existence de tes rejetons?

Le Râjâ demeura muet, il semblait perdu dans ses pensées.

— Alors, laisse-moi t'en dire davantage sur les monstres que tu as engendrés, continua Aï avec un malin plaisir. Après des années de recherches, mes compagnons et moi en sommes venus à la conclusion qu'ils sont originaires du pays de D'mt. C'est dans ce royaume peuplé de génies et de sous-hommes que tu les aurais conçus, ô grand Osiris-Path, probablement en t'accouplant avec une guenon ou une hyène!

Toujours impassible, le Râjâ ne bougeait que les yeux.

Il cherchait dans son esprit une piste capable de le ramener une vingtaine d'années dans le passé. À cette époque, il avait été drogué pendant des mois à la myrrhe par Sumuhu'alay, et le temps avait effacé presque tous ses souvenirs de son passage chez les mangeurs d'hommes de ce pays. Avec moult efforts, sa mémoire le transporta dans une hutte où une jeune femme au visage souriant le regardait avec tendresse.

— C'est dans la jungle de ce pays lointain que tes trois rejetons ont grandi et qu'ils sont devenus de véritables dangers pour l'humanité, continua Aï, content de voir Osiris-Path aussi troublé. J'ai rencontré tes fils pour la première fois alors que j'étais un jeune esclave travaillant dans le Goshen pour le compte du pharaon. Tu te souviens de lui, n'est-ce pas? Le grand Mérenptah, fils de Ramsès! Le souverain qui continue d'asservir mon peuple, esclave depuis des siècles. C'était pour lui que tu travaillais lorsque tu es venu massacrer les enfants de nos familles! J'espère que tu n'as pas oublié ce moment grandiose de ta vie passée?

Le Râjâ soupira et baissa la tête.

S'il avait oublié la majeure partie de son passage au pays de D'mt, le massacre du Goshen demeurait très présent dans son esprit. Il se rappelait très bien les cris des enfants égorgés et les supplications de leur mère. En fermant les yeux, il pouvait revoir chaque instant de ce bain de sang. Il n'y avait aucune gloire à tuer d'innocentes victimes incapables de se défendre et aucun plaisir à mettre à genoux des esclaves déjà brisés. À cette époque, il avait obéi à son pharaon, sans doute avec un peu trop de zèle. Ce massacre était une erreur de jeunesse dont Aï était, quant à lui, la résultante. Rien de plus normal qu'un vengeur se lève, après cette horreur commise au nom de la paix du royaume du Nil.

— Au moins, tu possèdes une conscience! Cela te rend plus humain… Cependant, je souhaite que les visages des enfants que tu as tués te poursuivent jusqu'à la fin de tes jours, monstre! Tu ne mérites pas mieux que leur malédiction!

Le Râjâ n'écoutait plus les réprimandes d'Aï. Il pensait à ses enfants et s'inquiétait de la réaction de Misis lorsqu'elle apprendrait l'existence de cette descendance. Elle, qui avait tant voulu offrir un héritier au trône, n'avait jamais pu mener une grossesse à terme. Elle avait fait une fausse couche après l'autre. Jamais elle n'avait porté un enfant durant plus de trois mois. Malgré ses potions de fertilité, ses sorts et ses prières à Börte Tchinö, son ventre était resté plat, sans vie. Mère adoptive de tous les nouveaux hyrcanoï révélés par le lac, son souhait le plus cher avait été de donner une véritable famille à Pan. Mettre au monde les successeurs légitimes au trône du Râjâ aurait été le couronnement de sa vie.

Depuis des années, cette mauvaise fortune avait refroidi les relations entre le Râjâ et sa reine, si bien qu'ils ne dormaient plus ensemble qu'en de rares occasions. Lui l'aimait toujours autant, mais Misis semblait se culpabiliser pour ces échecs répétés et supportait mal sa présence. Si la reine apprenait aujourd'hui que son Pan avait une descendance dont elle n'était pas la génitrice, elle en perdrait la tête.

— Parle – de – mes – fils, ordonna le Râjâ en désignant quelques hiéroglyphes sur la colonne de pierre.

— Avec plaisir, car ta progéniture n'est pas plus grandiose que celui de qui elle est issue ! l'insulta Aï avec virulence. Il y a bien des années de cela, tes fils ont quitté leur pays maudit pour parcourir l'Égypte. Animés du désir profond de te retrouver, ils ont tout massacré sur leur passage. Comme toi, ils ont décimé des familles et mangé vivants de jeunes enfants. Personne ne pouvait les arrêter, à part moi et les membres de l'ordre du Bouc ! Et je les ai faits prisonniers…

Aï fit une pause et sourit malicieusement. Avec la ferme intention d'inventer une histoire digne des grands héros anciens, il continua son récit.

— Au lieu de les vendre aux Égyptiens, auprès desquels j'aurais pu en tirer un bon prix, j'ai décidé de les utiliser à mes fins ! Pendant des années, je les ai gardés captifs dans ma forteresse et, très lentement, j'ai commencé à les apprivoiser. Mes compagnons de l'ordre du Bouc et moi avons tout fait pour casser leur moral et les transformer en petits chiens bien obéissants. Et nous avons réussi !

Pendant qu'il se vantait de ses exploits, le Râjâ observait attentivement les pupilles de son vis-à-vis. De toute évidence, il mentait.

— En privant tes rejetons de nourriture et de sommeil, il nous fut facile de les enchaîner et de les soumettre à notre volonté. Aujourd'hui, tes enfants vivent sur notre île et demeurent enfermés dans des cages fortifiées où ils ne voient jamais la lumière du soleil. Ces monstres ne sortent que la nuit pour accomplir des tâches précises que nous leur assignons. Ainsi, ils ont déjà ravagé plusieurs villages des Achéens, des Égyptiens ou des Hittites ! Après chacun de leurs passages, nous laissons courir la rumeur selon laquelle Osiris-Path est toujours vivant et…

Le Râjâ en avait assez entendu. Brusquement, il attrapa Aï par la gorge et le souleva. Comme une vieille couverture que l'on secoue, il l'agita quelques secondes dans les airs, puis le lança sur le sol d'un violent mouvement. Aï atterrit face contre terre et dut prendre quelques minutes avant de recouvrer ses sens.

Mais le Râjâ ne lui accorda pas beaucoup de temps avant de le saisir par les cheveux et de le plaquer contre la colonne de pierre. Il lui écrasa ensuite le visage sur un hiéroglyphe signifiant le mensonge. À ce moment, Aï comprit qu'il valait peut-être mieux dire la vérité, toute la vérité.

— Très bien… Calme-toi, Osiris-Path, fit-il, maintenant pondéré. En vérité, nous n'avons jamais réussi à… à domestiquer tes fils. Nous avons tout essayé, mais ils ont été impossibles à soumettre. Même si nous avons cru un moment exercer un contrôle sur eux, ils sont demeurés sauvages et imprévisibles.

Le Râjâ lâcha Aï. Il disait la vérité.

— Lorsque nous avons compris qu'il n'y avait rien à faire pour les dominer, nous avons décidé de les mettre à mort…

Très intéressé par la suite, le Râjâ planta une de ses griffes dans les côtes d'Aï pour l'inciter à continuer son récit.

— Arrête ! Je te dirai tout ! s'exclama-t-il sous l'effet de la douleur. Si mes compagnons et moi sommes ici, en ces terres, c'est parce qu'ils nous ont échappé tout juste avant leur exécution. Il y a de cela quelques mois, tes trois fils ont brisé leurs chaînes et nous ont faussé compagnie. Connaissant leur obsession de te retrouver, nous avons décidé de venir jusqu'ici dans l'espoir de les abattre. Notre plan était de commencer par eux pour ensuite t'éliminer, toi. Mais les choses ne se sont pas déroulées comme prévu… Voilà. Tu désirais la vérité ? Eh bien, tu l'as !

Osiris-Path recula de quelques pas, puis se gratta la tête. Il n'était pas prêt à affronter ce nouveau problème.

— Sache aussi qu'en m'enlevant comme tu l'as fait, tu as accéléré ta chute ! Je connais bien mes hommes et je sais qu'ils se sont tout de suite lancés à ma recherche. Nous savons tout de l'emplacement de ton sanctuaire, et nous connaissons la façon la plus sûre d'y accéder ! Comme tu le sais, tout était écrit sur les murs du temple !

Absorbé de nouveau par ses pensées, le Râjâ poussa un long soupir. Son prisonnier avait raison quant aux informations sur le sanctuaire.

— Rappelle-toi de ceci, minable Osiris-Path ! prêcha Aï avec conviction. Les hommes doivent s'employer à combattre le mal, car il n'y a qu'un dieu, et celui-ci veille sur les fidèles qui se dévouent pour le bien de leurs semblables. Je ne sais pas ce qu'une horreur comme toi fait dans le monde, Osiris-Path, ni même pourquoi tu existes, mais ta seule présence est une injure à la race humaine. Je vais certainement mourir aujourd'hui de ta main, seulement d'autres comme moi viendront. La vérité appartient à ceux qui suivent les commandements du dieu unique !

Aï était prêt à mourir. Mais avant, il allait se vider le cœur.

— Je ne sais pas non plus qui sont ces êtres dont ton sanctuaire est peuplé, continua-t-il, ni pourquoi ces erreurs de la nature ont été créées ! Par contre, j'ai le sentiment qu'ils ne font pas partie du plan de l'Éternel. Comme toi, ces monstres doivent être chassés jusqu'au dernier. Mon peuple, les esclaves du Goshen, sera bientôt libéré d'Égypte, et avec sa délivrance débutera une nouvelle ère, celle du Grand Créateur, le maître de toute chose.

— Que se passe-t-il ici ? demanda soudainement une femme, dans la langue des Thraces. Qui est cet homme, Pan, et pourquoi est-il ici, dans notre sanctuaire ?

Aï tourna la tête et aperçut à quelques pas de lui une dame d'une beauté sauvage. Ses cheveux poivre et sel, très longs et tressés en deux nattes, touchaient presque le sol. Habillée d'une robe rouge faite d'une étoffe de grande qualité, elle s'avança dignement vers le Râjâ et l'embrassa délicatement sur le front. Aï remarqua que tous ses bijoux et accessoires étaient entièrement faits de bois.

— Alors, Pan ? Tu nous as ramené de la visite ? demanda Misis.

Par une série de signes rapides et précis, le Râjâ expliqua à sa femme qu'il avait trouvé ce guerrier dans l'ancienne demeure de Sénosiris, à Veliko Tarnovo. Il lui révéla qu'en compagnie de ses armées, il voulait venger le massacre du Goshen et tuer Osiris-Path.

— C'est donc un esclave qui veut ta peau, confirma Misis, très intéressée. Ses hommes et lui sont venus de loin pour te tuer ! Dommage pour eux, car ils seront déçus. Est-ce là tout ?

Pan raconta succinctement comment il l'avait amené jusqu'au sanctuaire, mais il passa sous silence l'existence de ses trois fils. Tant qu'il n'aurait pas vérifié lui-même la véracité de ces informations, il valait mieux ne rien dire à Misis.

— Tu me caches quelque chose, dit-elle en observant les yeux de son mari. Tu ne m'as pas tout dit, n'est-ce pas ?

— Tout – parler – Misis, répondit le Râjâ en détournant le regard.

— Je te connais depuis de nombreuses années, Pan, et je sais lire en toi comme dans un livre ouvert, continua-t-elle. Notre mère la lune m'a confié la tâche de protéger cet endroit et le peuple qui y vit. Si tu sais quelque chose qui pourrait mettre ce sanctuaire en danger, tu dois me le dire.

— Je – penser – nous – être – attaqués – bientôt.

— Et c'est cela qui trouble ton âme ?

— Oui, mentit le Râjâ. Seulement – ça.

De toute évidence, il y avait autre chose dans le cœur du Râjâ, mais Misis n'insista pas. Comme à son habitude, elle trouverait un moyen de l'apprendre tôt ou tard. Ce n'était pas la première fois que son Pan lui cachait des choses.

Un jour, il était tombé amoureux d'une jeune hyrcanoï, et Misis les avait surpris, dans les bras l'un de l'autre, dans une clairière non loin du vignoble. Quelques jours après la découverte, la jeune amoureuse aux grands yeux avait soudainement disparu du sanctuaire. Pan l'avait cherchée, mais sans succès. Sous sa forme animale, Misis la louve s'était chargée de faire disparaître l'amante sans que son roi n'en sût rien. Fidèle à son habitude, elle avait réglé le problème à sa façon.

— Je peux le garder pour mes expériences ? demanda-t-elle à Pan. Je manque d'humains pour mes recherches ces temps-ci. Celui-là me sera précieux si tu me le donnes !

— Oui, fit-il d'un mouvement de tête. Terminé – avec – lui.

— Tu repars bientôt chercher d'autres meutes de loups ?

— Oui – partir – demain, répondit le Râjâ. Rester – encore – ce soir – sanctuaire.

— C'est bien, dit Misis, ravie. Je pourrai donc profiter de ta présence ! Les hyrcanoï ont préparé une petite fête pour célébrer la nouvelle saison. Nous pourrons nous amuser un peu, tout en discutant des mesures à prendre afin de protéger le sanctuaire d'une éventuelle attaque.

— Serai – là.

Décidément, quelque chose ne tournait pas rond chez le Râjâ. Il lui cachait quelque chose. Lui qui, depuis plusieurs années, détestait les fêtes et fuyait les célébrations se présenterait ce soir à la table d'honneur sans rechigner ? Ce n'était pas normal !

Pour en savoir plus, Misis aurait bien interrogé elle-même le prisonnier, mais elle ne parlait pas sa langue. Et à en juger par son regard inquisiteur, lui non plus ne comprenait pas un mot de ce qui se disait autour de lui.

Perdu dans ses pensées, le Râjâ quitta les abords du lac pour rejoindre ses appartements. Dès demain, il se lancerait à la recherche de ses fils. Si cette histoire de descendance était bien vraie, les jours paisibles qu'il coulait au sanctuaire prendraient vite fin. Misis n'accepterait jamais que des princes issus d'un autre lit s'établissent chez elle.

De son côté, la reine ordonna alors à deux énormes loups, ses gardes du corps, de reconduire le prisonnier dans les geôles souterraines du sanctuaire. Exclusivement réservé à Misis, cet endroit où personne ne mettait jamais les pieds était devenu un grand laboratoire. Dans un coin de la pièce, quelques cages servaient à héberger ses sujets d'expérimentation.

C'est là que la reine s'adonnait à des expériences peu orthodoxes.

Au fil des années, beaucoup de ses sujets étaient morts pour avoir testé d'horribles potions, ou encore des suites de chirurgies pratiquées à froid, sans anesthésie. Mais bien que sa quête pour trouver un moyen de transformer un humain en loup sans l'aide de la magie du lac eût été infructueuse, Misis continuait son travail avec acharnement. Toujours nourrie du songe éveillé qu'elle avait fait avant son mariage, la reine cherchait le damanzan, le catalyseur essentiel à son mélange. Des années de labeur ne lui avaient pas encore révélé ce secret.

Une fois qu'Aï fut enfermé dans sa petite cellule d'à peine quelques mètres carrés de surface, la reine quitta son laboratoire et referma la porte. Elle y posta un de ses gardes, lui donnant l'ordre de tuer quiconque désirerait pénétrer dans la pièce. Même le Râjâ y était interdit d'accès.

Un lourd silence tomba sur la prison.

Coup de chance, Aï remarqua la présence de quelqu'un d'autre dans la prison voisine, juste en face de la sienne.

— Vous parlez ma langue ? demanda-t-il à tout hasard. Je viens d'un lointain pays... bien au-delà de la grande mer du Sud ! Comme nous sommes dans le même pétrin, nous pourrons sans doute trouver une façon de sortir d'ici ! Vous comprenez ce que je dis ?

Le voisin de cellule ne bougea pas ; il demeura immobile dans la pénombre.

— Ne vous en faites pas, mes hommes seront bientôt là pour nous délivrer ! lança Aï en essayant de se rassurer lui-même. Mes amis ne m'abandonneront pas ici, c'est certain. L'ordre du Bouc viendra châtier ces monstres et les mettre à mort.

Lentement, le prisonnier d'en face se traîna vers les barreaux de la porte de sa cellule. D'après ses formes courbes, Aï conclut facilement qu'il s'agissait d'une femme. Par contre, il ne remarqua pas tout de suite la couleur blanche de sa peau. C'est au moment où son regard croisa le sien qu'Aï comprit qu'il était en présence de l'une des étranges créatures qu'il avait rencontrées plus tôt, au sanctuaire.

La pauvre humanoïde, à moitié vêtue, faisait pitié à voir. Elle avait été défigurée par trois énormes coups de griffes, et son corps, fortement amaigri, laissait voir ses côtes et son sternum.

Elle s'était avancée péniblement.

— Je... mais qui... mais qu'est-ce que vous êtes ? fit Aï, complètement stupéfait.

Sans que la créature ouvrît la bouche, Aï entendit résonner dans son crâne :

— Je me nomme Waorwen, et j'ai été punie pour avoir aimé mon maître. N'entretenez aucun espoir, vous mourrez ici.

VI

De jour en jour, Sénosiris remontait la pente.

Toujours dans la ville de Kurz, où Rong et lui avaient été agressés quelques semaines plus tôt par les voleurs, ils avaient décidé de prendre tout le temps nécessaire pour refaire leurs forces en prévision de la route à poursuivre. Le pays des Thraces était encore bien loin.

La fracture avait été bien soignée, et Sénosiris pouvait maintenant se déplacer en s'aidant d'une canne. Grâce à l'argent des voleurs, les voyageurs avaient pu se payer quelques luxes, dont plusieurs visites aux thermes ainsi que de nouveaux vêtements. Ils avaient également renouvelé leur équipement de voyage.

Aujourd'hui, Rong avait proposé à son père d'effectuer une grande marche dans la ville et de terminer la journée par un bain d'eau salée. Pour reprendre la route le plus rapidement possible, Sénosiris avait besoin d'exercice. Bien conscient du travail qu'il avait à faire afin de regagner sa pleine autonomie, l'Égyptien avait accepté d'emblée, et c'est bras dessus, bras dessous qu'ils avaient quitté la demeure du guérisseur.

Sénosiris avait très mal à la jambe lorsqu'il arriva enfin à la plage avec son fils.

— C'est ici que la promenade s'arrête! lança l'Égyptien en s'assoyant lourdement dans le sable. Décidément, je me fais vieux! Ouf… et cette jambe, quel fardeau!

— Allons dans les vagues, ça te fera du bien, père! proposa Rong. L'eau est bonne, je m'y suis baigné hier.

— Donne-moi encore quelques minutes de repos. J'irai ensuite…

Rong quitta son père et piqua une tête.

À son retour, Sénosiris admirait la mer devant lui et semblait absent.

— Quelque chose te tracasse, père? lui demanda Rong. Tu sembles bien loin…

— Je pensais aux…, hésita l'Égyptien, puis il se ravisa. Je ne pensais à rien, ça n'a pas d'importance.

— Vas-y, dis-moi ce qui te tracasse! Nous avons toujours été francs l'un envers l'autre. Si c'est mon comportement qui te gêne, il faut me le dire.

— Oh! non, bien au contraire, Rong! Tu es le fils parfait!

— Alors?

— Depuis des années, je fais d'étranges cauchemars…, avoua Sénosiris. Tu es la première personne à qui j'en parle, car ce ne sont pas des choses très agréables à partager.

— Je t'écoute…

— Il m'arrive régulièrement de voir… des boucs.

— Des boucs?

— Des boucs couverts d'or qui attaquent le sanctuaire sacré du lac de la montagne, continua Sénosiris. Il s'agit plus précisément d'une armée entière de boucs menée par quatre gros spécimens géants. Enragées, les créatures piétinent tout sur leur passage. Elles écrasent des meutes de loups qui tentent désespérément de protéger le sanctuaire. Je les vois foncer, tête baissée, contre le mur d'enceinte protégeant le lac!

— Et pourquoi font-ils cela?

— Parce qu'ils sont animés d'une soif de vengeance, précisa l'Égyptien. Les boucs veulent la peau du Râjâ, et ils sont prêts à tout pour le tuer. Ils désirent lui faire payer le prix d'une terrible action qu'il a commise, jadis, lorsqu'il était au service du pharaon Mérenptah. Ces boucs dorés représentent pour moi le bras vengeur des enfants du Goshen…

— C'est du sérieux!

— Pour être franc, je crois que c'est ma propre culpabilité qui, avec les années, prend lentement la place de mes convictions d'autrefois. Je doute, Rong… Je doute parfois d'avoir fait les bons choix, surtout lorsque je repense au voyage que j'ai effectué en Égypte avec le Râjâ. Je me dis que… Comment t'expliquer… Si je n'avais pas insisté pour retourner dans mon pays, les enfants du Goshen seraient toujours vivants, j'aurais pu assister à ta naissance, et Électra, ta mère, serait peut-être à mes côtés aujourd'hui. Tous ces boucs qui viennent me hanter sont certainement le résultat de ce questionnement…

Rong réfléchit quelques instants avant de répondre.

— Tu m'as déjà dit que les hommes n'ont aucune emprise sur le passé, ni même sur le futur. Alors, pourquoi gâcher le présent avec des regrets? Ce qui fut fait ne peut être changé… C'est dommage pour les enfants, mais tu n'es pas responsable de leur mort!

— Je le sais bien, mais avec l'âge, je me demande si les choix que j'ai faits étaient les bons… d'autant plus que…

Sénosiris se tut. Pendant sa convalescence, le guérisseur de Kurz avait détecté une masse suspecte dans son ventre. Il avait entrepris des traitements, mais le corps de l'Égyptien n'avait pas réagi adéquatement aux remèdes. De jour en jour, la situation empirait.

Rong ignorait tout de la condition physique de son père.

— D'autant plus que?

— Que rien! lança Sénosiris en souriant. Je crois que je deviens un homme mélancolique avec le temps.

— Allons nager, dans ce cas, proposa encore Rong. L'eau est bonne et les vagues ne sont pas trop grosses. Allez, ça fera du bien à ta jambe!

— Bof… pas aujourd'hui. Demain peut-être.

— C'est comme tu veux. Moi, j'y retourne!

Lorsque son fils se fut éloigné, Sénosiris en profita pour examiner la bosse qui grossissait de plus en plus sous sa peau. Elle était de la taille d'une figue, toute noire et ceinturée d'une rougeur excessive.

«J'espère que le guérisseur pourra y faire quelque chose, pensa l'Égyptien pour s'encourager un peu. Je dois reprendre la route au plus vite, sinon je ne reverrai jamais le Râjâ. Si dans quelques jours ma condition ne s'améliore pas, il n'y aura plus rien à faire. Ce sera une course contre le temps. Aussi bien me préparer au pire…»

Un peu inquiet, il laissa son mal de côté et admira la mer. Aussitôt, l'image des boucs dorés jaillit dans ses pensées.

— Et ces bêtes…, fit-il en soupirant. Je me demande bien ce qu'elles peuvent signifier !

VII

Dans sa cellule, Aï était médusé.

La créature venait de lui parler sans bouger les lèvres. Il avait entendu chacun de ses mots comme s'il s'agissait des siens. Comment cette sorcellerie était-elle possible? Même les plus grands magiciens d'Égypte étaient incapables d'un tel prodige!

— Vous avez peur de moi, n'est-ce pas? demanda Waorwen par télépathie. Est-ce parce que je suis différente de vous, ou parce que j'ai été défigurée? J'espère que ce n'est pas parce que je vous dégoûte… J'en serais bien malheureuse. Il y a longtemps que je n'ai pas vu un autre visage… Vous me craignez, n'est-ce pas?

Le dos collé contre le mur au fond de sa cellule, Aï ne pouvait échapper au regard inquisiteur du monstre livide qui le scrutait des pieds à la tête. C'était trop d'émotion pour une seule journée! Il ne voulait plus voir la créature, ni l'entendre.

Waorwen comprit le malaise de son vis-à-vis et recula au fond de sa prison.

Sans rien ajouter, elle se roula en boule comme un chien et se coucha en lui faisant dos. Ainsi, il ne serait pas obligé de la regarder.

Submergé par ses émotions, Aï commença à hurler à l'aide.

Comme un dément, il frappa de ses pieds et de ses mains les barreaux de la porte de sa cellule. Pendant près d'une heure, il cria de toutes ses forces afin qu'on vienne le délivrer, mais personne ne se présenta, pas même un gardien curieux d'entendre ses lamentations. Épuisé par ce déversement de rage, il finit par s'endormir.

Après quelques heures de repos, Aï ouvrit les yeux pour apercevoir le corps d'un rat juste sous son nez. Il bondit en poussant un cri, mais s'aperçut bien vite que l'animal ne bougeait pas. Il était mort.

— C'est pour manger, entendit-il dans sa tête. Ici, personne ne vient nous nourrir. Je l'ai tué pour toi.

Aï se frotta les yeux en croyant qu'il avait fait un mauvais rêve. Il réalisa vite que ce cauchemar était bien sa triste réalité.

— On se fait au goût des rats. Il y en a beaucoup ici, enchaîna la voix. Le problème, c'est l'eau. Lorsqu'il pleut, il faut lécher le mur de pierre au fond de la cellule. C'est l'unique façon de se désaltérer.

— Merci…, répondit timidement Aï. Je vous suis reconnaissant.

— Oh! Rien ne sert de me parler, je ne comprends pas ta langue. Toi seul peux m'entendre. Pour que nous conversions, il faudrait que tu puisses entrer dans mon esprit, mais tu es un humain, et les hommes n'ont pas cette capacité.

Soulagé de voir que la créature lui tournait toujours le dos, Aï tendit la main pour saisir le cadavre du rat. En regardant la petite bête entre ses mains, il se dit qu'il n'avait pas encore assez faim pour surmonter son dégoût et l'avaler.

— Je me nomme Waorwen, répéta l'humanoïde, et je suis désolée de t'avoir fait peur tout à l'heure. Parfois, il m'arrive d'oublier que je peux aisément faire peur. Veux-tu me dire comment tu te nommes?

— Aï, fils d'Aha.

— Aïfisdaha! C'est bien ça? C'est un nom très bizarre.

— Non, c'est Aï! Appelez-moi Aï.

— Je t'ai déjà dit que je ne comprends rien lorsque tu me parles, Aïfisdaha, lui rappela Waorwen. Je suis enchantée de faire ta connaissance.

— Mais qui êtes-vous? Et qu'est-ce que ce sanctuaire?

— Il faudra que tu trouves une autre façon de communiquer avec moi, Aïfisdaha. Je ne te comprends pas.

Aï soupira. Primo, parce qu'il ne s'appelait pas Aïfisdaha, secundo, parce qu'il ne voyait aucune façon de lui faire comprendre quoi que ce soit autrement qu'en lui parlant.

— Waorwen? finit-il par dire sur un ton interrogatif.

— Tu veux savoir qui je suis, ou plutôt ce que je suis, n'est-ce pas? fit-elle en se retournant vers lui.

— Hum, hum! répondit-il d'un signe affirmatif de la tête.

— Je suis la toute première de la race des hyrcanoï… et j'ai vu le jour il y a de cela une bonne vingtaine d'années, précisa-t-elle.

— Hyrcanoï?

— Toutes les créatures que tu as vues dans ce sanctuaire et qui me ressemblent sont des hyrcanoï, c'est-à-dire que nous sommes issues de l'âme bonne et généreuse d'un loup. Tout comme les chenilles se transforment un jour en papillon, les bêtes que nous étions ont évolué grâce aux pouvoirs du lac et à ceux du Râjâ. En nous baignant dans le lac en sa compagnie, nous avons tous perdu notre doux pelage pour ressortir de l'eau avec ce corps. Ni humains ni animaux, mes frères et mes sœurs sont les esprits de la terre. Nous devons notre naissance à la lune, notre mère, qui nous a portés dans son lac.

Aï demeura muet quelques secondes. L'histoire qu'il venait d'entendre était trop rocambolesque pour qu'il puisse y croire d'emblée sans poser de questions. Il se rappelait bien des histoires gravées par Sénosiris sur les murs de son ancienne demeure, et ces récits semblaient plutôt dire que le fameux lac transformait les humains en loups et non les loups en hyrcanoï.

— Je comprends qu'une telle chose soit difficile à concevoir pour un esprit humain, mais c'est pourtant la vérité. Dans ce monde, la vie peut naître de bien des façons. Si tu ne me crois pas, prends entre tes mains le cadavre du rat près de toi.

Sans trop d'enthousiasme, Aï s'exécuta en faisant une moue de dédain.

— Entoure-le de tes paumes et donne-lui de ta chaleur…, continua Waorwen. Concentre-toi sur ton cœur, maintenant, et ressens chacun de ses battements. Lorsque tu seras en contact avec cette pulsion de vie, transfère-la à tes mains.

Aï obtempéra sans véritable conviction. Comme rien ne se produisait, il abandonna rapidement et, désintéressé, il déposa la bête morte devant lui.

Waorwen sourit.

Bien qu'elle eût côtoyé peu d'humains dans sa vie, elle savait que la réaction d'Aïfisdaha était tout à fait prévisible. Les hommes étaient des créatures incapables de vivre dans l'instant présent, et leur esprit cherchait toujours à refuser ce qui leur paraissait insensé. Ils avaient la foi en des dieux et déesses, mais rarement en eux-mêmes.

— Tu veux bien me passer le cadavre ? Je vais te montrer quelque chose…, fit Waorwen.

Aï s'empara du rat et le lui lança à travers les barreaux.

Waorwen se retourna et fit de nouveau face à Aï. Cette fois, le choc fut moins violent, et il prit même le temps de bien la regarder. Quoique défigurée, Waorwen n'était pas aussi odieuse qu'elle lui avait paru la première fois. Ses grandes oreilles pointues et ses yeux de loup lui allaient plutôt bien. De plus, elle bougeait admirablement bien. À un point tel qu'on aurait pu croire que ses membres flottaient. Il observa sa grâce et son élégance tandis qu'elle prenait entre ses mains le corps inanimé du petit animal et le ramenait près de son corps. Aussitôt, le miracle s'accomplit, et le rat commença à bouger. Waorwen venait de lui redonner vie.

— J'ai commencé par des papillons, puis des insectes plus gros, et maintenant je peux le faire avec les petits rongeurs, expliqua l'hyrcanoï en laissant filer le rat de la cellule. Oups ! Ton dîner vient de s'enfuir ! Désolée.

Aï venait d'assister à un véritable prodige. Même s'il avait pu communiquer avec Waorwen, il n'aurait pas su quoi dire tellement il était ébahi, émerveillé par son exploit.

— Plus les années passent, plus les hyrcanoï gagnent en force et en puissance, continua-t-elle. Au début, quelques jours après ma naissance, j'arrivais à peine à comprendre le monde dans lequel j'évoluais, et j'avais peur… peur du vent… de la pluie… des ténèbres. Puis, lentement, grâce à Misis, la reine du sanctuaire, je me suis faite à cette nouvelle existence. C'est elle qui m'a enseigné les principes de la vie, et j'ai rapidement dépassé ma maîtresse. Tellement que je l'ai rapidement considérée comme une simple humaine ordinaire, et j'ai commencé à m'intéresser sérieusement au seul être qui méritait mon attention, le Râjâ. Ensemble, nous avons fait plusieurs voyages afin de rencontrer des meutes de loups et de les diriger vers le sanctuaire. De merveilleuses aventures durant lesquelles j'ai appris à connaître le Râjâ et à l'aimer de tout mon cœur. J'ai tout fait pour qu'il devienne mon amant, mais, tout comme les loups, qui sont des créatures fidèles, il n'a jamais trompé sa reine. Je ne l'ai embrassé qu'une seule fois, dans la clairière près du vignoble du sanctuaire, et ce fut une fois de trop. Le lendemain, j'étais attaquée par une énorme louve enragée, Misis. Puis, on m'a jetée dans cette cellule où j'attends la mort.

Complètement fasciné par Waorwen, Aï s'approcha des barreaux de la porte de sa cellule et fit signe à sa voisine de faire de même. Le miracle qu'elle avait accompli et l'histoire fascinante qu'elle était en train de lui raconter lui donnèrent une folle envie de la contempler. Autant elle lui avait fait peur, autant il voulait maintenant tout savoir de ses joies et de ses malheurs.

Avant de continuer son récit, Waorwen prit également un instant pour bien regarder l'homme qui se trouvait devant elle. Les traits de son visage étaient magnifiques, et, par-dessus tout, elle percevait chez lui une âme bonne et généreuse. Bien qu'il ne fût qu'humain, c'est-à-dire obtus et insensible aux véritables forces de la vie, il était visiblement animé d'une grande curiosité qui le rendait fort sympathique.

— Tu veux que je te raconte, n'est-ce pas ? Que je te dise tout ce que je sais ? Tu veux apprendre ce qu'aucun autre humain ne sait ni ne saura jamais ?

Aï fit oui de la tête.

— Waorwen, répondit-il. Waorwen.

— C'est moi qui t'intéresse le plus ? fit-elle, surprise. Seulement moi ?

— Waorwen, répéta Aï en esquissant un large sourire.

— Je suis flattée…

C'est ainsi que l'hyrcanoï lui raconta tout de son existence de jeune louve et du bonheur qu'elle avait ressenti lors de ses premières chasses. Bien que la chasse fût affaire de mâles, il arrivait parfois que ceux-ci acceptent une femelle dans leurs rangs. Cette acceptation au sein du groupe des chasseurs avait été l'un des moments les plus importants de sa vie. Waorwen, dans sa meute, filait le parfait bonheur, jusqu'au jour où des humains s'étaient mis à tuer ses frères les uns après les autres. Elle-même aurait perdu la vie, n'eût été l'intervention du Râjâ.

Jusqu'à la tombée du jour, Waorwen parla doucement dans la tête d'Aï. Ses mots coulaient telle une douce mélodie qu'on écoute sans jamais s'en lasser. Elle lui parla de sa vie quotidienne au sanctuaire, de son amour pour les arbres et les plantes, ainsi que de sa faculté à entrer en contact avec l'esprit des humains pour leur parler. Sans trop comprendre comment elle réussissait une telle chose, Aï se laissait bercer, béat, par chacune de ses phrases. En fait, c'étaient ses mots à lui, dans sa propre langue, qu'elle faisait ressurgir. Waorwen n'avait qu'à désirer transmettre une réflexion ou raconter un événement, et l'histoire débutait d'elle-même dans l'esprit de son voisin.

L'hyrcanoï révéla aussi à Aï ce qu'elle savait des expériences de la reine, dont il aurait probablement à faire les frais. Misis essayait depuis de longues années de trouver un moyen de transformer les humains en loups sans avoir à les plonger dans le lac. Elle cherchait avec acharnement la formule ou l'élixir capable d'un tel prodige. Une fois qu'elle aurait trouvé la solution, son plan était simple. Elle introduirait la substance dans des barils remplis de vin et les distribuerait à la population des royaumes thraces. Une idée de génie qui, malheureusement, n'avait pu, jusqu'à ce jour, être mise à exécution. Faute d'un élément essentiel qu'elle appelait daman-zan, la reine n'arrivait à rien. Tous les cobayes humains qui étaient passés à tour de rôle dans ces cages avaient connu la mort dans de terribles souffrances. Misis avait empoisonné bon nombre d'entre eux avec ses mixtures et en avait disséqué plusieurs, parfois même vivants, afin de comprendre les effets de ses breuvages sur le métabolisme humain. Lorsqu'elle manquait de cobayes, il lui arrivait même de faire des expériences sur Waorwen qui, à cause de sa trahison, avait perdu toute sa considération.

Ce soir-là, lorsque Waorwen termina son histoire, Aï passa la main à travers les barreaux afin de toucher celle de sa nouvelle amie. Celle-ci répondit favorablement à son invitation et posa sa paume dans la sienne. Une décharge électrique fut alors libérée dans le corps d'Aï, le faisant frissonner des pieds à la tête. Jamais il n'avait ressenti un pareil bonheur, une plénitude aussi grande.

Pour la première fois de sa vie, il était amoureux.

VIII

— Je ne sais pas si je t'ai déjà raconté l'histoire de mon maître, dit Sénosiris, cet homme extraordinaire avec qui, tout jeune, j'ai quitté l'Égypte pour entreprendre mon premier grand voyage au pays des Thraces.

— Oui, père, vaguement… mais ne me raconte rien pour l'instant. Repose-toi, tu en as besoin.

Les deux voyageurs avaient quitté la cité du bord de mer depuis bientôt une semaine. L'état de santé de Sénosiris se détériorait rapidement sans que Rong sût pourquoi. Sa jambe ne le faisait plus souffrir. L'Égyptien n'avait aucune blessure apparente. Lui qui avait habituellement une endurance à toute épreuve avait maintenant du mal à marcher sur de longues distances et demandait constamment à se reposer.

— Il nous reste encore quelques pièces de l'argent des voleurs, continua Rong, inquiet. Trouvons rapidement un village, et nous achèterons une mule. Ainsi, elle te portera jusqu'à ce que tu sois complètement rétabli.

— Mon maître savait qu'il ne verrait jamais le bout de notre aventure, continua Sénosiris. Il avait tout prévu, et il m'avait laissé ses instructions sur la façon dont il désirait que je dispose de son corps.

— J'aimerais que tu changes de sujet, père…, fit Rong, impatient. Il ne sert à rien de parler de telles choses aujourd'hui. L'histoire ne se reproduira pas et tu arriveras au sanctuaire, sur tes pieds, avec moi.

— Écoute bien, Rong… C'est l'histoire d'un homme qui vivait dans un petit village du nord de l'Égypte, raconta Sénosiris. Un jour, apprenant de la bouche d'une voyante qu'il allait bientôt mourir, il paniqua et décida de tout abandonner. Au moment de fuir pour aller se réfugier loin dans la montagne, c'est-à-dire là où la Mort n'arriverait jamais à le trouver, voilà qu'il l'aperçut, vêtue de sa longue robe noire, se déplaçant lentement dans les ruelles tortueuses du village. Un long bâton à la main, la Mort était visiblement à la recherche de quelqu'un et, sans aucun doute, c'était lui ! Sur la pointe des pieds, le condamné réussit à fuir et courut jusque dans la montagne. À bout de souffle, mais heureux comme un pinson d'avoir échappé à la sinistre créature, il avala ses provisions et se prépara à passer la nuit à la belle étoile. Se croyant plus malin que le renard, l'homme glissa dans le sommeil tout en songeant à la vie éternelle dont il pourrait bénéficier grâce à son habileté à déjouer l'ennemie. De toute façon, jamais la Mort ne le retrouverait dans cette montagne qu'il connaissait mieux que quiconque. Le lendemain, alors qu'il s'approchait d'une grotte qu'il venait de repérer pour s'y installer, les sanglots d'une femme lui parvinrent du fin fond de la cavité. Soucieux de porter secours à la désespérée, l'homme s'empressa d'allumer sa torche et s'enfonça dans l'obscurité pour se retrouver face à face avec… la Mort en personne ! Elle était venue se réfugier dans la grotte après avoir échoué à la simple tâche de prendre un homme au village et voilà que cet homme se retrouvait devant elle ! En le reconnaissant, elle ne fit ni une ni deux et lui défonça le crâne. Tu comprends ce que je veux te dire, Rong ?

— Non…, mentit l'albinos qui avait très bien compris la parabole, mais ne désirait pas aborder ce sujet. Je ne vois pas du tout ce que cette histoire vient faire dans notre voyage. Je n'ai pas vu la Mort, et elle ne te cherche pas !

— La morale est simple, mon garçon, continua Sénosiris. On peut fuir sa famille, ses obligations, ses responsabilités, ses dettes, bref, tout ce que l'on veut, mais la Mort, elle, se moque éperdument des faux-fuyants. Elle peut se présenter de façon bien bête ou vous tomber dessus comme un orage soudain. Ça, mon maître le savait, et je comprends aujourd'hui pourquoi il s'y était préparé.

— Il n'est pas question que je perde mon père alors que je commence à peine à bien le connaître, fit Rong, un peu énervé. Si la Mort est là, au prochain détour, je m'en occuperai, ne t'en fais pas. Contente-toi d'avancer lentement, rien ne presse. Nous atteindrons bientôt un village, je le sens.

Sénosiris, à bout de souffle, s'assit sur un rocher.

— Pars devant, Rong, l'enjoignit-il. J'ai épuisé toutes mes forces. Trouve une mule et viens me chercher ensuite, d'accord? Tu iras plus vite sans moi, et je ne risque rien ici.

— Non, père, il n'est pas question que je t'abandonne derrière…

— Sers-toi de ta tête, Rong, le coupa Sénosiris, et tu comprendras que c'est la meilleure solution si tu veux vraiment m'aider.

— Mais si des… des brigands…

— Je n'ai pas d'argent et rien de précieux sur moi, mon fils! Les voleurs ne s'intéressent pas aux vieux mendiants, n'est-ce pas?

— Si je pars, promets-moi de ne pas mourir!

— Je ne peux rien te promettre en ce sens, rigola Sénosiris, mais je te jure d'essayer de respirer le plus longtemps possible. Dépêche-toi, je ne veux pas passer la nuit sur ce rocher! Va, mon fils! Va!

Rong déposa le matériel de voyage aux pieds de son père.

— Garde ça, je serai plus rapide sans…

— Oui, Rong. Avant de partir, sache que je suis fier, très fier de toi.

— Tu le seras encore longtemps. Ne bouge pas, je reviens vite!

— Au revoir, mon garçon.

— À bientôt, père.

À toute vitesse, l'albinos déguerpit dans un nuage de poussière. Porté par l'urgence, il courut à perdre haleine dans l'espoir de trouver rapidement une agglomération quelconque. Ce n'est qu'après deux bonnes heures de course que Rong trouva un petit village, où il n'eut aucun mal à se procurer un âne et une charrette.

Pendant ce temps, Sénosiris, toujours de plus en plus mal, prit un moment pour admirer le ciel bleu et les nuages qui y dansaient lentement. Puis, il sentit le poids d'une main se poser sur son épaule. Sachant très bien de qui il s'agissait, l'Égyptien se retourna en souriant, puis dit:

— C'est un tel plaisir de vous revoir. Vous n'avez pas changé, maître.

IX

De lune en lune, Sumuhu'alay avait vieilli et n'était plus que la caricature d'elle-même.

Sa beauté l'avait peu à peu abandonnée pour faire place à de larges rides, creusées par l'inquiétude et la frustration. Ses fils étaient partis depuis de nombreuses années et n'avaient jamais donné signe de vie. Sans nouvelles des triplés, elle avait rapidement conclu à leur abandon. Les ingrats avaient pris la clé des champs et s'étaient détournés de la noble mission qu'elle leur avait confiée. Retrouver W'rn et le ramener auprès d'elle, c'était indispensable à sa survie et à celle du clan. Leur grand-père, le chef du village, était maintenant décédé. Personne ne pouvant mener le destin de la tribu, c'est elle qui avait temporairement hérité de la fonction de dirigeante, mais le mécontentement de la population était palpable. Les villageois, eux aussi, se sentaient trahis par les fils de W'rn. Selon les règles du pays de D'mt, c'était à Grand, Mort et Lune que revenait la charge de diriger le peuple, pas à leur mère, qui était une femme, donc, jugée trop peu intelligente et perspicace pour conduire la destinée du pays.

Tous les soirs, Sumuhu'alay se rendait au petit lac près du village et priait ses dieux pour le retour rapide de W'rn et de ses fils. Mais, comme à l'habitude, ses doléances demeuraient sans réponse. Elle avait beau se fâcher et menacer les divinités de les priver de sacrifices, ses mots n'arrivaient pas à les toucher. Le village avait plus que jamais besoin d'un chef, et les héritiers se faisaient attendre.

De plus, les incursions de soldats armés se faisaient de plus en plus nombreuses sur leur territoire. Chaque fois, les chasseurs réussissaient à les repousser, mais la fréquence des intrusions devenait problématique.

— Tes fils sont des lâches et des traîtres ! lançaient régulièrement à Sumuhu'alay les autres femmes du village. Ils ne sont pas dignes de recevoir notre confiance !

Sumuhu'alay avait beau défendre ses petits bec et ongles, leurs détractrices avaient néanmoins raison.

— Si tes garçons étaient morts, lui avait dit un jour la femme d'un grand chasseur, nous aurions vu leur esprit marcher près du grand feu au centre du village. C'est là que les nôtres viennent nous saluer avant la chasse éternelle. Chaque fois, notre sorcier leur parle et leur souhaite bon voyage ! Mais tes triplés ne sont pas encore apparus à ses yeux ! Tu sais ce que cela veut dire ?

La mère, blessée, n'avait rien répondu.

— Cela signifie qu'ils sont toujours vivants et qu'ils nous ont abandonnés ! Le monde n'est pas si grand, et ils ont eu tout le temps voulu pour le parcourir de long en large. S'ils n'ont pas encore trouvé W'rn, c'est parce que ce sont des incapables !

En colère, Sumuhu'alay était entrée dans sa hutte avec la ferme intention de tuer cette mégère à la langue trop bien pendue. Mais, elle s'était vite ravisée. La sagesse lui avait conseillé d'abandonner ce projet qui lui mettrait toute la population à dos. Les villageois n'attendaient qu'une bonne raison de la destituer afin d'élire un autre chef. Sa famille avait été à la tête de ce peuple depuis des générations, et ce ne serait pas aujourd'hui la fin de leur règne. Sumuhu'alay devait faire preuve de patience et de jugement et non commettre un meurtre impulsif.

Ce soir-là, alors qu'elle priait avec plus de ferveur que d'habitude pour le retour de ses fils, elle fut rejointe sur le bord du petit lac par une dizaine de femmes du village. Malgré leurs larges sourires, celles-ci semblaient dissimuler des intentions malveillantes.

— Tu demandes encore l'aide des dieux ? dit une voix que Sumuhu'alay reconnut comme celle de Danai'uk, l'épouse du grand chasseur. Décidément, tu dois être bien maladroite, car les divinités ne répondent pas souvent à tes demandes !

— Que sais-tu, toi, de la nature de mes demandes ? lança furieusement Sumuhu'alay. Occupe-toi plutôt de ton mari qui ne cesse de me faire des avances, et laisse-moi prier en paix.

— Oh ! Ne te fâche pas, Sumuhu'alay ! répondit-elle en esquissant un petit sourire narquois. Nous ne sommes pas ici pour te déplaire, mais plutôt pour essayer de te venir en aide.

— Toi ? Me venir en aide ? C'est bien la dernière chose qui te viendrait à l'esprit ! Je n'ai pas confiance en toi, ni en aucune de vous, d'ailleurs, alors partez immédiatement et laissez-moi prier en paix !

Les femmes se consultèrent du regard. Il n'y avait aucun doute, elles allaient malgré tout poursuivre leur plan.

— Mon mari est le meilleur chasseur de la tribu, et mes fils sont aussi forts et habiles que lui, continua Danai'uk avec arrogance. Tout le monde sait que tes triplés ne reviendront pas, et le village a besoin d'un nouveau chef. Selon nos lois, tu es une femme et tu ne peux exercer cette fonction qu'un temps. Le moment est venu de laisser ta place !

Sumuhu'alay bondit sur ses pieds et frappa Danai'uk en plein visage. Aussitôt, les autres femmes, impressionnées, reculèrent d'un pas.

— Ne mets plus jamais ton sale nez dans mes affaires ou je te le ferai regretter ! s'écria Sumuhu'alay, enragée. Mes fils seront bientôt de retour et ils te feront payer cet affront ! Ma famille dirige cette tribu, et elle continuera à le faire lorsque tes petits-fils seront morts. Il n'est pas question que je cède le pouvoir, surtout pas à une sorcière comme toi !

Blessée dans son amour-propre, Danai'uk se releva et fit signe aux autres femmes de ne pas s'inquiéter. Malgré les apparences, elle avait la situation bien en main.

— Selon les lois de ce village, Sumuhu'alay, lui demanda Danai'uk, qu'arrive-t-il lorsque l'autorité d'un chef est contestée par un prétendant ?

— Il y a un combat à mort entre l'aspirant et le chef, et celui qui gagne remporte le commandement. Ah ! je vois… Tu veux me provoquer en duel ? Je te préviens, tu n'as aucune chance ! Rappelle-toi que je suis la mère des enfants de W'rn et qu'à ce titre le dieu me protège !

— Non, je ne veux pas me battre avec toi, Sumuhu'alay ! Ton autorité est contestée dans le village, mais aucun guerrier ne désire t'affronter en duel, car tu es une femme. Nos chasseurs savent que seuls les lâches s'attaquent aux femmes ! Pas un homme ne désire assumer l'odieuse tâche de te tuer.

— Je comprends maintenant. Vous êtes ici pour le faire à leur place…

— Pas nécessairement, dit Danai'uk. Nous sommes simplement venues te demander d'abandonner le titre de chef que tu as hérité de ton défunt père et d'assister au tournoi que les hommes se livreront ensuite entre eux. Nous avons besoin d'un nouveau meneur, et pour que les choses soient faites dans les règles, j'implore ton bon jugement.

Sumuhu'alay poussa un cri et commença à battre la terre de ses pieds. Danai'uk ne lui dirait pas comment agir ! Les enfants de W'rn, ses fils, seraient les chefs du village, un point c'est tout ! Il n'y avait rien à discuter, et aucun autre avenir n'était possible pour ce pays.

— Essaie de comprendre ! s'exclama Danai'uk. Il faut un chef !

— Toi ! Espèce de vipère ! Serpent étrangleur ! Tu sauras que lorsque mes fils reviendront, je leur relaterai vos manœuvres et ils vous dévoreront vivantes. Tu as déjà vu la force et le caractère de mes enfants, n'est-ce pas ? Eh bien, je les enverrai tuer ta famille au complet, puis je les lancerai ensuite sur vous toutes, bande de hyènes ! Nous verrons bien qui rira ensuite !

— Dans ce cas, fit Danai'uk, tu ne nous laisses pas le choix. Finissons-en tout de suite !

Les femmes du village dévoilèrent gourdins, pointes de lance et bâtons, qu'elles abattirent sur Sumuhu'alay. Telles des harpies assoiffées de sang, les meurtrières frappèrent sans merci leur victime.

Une fois leur crime accompli, elles jetèrent le corps de Sumuhu'alay dans le lac. La pauvre y perdit lentement ce qui lui restait de sang. Elle mourut, le crâne fracassé et les os brisés, dans les eaux mêmes où elle avait rencontré pour la première fois son grand amour, le remarquable W'rn. Avant que son âme ne quitte définitivement son corps pour rejoindre le chemin de ses ancêtres, Sumuhu'alay eut la certitude que sa vie, malgré les souffrances de sa séparation amoureuse, n'avait pas été vaine.

— C'est la fin de Sumuhu'alay, dit Danai'uk sur un ton haineux, et il était temps. C'est un nouveau jour qui se lève sur notre village ! Maintenant, nous pouvons entrevoir l'avenir avec confiance.

Honteuses, mais convaincues qu'elles avaient agi dans le meilleur intérêt de la communauté, les femmes hochèrent la tête, approuvant ainsi les sages paroles de leur meneuse.

C'est à ce moment qu'une volée de flèches jaillit subitement de la forêt. Les femmes furent transpercées de dizaines de projectiles.

Les guerriers égyptiens du pharaon Mérenptah s'étaient introduits au cœur du pays de D'mt avec la mission d'en tuer tous les habitants. Lorsqu'ils en ressortiraient, quelques jours plus tard, il n'y resterait plus que de la cendre et du sang.

Le règne des cannibales sur ce territoire avait assez duré.

X

— C'est moi qui viens te chercher, cher élève ! C'est une telle joie de pouvoir te parler de nouveau !

Sénosiris sourit. C'était bien lui, l'homme qui lui avait tout appris, son maître adoré. Celui-ci n'avait pas changé. Il était identique à l'homme avec qui l'Égyptien, alors enfant, avait quitté les rives du Nil pour entreprendre ce grand voyage vers le Nord. Il avait le même regard, les mêmes yeux rieurs.

— Comme je suis heureux, moi aussi, de vous revoir, maître ! s'exclama Sénosiris. Quelle joie de vous retrouver après toutes ces années ! Mais tout d'abord, je tiens à m'excuser auprès de vous. Je suis désolé de vous avoir abandonné sans une sépulture décente. Je m'en suis voulu longtemps. J'aurais tant aimé pouvoir pratiquer les rites des morts avec vous… Mais il faut me comprendre, j'étais jeune et démuni…

— Et puis, tu étais seul, le coupa le maître. Je comprends très bien, et je ne te reproche rien. Je t'observe depuis de nombreuses années, mon enfant, et je puis dire que tu as dépassé ton vieux maître en tout point.

— Oh non. C'est vous, le grand mage…

— Plus maintenant, le taquina le maître. Regarde-toi ! Tu as l'air d'un vieillard, mon pauvre Sénosiris ! Ta figure est toute plissée ! Et cette barbe, elle est affreuse ! Mais où est donc le jeune garçon curieux qui jadis avait une telle soif d'apprendre ?

— Il est devenu un homme, cher maître, et…

— … et un grand homme, un très grand homme, mon élève ! le coupa encore le maître. J'ai tant d'admiration pour toi, pour ce que tu as fait, les voyages que tu as entrepris. C'est fabuleux, Sénosiris, tout à fait extraordinaire ! Tu as dépassé mon savoir et mes enseignements dans tous les domaines! De la science des astres à celle de l'architecture, des mathématiques aux langues, tout! Tu as tout fait mieux que moi, mieux que quiconque.

— Malgré tout mon savoir, je n'aurai donc pas réussi à vaincre la mort…

— Mais voyons, s'exaspéra le maître, avec toute ta sagesse, tu devrais savoir que la mort n'est pas une ennemie et qu'elle fait partie de la vie!

— Je sais… J'aurais seulement aimé revoir le sanctuaire et le lac, et passer un peu plus de temps avec Rong.

— Ta tâche ici est terminée, Sénosiris, et tu dois maintenant passer à autre chose. Ton fils se débrouillera très bien sans toi! Ce jeune guerrier a devant lui une grande destinée à accomplir, et il n'a pas besoin de son père pour y parvenir.

— Et le Râjâ? Comment va-t-il? Je peux avoir de ses nouvelles?

— Il se porte bien, c'est tout ce que je peux te dire.

Assis sur son rocher, l'Égyptien tourna une dernière fois son visage vers le soleil. Il profita un peu de la douce chaleur des rayons sur sa peau. En un instant, il regarda passer devant ses yeux le fil de son existence et constata avec satisfaction qu'il avait eu une vie bien remplie. De sa naissance jusqu'au moment précis de ce voyage, il avait acquis une vaste connaissance du monde et de ses secrets. Et tout ce savoir, Sénosiris l'avait partagé avec les autres afin de les aider, afin surtout de rendre leur vie plus agréable et moins difficile.

— Bon… je crois que je suis prêt, dit-il. Je crois bien que mes adieux à cette vie sont faits et que je peux partir en paix. À quoi dois-je m'attendre maintenant?

— Tu verras bien! Allez, donne-moi la main, car là où nous allons, j'ai été choisi pour te guider et t'enseigner ce que tu dois savoir. Tu ne te débarrasseras pas de moi aussi facilement, tu sais.

Lorsque Sénosiris toucha la main de son maître, il se métamorphosa en jeune garçon de dix ans. Exactement comme dans sa jeunesse, l'apprenti qu'il était redevenu désirait apprendre tout ce qu'il y avait à connaître du nouvel univers qui s'ouvrait devant lui.

— Regarde derrière toi et dis-moi si tu te souviens de lui, fit le maître.

Le garçon se retourna et vit son âne Kheper, le fidèle compagnon de voyage de sa jeunesse, qui était là, tout près de lui. L'animal profita de l'étonnement de son ami pour lui donner un grand coup de langue, ce qui fit rire le jeune Sénosiris aux éclats. Tout semblait y être. L'Égyptien vivrait dès lors une autre grande aventure !

— Partons, mes amis, dit finalement le maître. Nous avons un long trajet devant nous !

Toujours assis sur son rocher, Sénosiris ferma les yeux et expira une dernière fois. Son corps de vieillard vacilla un peu, puis il tomba mollement dans la poussière.

— PÈRE ! NON, PÈRE ! hurla Rong. NOOON !

Toute la scène s'était déroulée sous ses yeux. Lorsque l'albinos arriva à vive allure aux côtés de son père, il était trop tard. Sénosiris avait quitté son corps, et il ne restait de lui qu'une vieille enveloppe de chair inanimée. Après de nombreuses tentatives pour le ramener à la vie, Rong dut se résoudre à l'évidence. Respectueusement, il serra la dépouille de son père contre lui et versa quelques larmes.

— Je suis arrivé trop tard…, dit-il, la gorge serrée. J'ai pourtant fait le plus rapidement possible… Pardonne-moi, père. J'aurais tant aimé être là pour t'accompagner dans ton départ…

Rong souleva le corps de Sénosiris et le déposa dans la charrette. Il l'enterrerait plus loin, sûrement au village qu'il venait tout juste de quitter.

« Il ne me reste plus qu'à continuer, se dit l'albinos, un peu désemparé. Sans lui, je ne sais comment je ferai pour trouver le sanctuaire du lac… d'autant plus que je ne parle pas un mot de la langue thrace ! Il aurait pu attendre un peu avant de me quitter… »

XI

Aï croupissait dans sa cellule depuis déjà quelques semaines. Heureusement, le temps avait vite passé. Avec Waorwen pour lui tenir compagnie, ces moments en cellule avaient même été charmants.

— Tu es un être tout à fait fantastique! la complimenta Aï. Depuis que je te connais, je ne vois plus le monde de la même façon. Je comprends aujourd'hui que je vivais dans l'obscurité, et tu m'as donné la lumière dont j'avais tant besoin.

— Cesse ces louanges, Aï…, répondit-elle dans la langue des esclaves du Goshen. En vérité, je ne sais pas trop ce que je suis, et je crois que tous les hyrcanoï de ce sanctuaire se posent les mêmes questions que moi.

— En quelques jours seulement, tu as appris ma langue! N'est-ce pas extraordinaire?

— Je ne l'ai pas apprise, le corrigea Waorwen, je l'ai extraite de tes pensées… D'ailleurs, je ne pourrais pas t'expliquer comment j'ai réussi une telle chose.

— C'est quand même fascinant, non?

— Je ne sais pas trop… J'apprends à me connaître. Depuis que j'ai quitté ma peau de loup, je ressens différemment les énergies du monde autour de moi. J'ai l'intuition de tout ce qui se passe dans le sanctuaire… Je ressens la puissance du lac dans tout mon corps.

— Et qu'éprouves-tu en ce moment?

— Les forces de l'eau sont en train de muter, de se transformer lentement… On dirait qu'elles attendent impatiemment quelque chose ou quelqu'un… Je peux ressentir aussi l'impatience de Misis. Elle ne peut pas avoir d'enfants avec le Râjâ, et cette situation la désespère depuis de nombreuses années. Notre souverain est mélancolique et fatigué… Lui qui rêvait d'un grand royaume à gouverner se trouve bien misérable aujourd'hui. Toutes les énergies de la montagne se préparent à un changement. De plus, tes armées se positionnent présentement autour du sanctuaire ! Elles sont nombreuses et disposent d'armes de siège.

— Tu veux dire que…

— Oui, le coupa Waorwen. Je t'assure que tes amis sont là, tout près de nous, et que bientôt ils bombarderont le sanctuaire pour le réduire à néant.

L'hyrcanoï ne se trompait pas. Autour du sanctuaire, les combattants de l'ordre du Bouc menaient une bataille ardue contre une meute de loups géants déterminés à les empêcher de s'approcher du lac. Contrairement aux soldats de Veliko Tarnovo, les troupes d'Aï étaient équipées pour tenir tête à l'opiniâtreté de leurs ennemis. Lentement mais sûrement, ils avançaient selon une technique de combat groupé que les bêtes avaient du mal à percer. Les hommes de l'ordre du Bouc étaient disciplinés, bien organisés et habilement dirigés dans leurs manœuvres d'approche. Avec rigueur et persévérance, les troupes considéraient chacun de leurs pas en avant comme une victoire et les accumulaient rapidement.

— Ils viennent pour me délivrer, c'est ça, Waorwen ?

— Tes compagnons sont là pour toi, mais aussi pour tuer le Râjâ ! N'est-ce pas toi qui leur as enseigné à haïr celui que je considère toujours comme l'être le plus merveilleux du monde, ton Osiris-Path ? Tu devrais être content, car ils réussiront sans doute à venger la mort des tiens !

— Mais qu'adviendra-t-il des autres hyrcanoï qui vivent ici, au sanctuaire ?

— Comme le Râjâ, ils seront tués. Mon peuple n'a pas les compétences pour se battre, nous n'avons pas été créés dans ce but… D'ailleurs, les autres ne savent pas plus que moi quelle est l'étendue de leurs pouvoirs… Nous protéger, c'est la fonction des humains du sanctuaire, et le lac est là pour en faire nos gardiens.

— Je dois faire quelque chose, je me dois de les arrêter ! s'emporta Aï.

— Les enfants de ton peuple furent massacrés par notre Râjâ, dit Waorwen. N'est-il pas normal que cet acte immonde soit puni par l'anéantissement des miens? Œil pour œil et dent pour dent! N'est-ce pas là le juste retour du balancier? Depuis l'enfance, Aï, tu rêves du jour où tu prendras ta revanche. Réjouis-toi, car ce jour est arrivé.

— Mais il y a toi… et je ne veux pas que… je… t'ai…

— Tu m'aimes? Même si je suis une créature laide et défigurée?

— Oui, je suis follement amoureux de toi. Sans toi, il semble que ma vie n'aurait plus de sens.

— Eh bien, tu devras t'y faire… Tes soldats croiront bientôt que je suis un monstre et ils me trancheront la gorge.

Aï commença à remuer violemment les barreaux de sa cage.

— LAISSEZ-MOI SORTIR! JE VAIS TOUT ARRANGER! JE SUIS LE CHEF DE L'ORDRE DU BOUC ET SI VOUS ME LAISSEZ SORTIR, J'ORDONNERAI À MES TROUPES DE QUITTER LE PAYS!

— Personne ne viendra, Aï… Nous mourrons ici, tous les deux.

— Je refuse de baisser les bras! Il doit bien y avoir un moyen de sortir d'ici!

— Tu m'as dit que sans moi, ta vie n'aurait plus de sens, c'est bien cela?

— Oui… c'est ce que je crois.

À ce moment, Misis pénétra dans la pièce.

— Faites-moi sortir et j'arrangerai tout avec mes hommes! Je jure que je ferai cesser les hostilités! Ils ne savent pas… Ils ne comprennent pas ce qui se passe ici! Waorwen m'a tout expliqué et…

— Mais depuis quand parles-tu la langue des Thraces, toi? lui demanda Misis, intriguée.

— À vrai dire, je ne sais pas…, fit Aï en constatant soudainement qu'il s'exprimait bien dans une langue étrangère.

— C'est encore un tour de cette chère Waorwen! lança la reine, à peine étonnée. Je ne sais comment elle a réussi cet exploit!

— Laissez-moi partir et je vous jure que les combats cesseront! continua Aï. Plus jamais mes hommes ne viendront troubler votre paix. Tout ce que je veux en échange, c'est… Waorwen!

— Je n'ai pas confiance en toi, ni en cette racoleuse ! lança sévèrement Misis. Je suis d'ailleurs venue la chercher pour la soumettre à une dernière expérience ! Si elle a un peu de chance, elle mourra rapidement...

Le sang d'Aï ne fit qu'un tour.

— Je vous l'échange contre la paix ! Je vous le répète : si vous me faites sortir, je jure que les troupes qui vous attaquent abandonneront le combat et que plus jamais vous n'aurez affaire à nous.

— Tu me demandes de lui laisser la vie sauve ? s'étonna Misis.

— Oui, je vous implore de le faire ! dit Aï.

— Tu me débarrasseras d'elle une fois que tes troupes seront prêtes à partir ?

— Oui, si elle le veut, je la prendrai avec moi. Nous irons vivre très loin d'ici et plus jamais nous ne reviendrons sur vos terres. J'en fais la promesse solennelle !

Misis pouffa de rire.

— En voici un qui ne manque pas d'audace ! lança-t-elle. Je l'enferme dans une cellule et le voici prêt, pour l'amour d'une traînée, à nous venir en aide. Pauvre homme stupide ! Tu es tombé sous le charme d'une créature vicieuse et manipulatrice ! C'est elle qui contrôle tes émotions maintenant...

— Ne l'écoute pas, Aï, fit Waorwen, elle est jalouse de moi... Misis aurait bien aimé avoir mes pouvoirs, et elle me tuera !

— En plus, continua Aï, je vous donnerai de l'argent ! Beaucoup d'argent !

— Décidément, ce pauvre homme est complètement sous ton charme, Waorwen ! Bon... puisque tu insistes autant, je vais te libérer !

— Merci beaucoup, fit Aï. Je ne vous décevrai pas... Mes hommes s'en iront et je reviendrai chercher Waorwen. Marché conclu ?

— Oui... marché conclu, mais à une seule condition ! Je désire savoir ce que tu as dit au Râjâ lors de votre conversation près de la colonne de hiéroglyphes. Tu te rappelles, le jour de ton arrivée ici ?

Aussitôt, Aï lui rapporta les moindres détails de leur discussion. Il lui raconta tout, en mentionnant bien la descendance du Râjâ. Dans l'espoir d'être libéré et de sauver Waorwen, il rapporta à Misis ce qu'il avait appris sur les origines de ces trois fils et sur l'ardent désir qu'ils avaient de retrouver leur père.

Tout au long de ses explications, Misis tenta de contrôler sa colère. Elle était en furie. Son sang bouillait comme la lave d'un volcan. Ainsi, son Pan avait des descendants! Jamais il n'avait fait mention d'une femme lorsqu'il lui avait raconté son voyage en Égypte! Misis n'était pas son unique amour! Il en avait aimé une autre au point de lui faire des enfants. De monstrueux rejetons, mais princes quand même!

— Tu es libre, dit-elle, les dents serrées, en ouvrant la porte de la cellule. Qu'on l'escorte hors des murs du sanctuaire!

— Je reviendrai te chercher, Waorwen, c'est juré! insista Aï avant de se voir accompagné par deux gardes. Je calme mes troupes et je reviens!

Misis demeura seule avec la prisonnière.

— Tu lui as complètement lavé l'esprit! lança la reine. Tu dois bien te douter qu'il ne reviendra pas, n'est-ce pas? Malgré tous les efforts que tu as déployés afin de le dominer, cet homme est condamné! Dès qu'il racontera ce qu'il a vu ici, ses amis le tueront! Ils le croiront fou!

— C'était un risque à prendre, répondit Waorwen. Mais, s'il revient, allez-vous me rendre ma liberté tel que vous l'avez promis?

— Tu seras morte bien avant, ma pauvre! grogna la reine. Jusqu'à présent, je ne m'étais pas résignée à te tuer. Je voulais te faire souffrir le plus longtemps possible, mais aujourd'hui les choses ont changé. Je désirais te punir pour tes désirs impurs envers mon Pan, envers mon roi! Seulement…

— Seulement, votre haine s'est trouvé une nouvelle cible, n'est-ce pas? demanda l'hyrcanoï. Et déjà vous préparez votre vengeance! Il importe peu maintenant que je sois morte ou vivante, car je ne vous amuse plus.

— Tu ne m'as jamais amusée…

— Oh oui, et beaucoup même! Surtout lorsque vous m'avez défigurée, puis condamnée à vivre dans une cage comme…

— … comme un animal sauvage, oui, car c'est bien ce que tu es, une sale bête en qui personne ne peut avoir confiance!

À bien y penser, tu as raison, je me suis bien divertie en ta compagnie…

— Qu'allez-vous faire, tuer le Râjâ ?

— Non, mais ses fils, oui…

— Je vous souhaite bonne chance, car ils n'ont pas l'air très commodes ! Et le daman-zan ? Allez-vous abandonner cette quête qui vous obsède depuis tant d'années ?

— Non, car je crois maintenant savoir où le trouver.

Waorwen comprit à ce moment qu'elle était perdue. Dans un effort surhumain, elle tenta d'attraper Misis à travers les barreaux de sa cellule, mais n'y parvint pas. La reine saisit alors une grande lance qui était appuyée au mur et transperça le corps de l'hyrcanoï. Déjà faible depuis de nombreuses années, Waorwen se laissa tomber sur le plancher de sa geôle et poussa son dernier souffle. Son corps se transforma lentement en celui de la jeune louve qu'elle avait été autrefois.

— Tu serviras à ma dernière expérience, chère Waorwen… Je crois que le daman-zan se cache en toi, dans ton corps, et j'entends bien te disséquer pour le trouver. Mais avant, je vais aller prendre un bain dans le lac. J'ai quelques pistes à suivre !

XII

Rong tomba face contre terre et demeura longuement le nez dans la mousse humide de la forêt. Sans nourriture et sans eau, il n'avait plus la force de continuer son chemin. Parti seul vers les terres des Thraces après avoir enterré Sénosiris, il s'était perdu en chemin. Quoique débrouillard, l'albinos n'avait pas les ressources et l'expérience de son défunt père quant à la survie en milieu hostile. Au cours de sa route, il avait dû se résoudre à tuer son âne pour le manger et brûler peu à peu sa charrette afin de se réchauffer durant les nuits froides passées sans abri.

Depuis des semaines, Rong n'avait pas rencontré âme qui vive : aucun village sur sa route, aucune trace du moindre voyageur à qui demander son chemin. Jamais il ne s'était senti aussi seul et désespéré. Il avait faim et soif, mais ne trouvait plus la force de chercher de la nourriture. Désabusé, l'albinos avait bien trouvé quelques fourmis et deux ou trois petits lézards à se mettre sous la dent. Rien de bien nourrissant pour un voyageur. Comble de malheur, la lune serait pleine ce soir, et il n'avait pas encore trouvé de cachette pour fuir sa lumière. Sa fin était proche. Il la sentait venir.

Courageusement, Rong essaya de se relever, mais il en fut incapable. Son sang était trop clair, et ses muscles, vides d'énergie. Il ne réussit qu'à se retourner sur le dos. Lentement, il vit la lumière du jour être remplacée par les ténèbres de la nuit. C'est à ce moment qu'il fut saisi d'une vive douleur au ventre, puis de frissons persistants qui lui traversèrent le corps en provoquant de violents spasmes. Il eut ensuite l'impression que ses os se brisaient et que son crâne, prisonnier d'un étau, allait exploser en mille miettes. Rong eut beau hurler de toutes ses forces, personne ne vint à son secours. Torturé par la lune, il sentit sa mâchoire se disloquer, ses membres s'atrophier et les côtes de sa cage thoracique se fracturer une à une. L'albinos n'avait qu'une seule pensée en tête : mourir au plus vite. Seulement, il n'y arrivait pas. Au contraire, plus la souffrance devenait insupportable, plus son corps semblait fort et débordant de vie.

Puis, tout s'arrêta d'un coup. Libéré du mal, Rong réussit facilement à se relever, puis regarda autour de lui. Malgré les ténèbres, il pouvait facilement voir à travers la forêt, mais surtout sentir l'odeur de la chair chaude. Aussitôt, il bondit comme un fauve et se mit en chasse. Manger, il lui fallait manger le plus rapidement possible !

En moins de temps qu'il n'en faut aux meilleurs prédateurs pour trouver une proie, il attaqua sauvagement un sanglier sauvage, lui aussi à la recherche de nourriture. Jamais le mammifère n'entendit venir son bourreau. En quelques secondes, la bête fut égorgée puis éviscérée d'un coup de griffes. C'est alors que Rong planta ses dents dans la chair et qu'il poussa ensuite un hurlement de bonheur. Le sang de l'animal apaisait enfin sa soif, sa chair allait bientôt soulager sa faim. L'albinos ne se rappelait pas avoir goûté quelque chose d'aussi délicieux de toute sa vie. Sa bouche débordant de salive mâchait avec avidité les muscles et le gras du sanglier. Il n'avait rien connu d'aussi savoureux, jamais une nourriture ne l'avait enivré à ce point. Au comble du bonheur, Rong hurla une seconde fois à pleins poumons. Son cri, aussi puissant que discordant, fit fuir tous les animaux et les oiseaux de nuit se trouvant à proximité.

Une fois rassasié, l'albinos se mit en quête d'un cours d'eau ou d'un lac afin de se nettoyer. Guidé par son instinct, il trouva rapidement une petite mare assez profonde pour s'y plonger. Avant de se glisser dans l'eau, Rong aperçut son reflet.

Son corps et sa tête n'avaient plus rien d'humain. Il avait l'allure d'un gigantesque loup blanc dont la gueule, maculée de sang, était disproportionnée. À ce moment précis, Rong constata qu'il marchait à quatre pattes et que son corps était recouvert de poils. Il portait aussi une longue queue qu'il pouvait bouger à sa guise. Étonné par sa nouvelle apparence, il détourna le regard, secoua la tête. De toute évidence, il était devenu un loup. C'est à cet instant précis qu'il perdit connaissance.

À l'aurore, Rong se réveilla près de la mare, son corps à moitié immergé. Il avait retrouvé son apparence humaine, mais il était complètement nu. Couvert de boue et de sang, l'albinos remarqua de gigantesques empreintes de loup, tout juste à ses côtés. Confus, il se nettoya du mieux qu'il le put.

«Je deviens fou…, pensa-t-il. C'est certain, je perds la tête…»

Bien qu'il eût un souvenir très précis des événements de la veille, l'albinos n'arrivait pas à y croire.

«J'ai attaqué un sanglier à mains nues et je l'ai mangé cru…, se dit-il encore. J'étais un loup… un loup blanc… Père avait raison… À moins que ce ne soient toutes ses histoires à dormir debout qui ont finalement eu raison de ma logique… Un loup blanc.»

Nu au bord de l'eau, Rong n'avait maintenant plus rien pour continuer son voyage. Sans armes ni vêtements, il ne savait plus quoi faire. Comment allait-il survivre? Où pourrait-il s'abriter? Et comment se défendre? Autant de questions auxquelles répondre et de problèmes à régler.

L'albinos se leva et remonta la piste qu'avait tracée le loup qu'il avait été la veille. Il trouva rapidement le cadavre de son dernier repas, à moitié mangé. Déjà, quelques oiseaux rapaces et plusieurs petites bêtes s'étaient attaqués aux restes. Non sans difficulté, Rong continua ses recherches afin de retrouver l'endroit de sa métamorphose. Arrivé sur les lieux, il put mettre la main sur ses armes et sur quelques vêtements encore en assez bon état pour être portés. Rassuré, il s'habilla.

— Mes bottes n'ont pas été endommagées, se réjouit-il. Je ne vois pas comment j'aurais pu continuer mon voyage pieds nus dans cette forêt!

Comme il allait reprendre son chemin, Rong vit trois silhouettes d'apparence humaine émerger de la forêt. Trois créatures étranges qui s'arrêtèrent à bonne distance pour l'observer. Un son guttural jaillit soudainement de ces corps un peu difformes.

— W'RN?

XIII

Les loups attaquaient avec acharnement les troupes de l'ordre du Bouc.

Sur tous les fronts, les bêtes bravaient les lances, les épées et les flèches des soldats d'Aï. Jamais ces guerriers, pourtant bien entraînés, n'avaient eu à se défendre avec autant de vigueur. Pour demeurer en vie, ils devaient être attentifs à tout instant. La moindre erreur pouvait mener à la mort.

Pendant que Hény dirigeait ses hommes en hurlant des ordres, Ra-ou assurait avec une troupe d'archers la défense arrière. Kashu, quant à lui, était devant et repoussait avec une équipe de lanciers les incessantes vagues de monstres enragés.

— On dirait bien que nos armes ne font pas beaucoup de dégâts ! cria Hény en direction de Ra-ou.

— En effet, les flèches n'arrivent pas à les transpercer ! Leur pelage est trop épais !

— Mes hommes sont épuisés ! J'ai besoin de renfort à l'avant ! s'exclama Kashu. À ce rythme, nous ne tiendrons pas la journée !

En quelques heures de combat, les troupes de l'ordre du Bouc n'avaient réussi à tuer que quelques loups. Les bêtes, une fois mortes, perdaient leurs poils et leurs longs crocs pour se métamorphoser en humains. Cette impressionnante transformation semblait jouer sur le moral des soldats. Se battre contre des animaux enragés était une chose, mais affronter une bande de sorciers en était une autre.

Hény fit signe à ses compagnons de le rejoindre. Jusqu'à présent, les troupes avaient bien progressé dans la montagne et, heureusement, leurs morts se comptaient encore sur les dix doigts. Il leur fallait rapidement établir une autre stratégie d'attaque et de défense pour assurer la victoire.

— Nous devons encore avancer, car il y a un passage secret menant directement au sanctuaire, proposa l'espion de Veliko Tarnovo qu'ils avaient engagé.

Vanek traduisit les indications du guide.

— Avancer? Il en a de bonnes, lui! s'exclama Hény. Mais dis-lui donc que c'est exactement ce que nous essayons de faire depuis bientôt deux heures! Nous avons tout essayé, mais ces bêtes ne nous concèdent pas une coudée de terrain!

— Notre guide croit qu'ils cesseront de nous attaquer dès que nous trouverons le passage, rapporta Vanek. Les bêtes iront protéger tout de suite le sanctuaire, ainsi nous aurons le temps de bien planifier notre siège.

— Facile à dire! fit Ra-ou, incrédule. Je ne vois pas comment il peut prévoir le comportement de ces créatures. Heureusement, elles sont brouillonnes et désorganisées, sinon nous aurions déjà reçu une raclée! Moi, je ne crois pas qu'elles iront systématiquement protéger leur sanctuaire si nous trouvons le passage!

— Je pense comme toi, Ra-ou, ajouta Kashu. Parmi les loups, je n'ai pas vu de chef, ni d'ordre hiérarchique! Ils attaquent n'importe comment, sans méthode. On ne peut pas prédire ce qu'ils feront!

Le guide insista pour faire valoir son opinion, mais les chefs de l'ordre du Bouc ne l'écoutaient plus.

Puis, contre toute attente, les loups cessèrent les combats et se retirèrent dans la forêt.

— Mais qu'est-ce qui se passe encore? se demanda Hény à voix haute.

— Je viens de le dire, ces bêtes sont imprévisibles! lança Kashu. Elles nous préparent peut-être un sale coup!

— Profitons-en pour regrouper nos hommes afin d'organiser une nouvelle défense! proposa Ra-ou. Les archers pourront se... Mais... Mais qu'est-ce que je vois là-bas? Regardez dans le sentier qui descend de la montagne, on dirait bien que c'est... mais oui, c'est Aï!

Hény se frotta les yeux pour être bien certain qu'il n'avait pas la berlue. Pendant que Vanek criait à Aï de faire attention aux loups qui se cachaient dans les bois, Kashu se pinça. Il était bien réveillé.

En déambulant lentement comme s'il faisait une promenade de santé, Aï passa la première ligne de ses hommes en les saluant amicalement. Ceux-ci, estomaqués par la soudaine apparition, n'osèrent pas bouger et le laissèrent marcher jusqu'à ses compagnons.

— Aï! fit Hény. C'est bien toi? Mais qu'est-ce que...

— Ne vous inquiétez pas, mes amis, dit-il, tout est terminé!

— Quoi? s'étonna Ra-ou. Tu as vaincu à toi seul les meutes de loups et le Râjâ, c'est ça?

— Non, pas du tout! répondit Aï, le sourire aux lèvres. Je viens vous dire que nous nous sommes trompés et que nous pouvons rentrer chez nous.

— Ma foi, il est drogué... ou complètement soûl! lança Kashu.

— Rien de cela, mes amis... J'ai simplement compris des choses qui m'étaient inaccessibles avant ce jour. D'ailleurs, j'aimerais que vous m'accompagniez au sanctuaire, car il y a là une femme extraordinaire que j'aimerais vous présenter! Elle est magnifique, intelligente et parle notre langue! Elle s'appelle Waorwen, et je crois bien que nous sommes amoureux...

Hény toussota.

Manifestement, Aï n'était plus l'homme qu'il avait connu. Était-ce la torture qui l'avait rendu dément?

— Et qu'as-tu compris? se risqua à demander Kashu. Il faut que tu m'expliques, car je ne suis pas certain de te suivre...

— Que le monde est beaucoup plus complexe qu'il n'en a l'air, mais surtout, que nous devons nous soumettre aux forces de la nature. Cette lutte que nous menons depuis tant d'années contre les monstres ne sert plus à rien! En vérité, les monstres, c'est nous! Je pardonne à Osiris-Path le massacre du Goshen, et je n'ai plus envie de mener un combat pour venger les événements du passé. J'ai envie de regarder vers l'avenir!

— Ai-je bien entendu que tu «pardonnes» à Osiris-Path? le coupa Ra-ou. Manifestement, tu es tombé sur la tête...

— J'ai conclu un pacte avec la reine qui dirige en compagnie d'Osiris-Path le destin de ce sanctuaire, continua Aï. En contrepartie de notre retraite immédiate, Misis m'accorde le droit de quitter sain et sauf ses terres en compagnie de Waorwen. Vous voyez? Tout est arrangé! Dites aux hommes de partir, et montez avec moi chercher mon aimée. Mais s'il vous plaît, évitez de l'offenser en la dévisageant, car elle est un peu défigurée...

— En effet, c'est... c'est extraordinaire, Aï! s'exclama Hény sur une note faussement joyeuse. Tu nous laisses quelques instants pour que je parle en tête à tête avec les autres?

Les guerriers de l'ordre du Bouc, mine de rien, avaient écouté attentivement l'échange. De toute évidence, Aï n'était plus le même homme et semblait totalement égaré. Aussi bien par ses paroles que par ses gestes, il renvoyait l'image d'un homme déséquilibré.

— Ah, je sais! s'indigna Aï. Vous croyez que je suis fou, c'est ça? Vous pensez que je suis maintenant de mèche avec l'ennemi, n'est-ce pas? Vous ne comprenez pas, vous ne comprenez rien! Laissez-moi vous expliquer...

— Admets que ton discours est assez surprenant! s'indigna Kashu. Depuis ta jeunesse, tu nous casses les oreilles avec tes projets de vengeance envers Osiris-Path, et voilà qu'arrivé au but, tu renonces à tout pour une femme défigurée! Tu es tout à fait incohérent, Aï!

— Mais non, Kashu, pas une femme, mais une hyrcanoï! C'est une louve qui est devenue humaine grâce au lac du sanctuaire. Je sais que c'est difficile à croire, mais je jure sur ma propre vie que c'est vrai. J'ai passé les dernières semaines avec elle en prison, et elle a pu lire dans mes pensées que...

— En prison? s'étonna Ra-ou. Et, dis-moi, tu t'es échappé de ta cellule, c'est bien ça?

— Non, on m'a laissé volontairement partir pour venir vous dire de quitter la montagne. Il ne sert plus à rien de se battre, tout est terminé! Les humains ne sont pas assez sages pour diriger ce monde. Nous devons nous soumettre et devenir les protecteurs des hyrcanoï, je vous assure que c'est la bonne chose à faire. Enfin, vous comprendrez mieux lorsque Waorwen vous expliquera tout. Elle est très douée...

— Et très persuasive, cela semble évident! se fâcha Hény. Reviens à toi, Aï! Je suis très content de te revoir, mais si tu dis encore des absurdités, nous devrons te bâillonner. Alors, parle-moi de ce sanctuaire, et indique-nous le meilleur endroit où frapper !

Aï fit un pas à reculons. Ses amis le pensaient véritablement fou. Pourtant, il avait dit la vérité, rien que la vérité ! Comment ses amis pouvaient-ils être aussi obtus et douter de lui à ce point ?

— Si vous continuez votre attaque, Misis mettra Waorwen à mort ! Je ne peux pas vous laisser faire une telle chose.

— Mais de quoi il parle ? demanda Vanek, mort d'inquiétude. Son histoire ne tient pas debout ! C'est évident que sa présence ici cache quelque chose ! Pendant que nous discutons avec lui, les loups préparent une nouvelle attaque...

— Donnez-moi une petite chance et faites-moi confiance, insista Aï. Si nous sauvons Waorwen, elle pourra nous guérir et nous redonner la vie ! Je l'ai vu faire avec un rat mort ! C'est grâce aux battements de son cœur...

— ÇA SUFFIT, AÏ ! ordonna Hény. Tu n'as manifestement plus toute ta tête ! Je te demande seulement de ne pas nous déranger. Nous verrons plus tard à soigner le mal qui t'affecte.

En colère, Aï tira l'épée du fourreau de son ami.

— Je vous ordonne de quitter immédiatement cet endroit ! C'est la vie de Waorwen qui en dépend ! Si vous ne partez pas, je devrai vous forcer à le faire ! Je suis votre chef et vous allez m'obéir, est-ce clair ?

Un murmure d'inquiétude retentit au sein des troupes. Aï avait bel et bien perdu la raison.

— Donne-moi cette arme, dit fermement Hény en tendant le bras. N'aggrave pas ton cas, Aï ! Malgré toute l'amitié que je te porte, je ne supporterai pas que tu me menaces ! Allez, rends-moi mon arme...

— Waorwen avait bien raison, les humains sont incapables de comprendre... Vous ne désirez pas connaître la véritable nature du monde, de peur de vous apercevoir que vous n'y avez pas votre place ! Comme les autres, vous manquez de modestie ! J'étais comme vous avant, mais aujourd'hui, c'est terminé ! Je ne serai plus esclave... Plus jamais je ne serai l'esclave de ma triste humanité !

— Tu déraisonnes complètement, Aï! insista Hény. Donne-moi cette épée, je t'en prie! Fais-nous confiance, nous allons te faire soigner! Tu es entre bonnes mains, nous sommes tes amis!

— Des amis qui veulent la mort de Waorwen! Eh bien, soyez maudits! Je n'ai plus besoin de vous! Que l'ordre du Bouc périsse!

Aï leva l'épée et fonça droit sur son ami Hény, bien décidé à le trucider. Il s'élança comme un fauve sur sa proie, mais arrêta net sa motion. Avant qu'il n'ait pu atteindre son ami, une flèche provenant de l'arc de Ra-ou fendit l'air et se logea dans son dos.

— Je croyais que vous… que vous étiez mes… amis, dit Aï avant de tomber face contre terre, mort.

— Il allait te tuer, Hény…, s'excusa Ra-ou, sous le choc. Je ne voulais pas, mais… c'était un réflexe, je n'ai pas pensé… Je suis désolé…

— Tu as fait ce qu'il fallait, mon ami, le rassura Hény. Tu m'as sauvé la vie et je t'en serai reconnaissant jusqu'à mon dernier souffle.

— Il avait complètement perdu la tête! ajouta Kashu. Si je me fais prendre par ces monstres et que vous me retrouvez dans le même état qu'Aï, j'implore votre pitié et vous demande de m'achever sur-le-champ.

— Maître Aï! Mais que vous ont-ils fait? se lamenta Vanek.

Les soldats qui avaient vu la scène se rassemblèrent autour du cadavre de leur ancien chef. Respectueusement, ils retirèrent leurs casques et inclinèrent la tête en signe de respect.

— Ses mots, vous les avez entendus comme moi, dit Hény, la voix nouée par l'émotion. Ses dernières paroles étaient celles d'un homme sain, mais rendu fou par les monstres et les sorciers du sanctuaire maudit. Voilà ce qui nous attend tous si nous baissons les bras! Depuis sa fondation, l'ordre du Bouc s'est donné la mission d'assainir le monde de ces abominations. Notre tâche est lourde, mais les résultats seront probants. Gardez courage en vos cœurs! Menons aujourd'hui cette bataille pour Aï! Allons au combat à la mémoire de notre fondateur!

Gonflés à bloc, les guerriers poussèrent un cri de ralliement qui fut entendu à des lieues à la ronde.

À ce moment, les loups bondirent de la forêt et reprirent la défense de leurs terres.

XIV

Sans quitter l'albinos des yeux, les trois créatures s'en approchèrent un peu plus.

— C'est W'rn ? demanda Lune W'rn à ses frères. C'est bien lui ?

— Mais il est tout blanc…, grogna Mort W'rn. Mère ne nous a jamais parlé de ce détail.

— Tu l'as vu comme moi, répondit Grand W'rn, il est devenu un loup et il a chassé comme nous. Ensuite, il est redevenu humain… Seul W'rn peut faire une chose pareille ! Il a vieilli, c'est tout ! Il est devenu blanc comme les anciens du village, c'est aussi simple que cela ! Tant d'années ont passé depuis qu'il a engrossé mère. C'est normal, regarde, même moi, je commence à avoir des poils blancs !

— Ce n'est peut-être pas W'rn, mais un ami de W'rn ! lança Lune, certain de sa logique. Il est un membre de son clan et il pourra nous mener jusqu'à lui ! Il faut le lui demander !

Nerveux en voyant s'approcher ces créatures de cauchemar, Rong caressa le pommeau de son épée. Il était prêt à toute éventualité. Dès qu'ils seraient à portée, l'albinos bondirait sur le plus gros du groupe afin de l'éliminer en premier.

— Il a l'air nerveux…, fit Lune en observant Rong. Il est prêt à se battre, son odeur le dit ! Il ne sait pas qui nous sommes, il a peur, je le sens !

— Va le voir et parle-lui ! proposa Mort. Pendant ce temps, j'en ferai le tour pour l'attaquer par-derrière !

— Mais non, Mort ! se fâcha Grand. Ce n'est pas un ennemi, il est comme nous. S'il connaît W'rn, nous ne devons pas le tuer !

— Pas confiance en lui, se rembrunit Mort W'rn. Il faut nous en débarrasser…

— Mais non, attends un peu… J'y vais! décida finalement Lune. Je vais essayer de parler avec lui.

Lorsque l'albinos vit s'approcher la plus petite créature du groupe, il sut que sa vie n'était pas en danger. De toute évidence, le monstre, mi-animal, mi-humain, qui marchait à quatre pattes ne voulait pas l'attaquer. La posture de son corps et de sa tête dénotait de la curiosité, non de l'agressivité.

«Ce sont peut-être les fameux hyrcanoï du sanctuaire du lac que mon père désirait tant rejoindre, se dit Rong. Si ce sont eux, je devrai m'y faire, car ils sont vraiment très laids.»

Lune W'rn s'arrêta à quelques pas de Rong, puis il se releva sur ses pattes de derrière. Ses longs bras touchaient presque le sol. Curieux, il prit un moment pour scruter l'albinos des pieds à la tête. Pendant ce temps, l'homme ne fit aucun mouvement.

Du bout de son grand doigt tordu, Lune pointa les armes de l'albinos. Délicatement, Rong les retira de sa ceinture et les déposa sur le sol. Ce geste de paix fit pousser un petit cri de joie à la créature, qui sourit ensuite de toutes ses dents. À son tour, Rong esquissa un petit sourire nerveux.

«Si tu fais un faux mouvement, sale bête, se dit-il, sur ses gardes, je te jure que je te dépèce…»

À ce moment, Lune fit encore quelques pas en avant et se retrouva face à face avec l'albinos. Le fils de W'rn sentit alors le cou de l'homme, puis respira l'odeur de ses aisselles. Il planta ensuite son nez directement sur son sexe.

— Tu veux bien retirer ta sale gueule de là? lui demanda Rong en serrant les dents. Il n'y a rien d'intéressant pour toi à cet endroit.

C'est pourtant dans l'entrecuisse de l'albinos que Lune trouva ce qu'il cherchait, c'est-à-dire l'odeur caractéristique que les W'rn sécrétaient, un fin mélange de parfum humain entremêlé du musc propre à l'animal.

— Ton enquête est terminée? soupira Rong en observant Lune qui se redressait. Tu vois, je suis un garçon et pas une fille, tu ne peux donc pas t'accoupler avec moi. J'espère que c'est clair dans ton esprit.

Lune, qui ne comprenait pas un mot de ce que disait l'albinos, se contenta de sourire une seconde fois. Il passa ensuite ses longs bras autour de Rong et le serra affectueusement contre lui.

— Je paierais pour que quelqu'un m'explique ce qui se passe, murmura l'albinos en déglutissant. Je suis certain qu'il me prend pour sa femelle, le salaud…

— L'n W'rn, grogna Lune en guise de présentation.

Puis il pointa ses deux frères, demeurés plus loin.

— G'nd W'rn, M'r W'rn! lança-t-il ensuite fièrement.

Rong, qui n'avait entendu qu'une série de grognements, se dégagea délicatement des bras de Lune.

— Euh… je suis un homme, dit-il, et je me nomme Rong… Je m'appelle Rong… RONG!

— R'g! R'g W'rn?

— Euh… oui, c'est ça! Je suis, comme tu le dis, R'g W'rn!

Dans la langue du pays de D'mt, le son *r'g* désignait la couleur rouge. Ses habitants se servaient de ce mot pour décrire le sang, le feu, mais aussi le soleil au crépuscule.

— R'g W'rn! R'g W'rn! s'excita Lune en se retournant vers ses frères. R'G W'RN!

L'albinos vit soudainement les deux autres monstres s'approcher rapidement de lui et l'entourer. Il résista de toutes ses forces à l'envie de saisir ses armes pour se défendre, choisissant plutôt de demeurer impassible.

— C'est notre frère, il a l'odeur de la famille, et il s'appelle Rouge W'rn! dit Lune à ses frères. Il nous mènera à notre père, c'est certain!

— Pourquoi se nomme-t-il Rouge s'il est tout blanc? grogna Mort. C'est bizarre!

— Tu t'appelles bien Mort et tu es vivant! Alors, tu vois…, fit Grand W'rn avec sagesse. Ce n'est qu'un nom, c'est tout.

Contentes, les trois créatures commencèrent à pousser des cris de joie et à danser autour de Rong. Celui-ci, tout à fait incapable de comprendre ce qui était en train de lui arriver, se joignit naturellement à eux et commença lui aussi à s'exciter et à danser. L'albinos en déduisit qu'il venait tout juste de se faire trois nouveaux amis et que, heureusement, il n'aurait pas à les combattre. Pour l'instant, c'était bien suffisant.

— C'est notre frère ! C'est Rouge W'rn ! Rouge W'rn, notre frère blanc ! hurlait sans relâche Lune W'rn.

— Nous arrivons à la fin de notre voyage ! s'exclama Grand W'rn. Bientôt, nous serons avec W'rn, notre père, et nous retournerons chez nous, dans notre pays ! J'ai tellement hâte de revoir notre mère ! Aujourd'hui est un grand jour ! Un très grand jour !

— Notre frère, oui ! grogna Mort W'rn, maintenant plus optimiste. Il saura certainement nous conduire à notre père !

Rong avait maintenant une nouvelle famille.

XV

Le Râjâ n'eut pas connaissance de l'attaque du sanctuaire.

Alors même que les troupes de l'ordre du Bouc s'en prenaient à son peuple, lui était en chasse. Loin des soucis de son chef de la garde, qui n'avait jamais appris à diriger convenablement ses meutes de loups, le souverain pistait ses fils. Marchant à travers la forêt à la recherche d'une odeur particulière ou d'une empreinte qu'il ne reconnaîtrait pas, il avait ratissé une grande partie des terres autour de Veliko Tarnovo sans rien trouver d'intéressant. Si Aï ne lui avait pas menti, il finirait bien par les trouver.

Pendant ce temps, Rong et ses nouveaux copains marchaient eux aussi dans les bois. Ils faisaient route ensemble depuis que leurs destinées s'étaient croisées. L'albinos n'avait pas d'autre choix que de s'adapter à la façon de faire des W'rn. Comme eux, il chassait et mangeait sa viande crue. Mais les monstres s'impatientaient de jour en jour un peu plus. Ceux-ci attendaient quelque chose de lui, mais Rong était incapable de deviner de quoi il s'agissait. Plus il essayait de les comprendre, moins il y arrivait.

— Il ne nous mène nulle part, grogna Mort W'rn. Rouge ne sait même pas où il va ! Il est comme nous, perdu !

— C'est vrai qu'il aurait dû depuis longtemps nous conduire à W'rn ! fit Grand, tout aussi déçu que son frère.

— Il faut encore lui donner sa chance, intervint Lune, toujours optimiste. Ce n'est pas facile de retrouver son chemin dans ces forêts !

— Je ne sais pas trop ! tempéra Mort. Et puis, quand il nous parle, on dirait un humain. Il est de notre race, mais il est incapable de parler notre langue. Je trouve ça louche… très louche !

— Il est bien vrai que les gens de la même race parlent la même langue…, dit Grand, appuyant la logique déficiente de son frère. Nous devrions peut-être partir et le laisser se débrouiller sans nous.

Pendant que les W'rn parlaient entre eux, Rong les observait du coin de l'œil. D'après leurs gestes, ils parlaient de lui.

« Je ne sais pas ce qu'ils me veulent, mais je sens que je dois absolument gagner de la valeur à leurs yeux, sinon ces horreurs se débarrasseront de moi, pensa l'albinos. Il faudrait que je les étonne, que je les surprenne avec un peu de magie… Et si je faisais du feu ? Jusqu'à présent, je ne les ai pas vus en faire… et je suis certain qu'ils en sont incapables ! »

Rong se leva et chercha sur le sol deux silex qu'il pourrait frapper l'un contre l'autre.

— Regarde encore ce qu'il fait, fit Mort W'rn, découragé. Il ne trouve pas le Râjâ, mais il cherche des pierres ! Il y en a partout, des pierres !

— Rouge n'est pas très intelligent, acquiesça Grand. Il se conduit drôlement, et je me demande, sans nous, comment il aurait fait pour survivre. Regarde-le ! Au lieu de nous mener à W'rn, il tourne en rond en donnant des coups de pied sur les rochers.

— Moi, je crois plutôt qu'il cherche quelque chose, mais qu'il ne le trouve pas…, ajouta Lune.

— Il cherche sa tête ! lança Mort en pouffant de rire. Et ce n'est pas là qu'il la trouvera !

Les W'rn commencèrent à rire de bon cœur tout en pointant Rong du doigt.

« Au moins, s'ils s'amusent, ils ne pensent pas à me manger…, se dit-il en continuant ses recherches. Ah, voilà ce dont j'ai besoin ! »

Sous le regard amusé des monstres, l'albinos recueillit quelques brindilles de bois sec et de la mousse. Il frappa ensuite ses silex pour en faire jaillir des étincelles.

— Vous voyez ce que je vois ? s'étonna Lune, médusé. Rouge tente de faire du feu ! En vérité, c'est peut-être un sorcier !

— Il n'y a que quelques sages qui connaissent le secret du feu au pays de D'mt, et je ne crois pas que Rouge soit un de ceux-là !

répondit Mort. S'il réussit, je veux bien le laisser vivre encore quelques jours.

— Regarde! De la fumée…

C'est à ce moment que les triplés virent apparaître une silhouette humanoïde derrière Rong. Lentement, la chose se dévoila. Il s'agissait de… W'rn.

— Il ne fait pas du feu…, soupira Mort W'rn, en extase. Il a fait apparaître notre père…

— C'est lui… c'est lui, murmura Grand, bouche bée.

— Père…, fit simplement Lune en versant de grosses larmes.

Lorsque Rong leva la tête de son feu, il aperçut les trois W'rn en pâmoison. Ne se doutant pas que le Râjâ se tenait derrière lui, il afficha un sourire de contentement.

« Je me disais bien que ce feu ferait son effet…, se dit-il. Ils sont vraiment impressionnés. »

Pour être impressionnés, les triplés l'étaient, mais peut-être un peu trop.

« Mais qu'est-ce qu'ils ont, ceux-là? se demanda l'albinos. Ils me jouent une scène ou quoi? »

Sur cette pensée, Rong se retourna et aperçut lui aussi le Râjâ. Vif comme l'éclair, il bondit sur ses pieds, dégaina son épée et courut se réfugier derrière les W'rn.

— Ce doit être lui…, fit-il dans un essoufflement de nervosité. Ce doit être mon… mon frère.

Pendant de longues minutes, les W'rn observèrent le Râjâ qui, à son tour, les regarda des pieds à la tête. Pas de doute pour celui-ci, il s'agissait bien de ses fils. L'odeur ne trompait pas, ces créatures étaient bien les fruits de sa chair. En plus, ils étaient accompagnés d'un hyrcanoï tout blanc, ce qui confirmait leur destin commun. Ils avaient eux aussi la même mission que lui : faire naître une nouvelle race.

La tête basse et les bras tendus vers son père, Lune fut le premier à briser son immobilité et à s'avancer précautionneusement vers celui qu'ils cherchaient depuis tant d'années. Comme ceux d'un petit garçon qui a peur de se faire gronder, chacun de ses pas était incertain, malhabile et timide.

Le Râjâ tendit alors les bras vers son fils, et Lune s'y engouffra en pleurant.

Mort fut le second des triplés à se précipiter vers son père en poussant de petits cris de joie. Lui qui avait tant souffert de son absence, et qui avait sérieusement eu envie de le tuer pour le punir de les avoir abandonnés, en oublia ses plans de vengeance. Tout comme Lune, il serra son père contre lui et remercia le ciel de les avoir réunis.

Seul Grand demeura à sa place, incapable de faire un pas. Il tremblait comme une feuille secouée par le vent. Sous le choc de cette rencontre tant espérée, le pauvre ne savait quoi faire ni comment agir. Lui qui aimait sa mère plus que tout au monde ressentait tout le bonheur que celle-ci éprouverait lorsqu'elle reverrait enfin W'rn. Sa mission était enfin terminée !

Il fallut que Rong, juste derrière Grand W'rn, pose sa main sur son épaule et le pousse doucement vers l'avant pour que celui-ci brise son immobilité. Tout de suite, il alla retrouver ses frères afin de partager avec eux ce moment de bonheur.

« Je ne sais pas ce qui se passe ici, se dit Rong devant cette scène chargée d'émotion, mais, de toute évidence, il s'agit d'un moment important ! »

L'albinos rangea son épée dans son fourreau et observa les retrouvailles, ému. Les quatre créatures qui se tenaient enlacées devant ses yeux étaient aussi horribles que touchantes. Ces monstres pouvaient être très effrayants, mais ils portaient aussi en eux une tendresse infinie. Tels de petits loups retrouvant la sécurité et la chaleur de leur meute, les W'rn se laissaient bercer dans les bras de leur père, sans la moindre pudeur.

— Nous t'avons tant cherché, père…, murmura Lune W'rn, la gorge serrée. Moi, je savais que tu existais et je n'ai jamais perdu confiance. Nous avons trouvé une statuette de toi… de ton image… et c'est elle qui nous a menés jusqu'à toi.

— Il faudra que tu nous expliques pourquoi tu es parti…, enchaîna Mort.

— Et mère t'attend fébrilement, dit Grand à son tour. Tu viendras avec nous et plus jamais nous ne nous quitterons. Nous serons comme les autres du village, une vraie famille.

Le Râjâ ne comprenait pas un mot de ce que lui disaient ses rejetons, mais il ressentit très nettement toute l'importance qu'il avait à leurs yeux. Dans leur étreinte, il pouvait ressentir l'énorme vide que son absence avait causé. Bien que ses enfants eussent été des monstres, ceux-ci avaient, malgré leur apparence, une fragilité de gamins.

Collés sur lui, les triplés tenaient leur père comme s'il allait s'envoler.

— Mère nous avait donné un coffre de bois pour toi, mais, depuis le temps, expliqua Lune W'rn, nous l'avons perdu… Je suis désolé…

— C'est ma faute, c'est moi qui en avais la charge, s'excusa aussi Grand W'rn.

En écoutant les grognements de ses rejetons, le Râjâ caressa la tête de chacun, juste derrière les oreilles.

Leur étreinte fut soudainement interrompue par la brusque apparition d'un loup, qui bondit avec fureur dans le dos du Râjâ. La bête enragée déchira son corps, de la base du cou jusqu'aux reins, ce qui le fit hurler à pleins poumons. Incapable de supporter une telle douleur, le Râjâ tomba lourdement sur le sol, inconscient.

Les triplés W'rn entrèrent alors dans une fureur telle qu'ils en perdirent complètement la tête. Comme des enragés, ils foncèrent sur l'animal qui, aussi rapide qu'eux, disparut dans les bois.

Rong, quant à lui, se précipita vers le corps inerte du Râjâ.

Son frère ne respirait plus.

Il était mort.

XVI

Sous la forme d'une grande louve, Misis courait à perdre haleine dans la forêt. À ses trousses, trois créatures aussi laides que tenaces la poursuivaient en poussant de terribles cris. Elle, qui désirait uniquement se venger de Pan, n'avait pas pensé que ses fils pouvaient être aussi redoutables que lui. Ces monstres, d'une incroyable agilité, se rapprochaient dangereusement de ses pattes arrière. Bientôt, ils pourraient lui saisir la queue.

Heureusement pour la grande louve, elle déboucha parmi les troupes de l'ordre du Bouc au moment même où ses poursuivants allaient l'attraper. Comme les fils du Râjâ voyaient rouge, ils se lancèrent dans la mêlée en frappant violemment tout ce qui bougeait devant eux. Les W'rn dirigèrent alors leur attention vers ces nouvelles cibles.

Rescapée de justesse, Misis réussit à atteindre le sanctuaire et plongea dans le lac pour reprendre sa forme humaine.

À sa sortie de l'eau, tous les hyrcanoï s'étaient rassemblés en un large groupe et la regardaient avec mépris.

Waorwen, que la reine croyait morte, se dégagea du groupe.

— Mais qu'est-ce que… que se passe-t-il ici ? demanda Misis, déjà sur la défensive.

— Vous avez été choisie pour nous protéger, lui dit Waorwen, pas pour nous tuer.

— Que veux-tu dire ? Je ne comprends pas ! Je t'ai fait du mal parce que tu m'en as fait, c'est tout ! Ton destin était de mourir pour racheter ta faute. Je n'ai fait que mon devoir de protectrice ! Moi qui te croyais morte, j'aurais dû mieux vérifier.

— J'étais bien morte, Misis, mais ce sont les autres qui sont venus me chercher, et ils m'ont redonné la vie… Ils ont su où me trouver, car nos esprits sont liés les uns aux autres.

— Tant mieux! Laissez-moi passer maintenant. Une armée d'illuminés menace le sanctuaire, et je dois en assurer la défense.

— Ce ne sera pas nécessaire. Nous nous occupons de tout.

— Comment ça, de tout? Je suppose que le Râjâ sera heureux d'apprendre que…

— Il est mort, vous le savez, car c'est vous qui l'avez tué. Vous l'avez assassiné par jalousie.

Misis serra les dents.

— Il n'a eu que ce qu'il méritait! s'exclama-t-elle. S'il avait été honnête avec moi, rien de tout cela ne lui serait arrivé. Pan m'a abandonnée. Je n'allais pas être ridiculisée! Ses descendants ne mettront jamais les pieds dans ce sanctuaire, car j'en suis maintenant l'unique souveraine! Ce royaume mourra avec moi!

— Rien n'est plus juste… La montagne est prête pour une grande transformation! Le lac attend le daman-zan!

— Le daman-zan?

— Oui. Cette chose que vous recherchez depuis vingt ans est à la veille de venir transformer les eaux du lac. Il s'agit en fait du frère du Râjâ, celui que vous avez donné à Nosor Al Shaytan après la mort de la reine Électra.

— Mais comment savez-vous…

— C'est le lac lui-même qui nous a tout raconté.

— Un lac ne parle pas!

— Mais la dame qui s'y trouve, oui… La Dame du lac nous a tout dit, et sa colère envers vous, Misis, est démentielle. À cause du meurtre du Râjâ, ses plans ont été bouleversés.

— Je ne la crains pas… Je ne crains personne! Ainsi, le daman-zan est...

— Presque un hyrcanoï! Comme nous, il est blanc, sauf qu'il porte en lui l'élément indispensable à la multiplication des hommes en loups. Une fois qu'il se sera baigné dans le lac, le miracle de la transformation pourra se répandre partout dans le monde!

— Et comment comptez-vous réaliser ce prodige? En vingt ans de recherches, je n'y suis pas parvenue!

— La Dame du lac nous a dit que les fils du Râjâ, ses descendants, exécuteront d'abord cette tâche. Une fois activé par Rong, le lac recevra les triplés de notre défunt souverain. Le pouvoir de transformation de l'eau passera dans leur salive, et les humains qu'ils mordront pourront à leur tour le transmettre à d'autres. Le lac vivra ainsi à l'intérieur même du corps des humains !

— Mais ce n'est pas ce qui était prévu ! s'emporta Misis. Je devais utiliser l'eau du lac et la faire boire, dissimulée dans du vin, aux habitants de Veliko Tarnovo. Tous transformés en loups, ils auraient ainsi constitué une grande armée et étendu notre pouvoir d'un pays à un autre ! Je devais trouver la façon de métamorphoser tous les hommes en loups afin de protéger le lac et le sanctuaire ! Voilà quelle était ma destinée ! Je devais devenir la souveraine de ce monde !

— Mais vous avez tué le Râjâ… Les plans ont changé, lui répondit Waorwen.

— Et qu'allez-vous faire de moi ?

— Nous, rien… Nous allons simplement vous remettre à la Dame du lac.

— Croyez-vous vraiment que je vais retourner là-dedans ?

Alors même qu'elle terminait sa phrase, un hyrcanoï qui s'était glissé subtilement derrière Misis la saisit par la taille et la lança dans le lac. La reine du sanctuaire fut immédiatement entraînée vers le fond. Seules quelques bulles trouvèrent leur chemin jusqu'à la surface.

— Maintenant, mes frères et mes sœurs, le temps de notre règne sur la terre est venu. Allez me chercher le daman-zan, ainsi que les trois tallawuf. Nous devons procéder à la cérémonie.

Obéissant à leur nouvelle reine, les hyrcanoï quittèrent le sanctuaire.

Le monde ne serait plus jamais le même.

Épilogue

Irlande, 148 av. J.-C.

Alar et Solen marchaient dans la tourbière de Corlea dans l'espoir de mettre la main sur quelques gros canards à rapporter chez eux. Armés d'arcs, de flèches et de lances, ils avançaient silencieusement pour éviter d'apeurer d'éventuelles proies. Au village, ces deux rouquins étaient considérés comme les meilleurs chasseurs d'oiseaux de tout le pays. Ils étaient agiles et savaient comment se déplacer de façon furtive.

Mariés à deux sœurs, Alar et Solen s'étaient rapidement liés d'amitié et ils ne se quittaient plus depuis de nombreuses années. Si leurs femmes étaient liées par le sang, eux l'étaient par leur passion commune, la chasse à l'oie sauvage. Parlant peu, ils adoraient l'un comme l'autre ces longues promenades dans les herbes hautes, où le calme et la paix régnaient en permanence. Avec leurs grandes bottes de cuir imperméabilisées à la graisse de canard et leur cape recouverte de plantes aquatiques, ils avaient l'allure de bouffons de foire. Qu'à cela ne tienne, personne ne pouvait s'amuser de leur déguisement dans la tourbière, car personne ne vivait dans ces vastes plaines inondées.

— Sur ta gauche, Solen…, chuchota Alar. J'ai entendu un clapotis.

— D'accord…, murmura Solen en empoignant son arc. Il ne faut pas rater la première prise de la journée…

— … sinon, ce sera mauvais signe et nous n'aurons plus qu'à rentrer…, poursuivit Alar.

— … pour faire la conversation à nos femmes, compléta Solen.

— Concentre-toi alors, je n'ai pas envie de rentrer tout de suite… ni d'entendre les jérémiades de ma belle sur les travaux à finir dans la maison.

— Comment ? Tu n'as pas encore terminé les réparations de tes poutres de soutien ? Mais ça fera bientôt deux mois que…

— Oh, ferme-la, veux-tu ! Tu vas apeurer le gibier.

— Si tu le désires, je t'aiderai à finir ce bout de charpente, proposa Solen, qui était plus habile que son ami.

— Accepté. Mais en attendant, concentrons-nous sur… Mais qu'est-ce que c'est que… Non, c'est pas vrai !

Alar arrêta de bouger d'un coup. S'il avait pu cesser de respirer, il l'aurait tout de suite fait.

Intrigué, Solen étira le cou pour satisfaire sa curiosité. Lui aussi demeura figé comme une statue de marbre.

À un jet de pierre, une créature aux cheveux blancs et à la peau laiteuse se baignait nonchalamment dans le marais. D'aspect féminin, elle avait les cheveux très pâles et moirés, et les oreilles pointues. Ses mouvements, gracieux et précis, ressemblaient au balancement des herbes hautes dans le vent.

Alar et Solen avaient tous les deux entendu les légendes des anciens, qui disaient qu'une partie de la tourbière appartenait aux elfes et qu'il était très dangereux de traverser la frontière de ce mystérieux royaume. Cependant, ils n'avaient jamais pris au sérieux ces récits qu'ils croyaient uniquement réservés aux enfants trop aventureux susceptibles de s'égarer dans la tourbière. Mais aujourd'hui, ils avaient bien devant les yeux une de ces fées de légende.

Doucement, Alar s'approcha de Solen.

— Tu as vu ça ? lui murmura-t-il à l'oreille.

— Je n'arrive pas à le croire, chuchota Solen, sous le choc. Moi qui croyais que les elfes étaient tout petits, je vois bien qu'il en existe de très grands…

— On fait quoi, là ? On va lui dire bonjour ?

— Je ne crois pas, non. Je pense que nous ferions mieux de filer en douce…

À ce moment, deux énormes têtes de loup jaillirent des herbes hautes et scrutèrent les environs. Les chasseurs, surpris, se dissimulèrent aussitôt.

— Tu as vu la taille de ces monstres ?... fit Solen à voix basse. Ils sont gros comme des veaux...

— Filons vite ! Tout ça augure bien mal pour nous...

— Tout à fait d'accord.

Le plus discrètement possible, les deux chasseurs quittèrent l'endroit. Ni l'elfe ni les loups ne virent que deux humains s'étaient promenés près d'eux. Puisqu'ils avançaient dans l'eau, leurs traces ne furent pas non plus détectées. Seule une légère odeur de sueur humaine flotta dans l'air quelques secondes après leur passage. Heureusement, leurs effluves n'alertèrent pas les loups qui, aux aguets, crurent qu'il s'agissait d'une odeur portée par le vent.

À leur retour au village, Alar et Solen racontèrent tout à leurs épouses. Cette histoire, difficile à croire, se promena de bouche à oreille jusqu'au chef, qui manda les deux chasseurs. Pour avoir le fin mot de cette aventure, il convoqua un grand conseil de village et demanda à Alar et Solen de raconter à tous leur fabuleux récit.

Les chasseurs narrèrent en détail leur histoire et répondirent à de nombreuses questions.

— Nous vous avons tout dit, conclut Alar. Je ne vois pas ce que nous pourrions ajouter de plus !

— Deux loups et un elfe ! s'exclama le chef impétueux. Si nous allions voir ça de près ?

— Moi, je vous le déconseille, intervint Solen. On ne sait jamais, avec ces créatures !

— Ah, je vois ! Ainsi, vous ne voulez pas que nous tirions cette affaire au clair ? Et si vous aviez inventé cette histoire afin de protéger votre petit terrain de chasse ? Après tout, si les gens du village ont peur de se promener dans les tourbières, tout le gibier qui s'y trouve vous appartiendra, je me trompe ?

— Euh... mais... c'est tout à fait ridicule ! s'objecta Solen. Toute notre histoire est vraie !

— Très bien ! Dans ce cas, fit le chef, content de lui, nous allons organiser une grande battue à travers la tourbière ! S'il y a des elfes, eh bien, nous les trouverons !

Tout le village applaudit avec enthousiasme à cette proposition.

— Moi, je n'irai pas ! lança Alar.

— Moi non plus! ajouta Solen.

— C'est bien ce que je pensais, grogna le chef. Plutôt que de nous aider à prouver leur histoire, nos deux menteurs resteront au village! Dans ce cas, vous demeurerez seuls dans vos maisons avec vos familles, car j'ordonne que tous les habitants, femmes et enfants, se joignent à cette grande battue!

Ce jour-là, sous le regard d'Alar et de Solen, les villageois, armés de pieux, de fourches et de lances, s'enfoncèrent dans la tourbière.

À la tombée de la nuit, personne n'était encore revenu.

Une semaine plus tard, le village était toujours vide.

Londres, 1851

Sir Andrew Johnson, habillé de son plus beau complet, marchait fébrilement vers le 100, Piccadilly Street, où se trouvaient les locaux de la Société royale de cryptozoologie. Sous une fine pluie londonienne, il répétait son discours, qu'il avait maintes fois réécrit pour le rendre intéressant et, surtout, convaincant. Dans cette Angleterre victorienne où les explorations coloniales se faisaient de plus en plus nombreuses, ses récentes découvertes sur le continent africain le placeraient aux côtés des plus grands chercheurs de ce siècle. Darwin, treize ans plus tôt, était revenu d'un long périple sur ce continent. De ses notes, qu'il était en train de colliger, il tirerait une fabuleuse théorie. Sir Johnson avait entendu entre les branches que ce livre, vivement attendu, aurait pour titre *L'origine des espèces*.

Mais ces jours-ci, tout le gratin de Londres n'en avait que pour les expéditions de Burton et de Speke sur les rives du Nil, mais surtout pour Livingstone, un confrère explorateur que sir Andrew Johnson considérait comme un imposteur. Les récits de voyage de cet étourdi n'avaient ni queue ni tête. Il va sans dire qu'ils ne présentaient pas la rigueur des siens. Quoique ses rencontres avec des tribus africaines eussent le mérite d'être bien racontées, il se fourvoyait à tout coup lorsqu'il dissertait sur les animaux africains. Ses connaissances en biologie, mais surtout en zoologie appliquée, étaient déficientes, et le pauvre ne provoquait que des soupirs d'exaspération chez les véritables scientifiques. Cependant, ses conférences faisaient toujours salle comble du fait de ses talents de conteur, le seul véritable don qu'il possédât.

Peut-être le fait qu'il était un bel homme blond aux yeux bleus contribuait également à attirer beaucoup de jeunes femmes à ses présentations.

C'était précisément pour éviter toute forme d'imposture que des chercheurs émérites, dont faisait partie sir Andrew Johnson, avaient fondé la Société royale de cryptozoologie. Nourris d'une passion pour les créatures de légendes et les êtres fantastiques, ces hommes rêvaient de licornes, de sirènes et de dragons. Si ces bêtes existaient réellement, ils finiraient un jour par le démontrer scientifiquement.

Sir Johnson s'arrêta devant la vitrine d'une grande maison de haute couture et y admira son reflet. Pour entrer au club de la société, il se devait d'avoir une tenue impeccable. Il s'assura que son pantalon était encore bien pressé, que son haut-de-forme était bien droit et que ses moustaches, bien fournies, ne contenaient pas de miettes de son déjeuner.

« Aujourd'hui est un grand jour, Andrew ! se dit-il en ajustant son long imperméable. Tu passeras bientôt à l'histoire, mon ami, alors rappelle-toi de toujours être digne et modeste. Surtout modeste ! Personne n'aime les prétentieux… surtout pas les femmes ! »

La Société de cryptozoologie, dont le but premier était d'étudier scientifiquement l'existence des monstres mythologiques et des créatures mystérieuses, organisait une rencontre tous les mois et accueillait un conférencier. Parmi la cinquantaine de gentlemen qui en faisaient partie, on trouvait des érudits de toutes les disciplines, ainsi que des explorateurs, des antiquaires, des savants et même quelques membres de la royauté. Toutes ces personnes, curieuses et avides de connaissances, formaient un noyau de critiques dont les orateurs devaient se méfier. La moindre petite erreur d'un conférencier était généralement soulignée de façon cavalière. On ne supportait pas les approximations et les raccourcis, voilà pourquoi il valait mieux être préparé.

« Tu seras bientôt dans la fosse aux lions, pensa Andrew Johnson en poussant la porte du club. Mesure bien tes effets, trouve les bons mots et tout ira bien ! Après tout, ils sont certainement moins sauvages que les habitants de l'Afrique australe. »

Si, par chance, un explorateur ou un scientifique réussissait à charmer cette salle exigeante et difficile, il devenait instantanément une vedette mondaine, et toute la bonne société s'arrachait sa présence. Le financement de nouvelles expéditions devenait alors beaucoup plus facile, et la publication d'un livre était attendue. C'est à cette gloire et à cette renommée que rêvait sir Andrew Johnson.

— Eh bien! Voilà notre conférencier d'aujourd'hui qui passe à l'instant notre porte! s'exclama sir Oscar Lloyd, l'un des fondateurs et aujourd'hui président de la société. Vous paraissez en excellente forme, pour un homme qui revient à peine des jungles africaines! Les sous-hommes ne vous ont pas trop amoché, à ce que je peux voir!

— Mais qui appelez-vous les sous-hommes? demanda sir Johnson avec un sourire moqueur. Désolé, vous avez dû confondre l'Afrique avec notre Parlement, car les véritables sous-hommes ne sont-ils pas ceux qui y font des singeries?

— Toujours cet humour qui vous caractérise si bien! rigola l'homme qui venait d'être élu député. Je vous en dois une! Vous n'avez pas changé d'un poil, mon ami.

— Mais vous, je remarque que vous avez grossi! À ma prochaine expédition, je vous emmène, ça vous fera le plus grand bien!

— Il n'y a pas que mon tour de taille qui ait pris de l'expansion, mon ami! Mes affaires se portent à merveille en Inde, et on croit même pouvoir investir dans l'une de vos prochaines aventures!

— Alors, je retire tout le mal que j'ai dit sur vous depuis des années! Si vous ne m'accompagnez pas personnellement, votre argent le fera… et c'est tout aussi bien ainsi!

— Quel humour, cet homme! Sherry?

— Comment refuser? Avec plaisir…

Pour devenir explorateur au service de la Société royale de cryptozoologie, il fallait des aptitudes bien précises. La maîtrise d'au moins trois langues, des notions avancées de pistage, d'ethnologie, de biologie, ainsi que l'habileté à manier une arme à feu constituaient les bases sans lesquelles tout voyage au nom de la société était impensable. Bien que la meilleure qualité d'un chercheur demeurât son sens aigu de l'observation, une formation de navigateur, d'astronome et de survie en milieu hostile rassurait grandement les investisseurs.

— On m'a dit que Téwodros II était sur le point de prendre le pouvoir en Éthiopie, lança une voix familière près de sir Johnson. Est-ce vrai, ou ne sont-ce que des rumeurs ?

— Ah ! Sir James Yorkshire ! lança Johnson sur un ton faussement amical. À ce que je vois, votre intérêt pour l'Afrique ne cesse de croître ! C'est un peu normal, cela fait si longtemps que vous n'y avez mis les pieds ! Comment est votre vie à Londres ? Marié, cher collègue ? Des enfants, peut-être ? Un petit boulot de professeur à l'université ?

Yorkshire s'approcha de Johnson que venait de quitter Lloyd pour accueillir un autre membre de la société.

— J'espère que vos résultats de recherche sont probants, mon ami, car j'ai l'intention ferme de vous mettre à genoux, lui murmura Yorkshire à l'oreille.

— Être à genoux et supplier pour obtenir des fonds, n'est-ce pas là une de vos spécialités ? lui chuchota Johnson à son tour. Ne vous inquiétez pas, vous serez tout aussi estomaqué que les autres !

— Vous avez donc trouvé les mythiques hommes-hyènes dont parlent les légendes des griots africains ?

— J'ai fait mieux que cela, mon bon ami. J'ai trouvé leur origine !

— Auriez-vous un peu forcé sur les boissons hallucinogènes de quelque sorcier bienveillant ?

— Lorsque j'aurai terminé mon exposé, sir Yorkshire, vous me supplierez de vous laisser m'accompagner dans un de mes prochains voyages ! Et en bon gentleman que je suis, j'accepterai peut-être de vous y emmener.

— C'est si impressionnant que ça, Johnson ?

— Soyez patient, mon ami…, s'amusa-t-il, en plein contrôle de la conversation. Je dois penser à me préparer. À plus tard, cher collègue ! Oh, et vous saluerez votre charmante sœur pour moi.

— Je crois bien que ma sœur vous emmerde, sir Johnson, et moi tout autant.

— Je la comprends. On ne se sépare pas facilement de moi…

Sir Andrew Johnson déposa son verre de sherry et quitta le grand hall d'entrée du bâtiment pour se rendre à l'auditorium, où il fut chaleureusement accueilli par les membres responsables de l'allocution publique. Puis on l'amena à un grand coffre que des coursiers venaient tout juste de déposer.

— Ah ! Quelle joie de voir que mon matériel est arrivé à l'heure ! se réjouit Johnson. Voyons maintenant s'il est en bonne condition !

Pendant les minutes qui suivirent, l'explorateur fit desceller sa malle et fut ravi de constater que tout était en bon état. Tout de suite, il s'affaira à installer son attirail un peu partout sur la scène. Statuettes africaines représentant des monstres mi-humains, mi-animaux, cartes géographiques de l'Éthiopie, notes de voyage, dessins et matériel de laboratoire trouvèrent leur place ici et là, autour d'un grand tableau noir.

— Un de vos assistants est toujours dans la pièce d'à côté et surveille une grande boîte recouverte d'un drap. Le faisons-nous entrer ?

— Non, c'est Pollo, mon guide éthiopien… Il connaît ses consignes et viendra nous rejoindre à un moment précis de la conférence. Offrez-lui un peu d'eau pour le faire patienter et tout sera parfait !

Lorsque tout fut installé et que sir Johnson fut prêt, on ouvrit les portes, et le public prit place sur d'inconfortables bancs de bois.

Sir Oscar Lloyd demanda alors le silence afin de présenter l'invité du mois.

— Qui, dans cette salle, ne connaît pas notre éminent collègue, sir Andrew Johnson ?

James Yorkshire toussota.

— Depuis de nombreuses années, ce grand explorateur s'intéresse aux hommes-hyènes d'Afrique, et il nous revient d'un très long séjour dans la jungle hostile de l'Éthiopie. Ces créatures sont-elles un mythe ou une réalité ? C'est ce que nous allons bientôt savoir ! Je laisse donc immédiatement la parole au grand Andrew Johnson !

Des applaudissements mitigés accueillirent le conférencier. Au premier rang, des proches de la famille royale, ainsi que des représentants de l'ambassade américaine arboraient un sourire amusé. Il faut comprendre que le sujet d'étude de l'explorateur ne tenait pas le haut du pavé dans le domaine de la cryptozoologie. Les dragons, les fées ou encore les monstres marins présentaient beaucoup plus d'intérêt qu'une race de mangeurs d'hommes africains dont les légendes locales n'avaient jamais fait mention. Encore, s'il avait été question du loup-garou, créature de notoriété publique, la curiosité des spectateurs aurait quadruplé ! Mais aujourd'hui, ces hommes-hyènes d'un folklore lointain suscitaient un peu de curiosité, sans plus.

Avant de prononcer son premier mot, sir Andrew Johnson leva les yeux sur son public et regarda les spectateurs un à un. Il semblait défier les membres de la société.

Un malaise parcourut l'auditoire. Quelques grognements s'ensuivirent.

Une fois que le silence fut complet et qu'il eut obtenu l'attention de tous, il ouvrit enfin la bouche.

— Ils existent... Je les ai vus... et j'en ai la preuve ! lança-t-il sur un ton théâtral.

L'auditoire eut un rire complaisant.

— Je suis impatient de voir cette preuve ! lança James Yorkshire, plus moqueur que jamais. Vous devrez soutenir ce que vous avancez, cher collègue !

— Chaque chose en son temps, mon ami... Laissez-moi d'abord vous raconter le fabuleux voyage que j'ai fait dans le pays de D'mt, aussi appelé pays de Pound ! Il y a près d'un an, je quittais Londres, animé d'un désir secret et d'une détermination sans bornes. Je voulais découvrir la créature que les griots africains appellent l'homme-hyène. Par une journée pluvieuse...

C'est ainsi que sir Andrew Johnson raconta son départ de l'Angleterre et les longues heures de navigation qui le menèrent jusqu'en Égypte. Puis, il y alla de quelques anecdotes savoureuses de son voyage en caravane, pour ensuite bifurquer vers un autre sujet.

— Chaque homme de cet auditoire est susceptible de se transformer un jour en bête ! Mes recherches m'ont mené à la conclusion que tous les humains portent en eux une maladie que j'ai nommée Lupus-1. Il s'agit d'une affection particulière capable d'agir sur la plus infime partie du corps humain. Cette maladie, présente dans un petit lac africain de la jungle de Pound, est à la base d'origine animale, mais passe chez l'humain avec une facilité déconcertante.

Les membres de la société commencèrent à s'animer. La théorie était une chose, la preuve en était une autre. Et cette preuve tardait justement à venir !

— Celui qui se baigne dans ce lac se voit immédiatement transformé en bête !

— Vous êtes ridicule, mon ami ! lança Yorkshire. C'est tout à fait farfelu ! Personne n'a jamais entendu un tel délire !

Dans un brouhaha de mécontentement, plusieurs spectateurs firent alors mine de se lever pour quitter l'auditorium.

— Ceux qui auront la patience de rester verront ! lança Johnson. Les autres pourront lire demain dans les journaux ce dont ils se seront privés ! À vous de choisir... Je continue ?

La salle retrouva son calme.

— J'avance même que ce lac, qui se trouve sur le continent africain, n'est pas le seul en son genre ! Mes recherches me poussent à croire qu'il y en aurait un en Chine impériale, ainsi que plusieurs autres dans le Nouveau Monde !

— Et à quoi servent-ils ? demanda sir Lloyd, curieux. Ils ont sans doute une raison d'exister !

— Pour l'instant, je l'ignore, mais j'entends bien continuer mes recherches afin de le découvrir !

— Vous y avez sûrement fait trempette ? s'amusa Yorkshire. Cela expliquerait votre comportement parfois belliqueux ! Sans vouloir vous vexer... bien entendu.

L'auditoire pouffa de rire et applaudit à la remarque.

— Un bon observateur doit toujours maintenir une certaine distance avec son sujet d'étude, répondit Johnson. C'est ce que les professionnels appellent l'objectivité ! Mais je vous comprends, à force d'être cloué à Londres, votre mémoire du terrain s'estompe... euh, sans vouloir vous blesser... bien sûr.

— Trêve de bavardages, et montrez-nous vos preuves ! fit violemment Yorkshire. Votre baratin nous exaspère !

— Avec plaisir, James... POLLO !

Un grand Éthiopien habillé des vêtements traditionnels de sa tribu entra dans l'auditorium. La surprise fut totale. Plusieurs membres émirent des soupirs d'admiration. Il poussait devant lui une grande boîte montée sur des roulettes et recouverte d'un drap.

— Mes amis, voilà mon collègue et ami, Pollo ! C'est grâce à ses talents de guide que j'ai pu me rendre dans le pays de D'mt, mais surtout en ressortir vivant ! Il s'agit d'un prince de la tribu des W'rn, dont les lointains ancêtres furent les protecteurs du lac sacré.

— Cela ne prouve rien ! s'emballa Yorkshire qui sentait la salle basculer en faveur de l'explorateur. Cette démonstration vous ressemble, Johnson ! Ce n'est que poudre aux yeux !

— ET ÇA ! QUE DITES-VOUS DE ÇA ? hurla Johnson en faisant signe à Pollo de retirer le drap.

L'Éthiopien obtempéra d'un geste vigoureux.

Des cris d'étonnement retentirent dans la foule. On applaudit à tout rompre. Sous le drap, on pouvait apercevoir un authentique homme-hyène !

— Ça alors ! s'exclama Yorkshire en se laissant choir, vaincu, sur son siège.

— Voici un spécimen d'hommanimal de la race des hyènes ! Il s'agit en vérité d'un jeune porteur de bagages de notre expédition, qui est malencontreusement tombé dans le lac.

Tombé n'était vraiment pas le bon mot pour décrire adéquatement ce qui s'était passé, là-bas, au pays de D'mt. Le terme *poussé* aurait été plus juste, mais sir Johnson ne jugea pas nécessaire de corriger sa déclaration.

— Regardez sa tête et ses crocs, continua l'explorateur, puis voyez ses griffes ! Vous pouvez vous approcher, il n'est pas dangereux. Nous le contrôlons avec de la myrrhe, qui a pour effet de le rendre amorphe et inoffensif. N'est-ce pas là un admirable spécimen, messieurs ? N'hésitez pas à passer la main à travers les barreaux et touchez son pelage, vous constaterez rapidement qu'il ne s'agit pas d'un canular ! Joignez-vous à nous, sir Yorkshire, ne soyez pas timide !

Les membres de la société étaient tous en émoi. Les représentants de l'ambassade américaine étaient bouche bée et se frottaient les yeux d'incrédulité.

— La famille royale adorerait voir ce spécimen…, dit un ami proche du roi en bondissant sur la scène. Bravo, sir Johnson ! Vous faites honneur à l'Angleterre !

— Je n'ai fait que mon travail..., répondit modestement l'explorateur.

Une fois que tout le monde se fut rassasié de la bête, Pollo recouvrit la cage et disparut en coulisse.

Ce soir-là, sir Andrew Johnson pavoisa une partie de la soirée et de la nuit avec des membres de la société. La bête fut mise sous clé dans une salle bien gardée, et Pollo demeura dans la pièce pour en assurer personnellement la surveillance. L'explorateur en profita donc pour s'amuser jusqu'aux petites heures du matin, et termina la fête dans les bras d'une prostituée du quartier Whitechapel. La dernière fois qu'on l'aperçut vivant, sir Johnson rentrait chez lui, assommé par l'alcool, afin de se mettre au lit.

— Je suis une vedette, madame Stock..., avait-il dit à la concierge du bâtiment avant d'entrer dans ses appartements. Ma vie ne sera plus jamais la même... À moi, la célébrité !

La dépouille d'Andrew Johnson fut découverte quelques heures plus tard dans sa chaise de lecture. Méconnaissable, l'homme avait été affreusement mutilé et portait des marques de crocs et de griffes partout sur son corps. Même chose pour son ami et guide éthiopien, Pollo, dont le corps éventré fut découvert tout juste à côté de la cage vide de l'homme-hyène.

Malgré les recherches, on ne retrouva aucune des notes, ni les objets témoignant du voyage de sir Andrew Johnson en Éthiopie. Le photographe de la société, qui avait pris des clichés de la bête africaine devant faire les manchettes des journaux, fut quant à lui retrouvé trois semaines plus tard, flottant sur les eaux de la Tamise. Jamais personne ne retrouva ses photos.

Sir James Yorkshire s'enleva la vie, par balle, le soir même où Johnson faisait la fête. Oscar Lloyd mourut dans la semaine suivant l'exposé, d'une crise cardiaque.

Bien vite, les membres de la Société royale de cryptozoologie de Londres cessèrent de se questionner sur les événements et attendirent le rapport de la police.

Les hommes-hyènes furent rapidement oubliés.

Prague, 2010

Dans un laboratoire de l'IRNMI, l'Institut de recherche national sur les maladies infectieuses, le chercheur d'origine bulgare Jorge Yokov étudiait des échantillons de cellules infectées par le VIH. Expert en virologie et spécialiste des rétrovirus, le vieil homme travaillait à l'Institut depuis de nombreuses années et se préparait à quitter son laboratoire dans les prochaines semaines afin de savourer une retraite bien méritée. Enfin, c'est ce que tout le monde essayait de lui faire croire. En réalité, il aurait aimé continuer quelques années, mais il avait maintenant soixante-quinze ans, et ses patrons n'avaient plus confiance en lui.

Peut-être ces derniers avaient-ils un peu raison, car les mains de Jorge tremblaient chaque jour un peu plus et sa vue n'était plus la même. Être longtemps penché sur son microscope lui donnait des maux de dos, et il lui arrivait d'avoir des pertes de mémoire, mais ses connaissances et son expérience étaient inaltérées par l'âge. Jamais il ne s'était senti aussi compétent, et il avait l'impression que chacun de ses jours de travail portait fruit dans la lutte contre le sida.

Qu'allait-il devenir à la retraite, prisonnier de son petit appartement?

«J'irai en vacances en Grèce, se dit-il pour s'encourager un peu. On dit que les plages y sont agréables et que la vie y est facile. Et puis, n'est-ce pas l'endroit où se trouvent le plus de vieilleries, comme moi, sur la planète? Qu'en pensez-vous, mes petits virus? Vous croyez que je me plairai là-bas? Ce sera un endroit idéal pour mourir d'ennui!»

Une plaquette entre les mains, le chercheur essayait d'avancer le plus possible dans son travail avant de remettre les clés du laboratoire. Il était minuit passé, et la lune, bien ronde dans le ciel, l'observait par une fenêtre.

Jorge installa la plaquette sous le microscope, l'observa quelques instants, puis poussa le bouton de son enregistreuse numérique.

— Euh... bon, Yokov... Nous sommes le 20 octobre 2010... Euh, bon... je regarde l'échantillon 2203-Gwe... Il semblerait que les cellules ne répondent pas très bien aux dernières expérimentations que nous leur avons fait subir... Bon, je remarque une certaine déstructuration de la membrane... et... Mais ça bouge!

Le scientifique se frotta les yeux pour être bien certain de ce qu'il avait vu.

— Non... Oubliez le dernier commentaire, dit-il en reposant un œil sur le microscope. C'est ma vue qui... Pourtant, je remarque que les cellules qui devraient être mortes commencent à se reformer... Ce que je dis là est tout à fait impossible et d'aucune façon crédible... mais, mais c'est pourtant bien ce que je vois... Je passe en mode numérique.

Jorge pressa la touche pause de son appareil, puis se dirigea vers un autre microscope, beaucoup plus puissant, assisté d'un ordinateur. Un peu inquiet pour sa santé mentale, il mit la machine en marche et s'installa derrière l'écran.

— Ça alors! dit-il en se grattant la tête. Mais c'est bien la première fois que je vois une telle chose!

Normalement, les rétrovirus fonctionnent en détournant les ressources d'une cellule normale pour fabriquer une enzyme, la transcriptase inversée, ayant pour effet de se copier et de s'incorporer à l'ADN de l'organisme d'accueil. Le patrimoine de la cellule se voyant ainsi altéré, celle-ci ne se contente plus de reproduire les gènes de son propre ADN, mais multiplie également ceux de son envahisseur. Rapidement, la maladie se propage ainsi dans le corps d'un hôte en le condamnant souvent à mort. Mais cette fois, les observations de Jorge allaient dans un autre sens.

— Alors..., se confia-t-il à son dictaphone, je vois très clairement que des cellules qui étaient considérées comme mortes recommencent à prendre vie et à se multiplier à une… mon Dieu, à une incroyable vitesse. D'après ce que je peux voir… il s'agirait d'une activité anormale du virus.

Un nuage passa devant la lune.

— Oh! Mais… ça s'est arrêté… ou plutôt, je constate que l'activité est au ralenti… puis encore… Je n'y comprends rien! C'est la chose la plus étrange que…

La lumière de la lune pénétra de nouveau dans le laboratoire.

— … que j'aie vue de ma vie… et ça repart! L'activité cellulaire reprend! Non, ce ne serait pas le… le Lupus-1!

De vieilles légendes circulaient dans le monde de la science concernant un rétrovirus tout à fait original. Alors que l'on croyait que le VIH était la mutation d'un virus simiesque, le Lupus-1 en était une version améliorée capable de se cacher chez différents animaux, plus particulièrement dans les cellules des grands carnivores d'une région donnée. Ayant la particularité de se reproduire à une vitesse folle, le virus ne laissait aucune chance aux défenses naturelles du corps de se mettre en fonction, et pouvait envahir en quelques minutes tout un organisme. Le sujet infecté se voyait alors soumis à une radicale mutation de son patrimoine génétique, et pouvait alors se muter en… bête.

«Non… c'est impossible, se dit Jorge. Ça ne peut pas être le virus du… Non, ce sont des histoires de grands-mères! À moins que…»

S'il avait bien affaire à ce qu'il croyait être le Lupus-1, il n'y avait plus qu'une chose à faire.

Jorge se rendit à la fenêtre et constata que la lune était pleine. Selon les croyances de son pays, la transformation d'un homme en animal ne pouvait survenir qu'à cette condition. Il ferma le store de la fenêtre du laboratoire, puis retourna à ses observations. La reproduction cellulaire avait presque cessé. Le chercheur recommença plusieurs fois la manœuvre d'ouverture et de fermeture, pour constater que la lumière de la lune activait bel et bien son échantillon.

— Je n'arrive pas à le croire… Je dois en avoir le cœur net!

Le scientifique commença alors une série de tests qui ne se termina qu'au lever du jour. Durant toute la nuit, le Bulgare travailla d'arrache-pied pour se convaincre qu'il n'avait pas affaire au Lupus-1. Mais toutes ses conclusions n'arrivèrent qu'à confirmer l'improbable.

Au matin, lorsque ses collègues arrivèrent pour débuter leur journée, Jorge était certain qu'il avait entre les mains l'une des plus grandes découvertes du siècle.

— Mais qu'est-ce que vous faites encore là, Jorge? lui demanda son patron en l'apercevant dans le laboratoire. Vous avez travaillé toute la nuit?

— Euh... oui... je suis désolé... J'ai perdu mes clés, mentit le vieil homme, et je ne voulais déranger personne, alors... alors, je suis resté.

— Mais vous auriez pu appeler le concierge au lieu de passer la nuit debout!

— Ah! Mais oui! J'aurais dû y penser... Désolé...

— Rentrez chez vous, mon cher, et allez vous reposer! fit le patron comme s'il s'adressait à un enfant. À votre âge, vous ne pouvez pas faire de telles choses, vous avez besoin de sommeil, n'est-ce pas?

— Oui... oui... Je range mes affaires et je pars.

— Très bien. Prenez la journée, on se reverra demain. Finalement, vous avez décidé pour votre retraite?

— J'irai en Grèce, c'est réglé! mentit encore Jorge pour couper au plus court. Avant sa mort, ma femme aurait tant voulu s'y installer que j'ai décidé de... de... d'aller y vivre un certain temps.

Le patron du laboratoire sourit, mais ne poursuivit pas la conversation.

— Euh... si vous le permettez, j'ai beaucoup d'heures de vacances accumulées... Je crois que je vais prendre la semaine, ça vous dérange? Je dois voir quelques agents d'immeubles pour... pour la Grèce, et je dois m'occuper de certaines choses en vue du déménagement.

— Prenez le temps qu'il vous faut, vous l'avez bien mérité, répondit le patron, d'un ton néanmoins suspicieux.

Jorge Yokov quitta alors le laboratoire en apportant avec lui tous ses travaux de la veille. Fatigué, mais exalté par sa découverte, il entra dans son petit appartement et ferma à double tour derrière lui.

« Ce sera le prix Nobel…, pensa-t-il. Je dois me concentrer exclusivement là-dessus. Plus rien d'autre n'a d'importance maintenant. Je dois rédiger un article… compiler mes notes et monter un dossier crédible qui devra être irréfutable ! Tout d'abord, la bibliothèque… »

Avant de partir, Jorge décida de prendre un peu de repos sur son canapé. Bien vite, il s'endormit.

Dans son sommeil, il rêva qu'il était un loup et qu'il courait dans les grandes forêts de Bulgarie. Jamais il ne s'était senti aussi libre. Les odeurs de la terre, des arbres et des plantes inondaient ses narines. Il put aussi sentir les effluves caractéristiques du cerf, ainsi que le passage de quelques sangliers sauvages. En contact intime avec la nature, Jorge avait la nette impression de faire partie d'un tout, d'appartenir à un ensemble plus grand que lui. Il arriva bien vite dans une clairière où un arbre gigantesque semblait l'appeler. Sans peur, il s'approcha de cet énorme chêne et s'assit juste devant. Il leva ensuite la tête vers le feuillage.

C'est alors qu'il aperçut sur une des branches une créature à la peau blanche et aux oreilles pointues, qui lui souriait gentiment. Ses yeux ressemblaient à ceux d'un animal.

— Il faudra bientôt faire un choix, Jorge ! lui dit-elle doucement. Mourir comme un homme, ou vivre comme un loup… Ce sera à toi de décider.

Jorge Yokov ouvrit soudainement les yeux. On frappait à sa porte.

En se levant de son canapé, le vieil homme constata qu'il avait dormi toute la journée. La lune, toujours bien ronde, était haute dans le ciel.

— Ouvrez, Jorge, c'est moi ! s'exclama la voix de son patron. Vous dormez ? Je sais qu'il est un peu tard, mais je dois absolument vous parler !

— Oui… j'arrive… J'ouvre, un petit instant !

Rapidement, Jorge ramassa ses notes et ses échantillons de la nuit passée et les cacha dans le réfrigérateur. Il alla ensuite ouvrir la porte de son appartement.

— Qu'est-ce que je peux faire pour vous ? demanda-t-il à son patron.

— Je suis désolé, mon cher Jorge, mais me serait-il possible d'entrer? Je dois vous entretenir d'un sujet très important, et quelques minutes de votre temps seraient grandement appréciées.

— Mais oui... entrez, je... Vous boirez bien un thé? J'allais en faire justement.

— Avec plaisir...

— Passons à la cuisine, alors.

Le visiteur prit place dans la petite cuisine du chercheur. Modeste, la pièce lui rappelait les anciens appartements du Parti communiste où, plus jeune, il avait été élevé.

— C'est ce que vous m'avez dit au sujet de votre défunte femme qui m'amène ici ce soir, commença d'emblée le patron de Jorge. Je me suis rappelé que votre épouse désirait plus que tout vivre en Amérique, et non en Grèce, comme vous l'avez mentionné. Dans votre dossier, j'ai vu qu'après la chute du mur vous avez posé votre candidature une bonne dizaine de fois pour des postes aux États-Unis, au Canada, et même en Amérique du Sud. Chaque fois, votre âge a joué contre vous, et jamais vous n'avez pu déménager. Puis, votre femme est décédée et...

— Et vous êtes venu m'offrir un poste ailleurs? demanda Jorge, intrigué. Si c'est cela, eh bien, je vous confirme que je suis trop vieux pour me retrouver de l'autre côté de l'océan! Sinon, je ne comprends pas trop ce que vous désirez. Euh... une camomille, ça vous va?

— Parfait pour la camomille! Merci. Je me suis alors demandé, continua-t-il, pourquoi vous me parliez de la Grèce puisque votre épouse désirait vivre en Amérique. À ce moment, j'ai compris que vous m'aviez raconté n'importe quoi parce que vous étiez pressé de partir! Est-ce que je me trompe?

— En effet, avoua Jorge en retirant la bouilloire du feu. J'étais fatigué et je n'avais pas envie de parler. Ai-je été impoli?

— Mais non! Pas du tout! le rassura l'homme. Vous avez été habile, pas impoli! Si vous aviez un peu de lait pour la camomille, je la prends toujours avec un nuage...

Jorge jeta un coup d'œil au frigo. S'il ouvrait la porte, son patron pourrait en apercevoir le contenu.

— Non... je n'ai pas de lait... Désolé.

L'homme rigola doucement. Jorge aurait pu jurer que son invité savait ce qui se cachait derrière la porte du réfrigérateur.

— Je dois bien être le seul habitant de ce pays qui prend du lait dans sa camomille ! Vous ne trouvez pas cela un peu étrange ?

— Chacun ses goûts…, répliqua Jorge, qui commençait à trouver cette rencontre de plus en plus déplaisante. Si vous en veniez aux faits ?

— C'est justement pour vous entretenir de choses bizarres que je suis venu vous voir, cher Jorge. Et aussi pour vous remettre votre dictaphone, que vous avez malheureusement oublié avant de quitter le laboratoire.

— Oh ! Je vous… je vous remercie beaucoup… Vous avez…

— Oui, j'ai écouté ! Et c'est précisément de cela que j'aimerais vous entretenir.

— Oui, je sais que j'ai eu des hallucinations hier soir, mais ça va mieux ! fit Jorge pour essayer de justifier ses théories de la veille. D'ailleurs, je me rends compte qu'à cause de mon âge je ne peux plus faire ce travail convenablement, et je vous annonce immédiatement mon départ à la retraite.

— Mais non, Jorge ! s'amusa son patron. Avec ce que vous avez découvert, vous ne pouvez plus revenir en arrière, il est trop tard.

Le vieil homme fit une pause et observa attentivement son invité. Celui-ci commençait à lui faire peur.

— Vous voulez vous approprier ma découverte. Vous êtes venu pour me voler le virus du Lupus-1, c'est bien cela, n'est-ce pas ?

— Tout de suite les grands mots ! Mais voyons, Jorge, nous sommes des amis, et vous savez que j'ai le plus grand respect pour vous et que je ne vous veux aucun mal… Cependant…

— Cependant quoi ?

— Maintenant que vous connaissez l'existence du Lupus-1, les choses sont un peu différentes.

— Je crois avoir du mal à vous suivre…

— La plaquette contenant des cellules infectées par le Lupus-1 était… à moi. Vous ne deviez pas la trouver, Jorge, et vous avez malheureusement saisi cet échantillon sur une tablette réservée uniquement à un projet de recherche secret que je mène personnellement pour… disons, des amis.

De toute évidence, son patron voulait lui voler sa découverte. Mais Jorge n'allait pas se laisser marcher sur les pieds.

— Je savais que vous étiez un salaud, mais pas à ce point ! Cet échantillon ne vous appartient pas, c'est la propriété du laboratoire ! Si vous menez des expériences pour votre propre compte, j'en informerai les membres du conseil d'administration, et nous verrons bien ce qu'ils en diront !

— Calmez-vous, Jorge. Vous ne comprenez pas. Lorsque je dis que cette plaquette était à moi, je veux dire qu'elle est de moi ! Ce sont mes cellules que vous avez observées sous le microscope. Je suis le patient atteint du Lupus-1.

— Mon Dieu ! s'étonna Jorge. Est-ce possible ?

Voilà qui changeait tout.

— Surprenant, n'est-ce pas ? dit le patron, amusé. J'ai cette maladie depuis plusieurs années, et je ne m'en porte pas plus mal. Enfin… ça dépend des nuits ! Vous savez peut-être que je suis d'origine russe et que, plus jeune, à cause des opinions politiques de mon père, toute ma famille a été forcée de s'exiler en Sibérie. C'est là que j'ai été mordu par un loup enragé, une nuit de pleine lune, et que j'ai été contaminé. La maladie, présente dans la salive de l'animal, est passée dans mon sang. Depuis, il arrive parfois que je ne sois… pas le même, si vous voyez ce que je veux dire.

— Fascinant ! Vous êtes un…

— Un loup-garou, oui, Jorge… Je suis une créature de légendes ! rigola le patron.

— Et vous étudiez vos propres cellules en cachette afin de trouver un remède à votre maladie, c'est ça ? Désolé, je ne savais pas… Je ne voulais pas vous nuire, ni dévoiler votre secret !

— Euh… pas tout à fait, Jorge… Je ne travaille pas sur un traitement, mais plutôt sur une épidémie.

— Je ne comprends pas… Vous voulez répandre la maladie ?

— Pour des raisons qui vous sont encore tout à fait obscures, oui… Étant donné mes compétences de virologue, mes amis m'ont demandé de travailler dans ce sens.

— Vos amis ? Les autres loups-garous ?

— Non, Jorge, c'est un peu plus compliqué que cela, fit le patron. Avez-vous déjà entendu parler des hyrcanoï ?

— Jamais !

— Tant mieux ! Vous apprendrez donc à les connaître.

— Ce sont des terroristes ?

— Non ! pouffa l'homme. Si vous saviez, ils sont tout le contraire !

— Alors, qui sont-ils ?

— Chaque chose en son temps, mon ami...

— Qu'attendez-vous de moi, maintenant ? demanda Jorge en avalant sa première gorgée de camomille.

Le patron se leva, fit quelques pas en direction du frigo, ouvrit la porte, puis saisit le lait ainsi que l'échantillon du laboratoire. Tout en jetant un coup d'œil à la fenêtre, il regagna calmement sa place et versa un peu de lait dans la boîte contenant les cellules infectées.

— Mais qu'est-ce que vous...

En faisant signe à Jorge de se taire, le patron secoua un peu le liquide et le versa dans sa tasse de camomille.

— Changeons de tasse, si vous voulez bien, continua-t-il en poussant la sienne vers Jorge. Vous verrez, c'est excellent avec du lait !

— Mais jamais je ne boirai cela ! s'insurgea le vieil homme. Vous venez d'infecter ce... Oh, je comprends maintenant...

— Deux choix s'offrent à vous, mon cher Jorge. Soit vous buvez ce breuvage et continuez à vivre de longues, de très longues années au sein de notre communauté, soit... je me transforme en bête et je vous dévore avant le lever du jour.

— Oh... je vois...

— La Grèce est un magnifique pays, mais si vous joignez nos rangs, le monde sera à vous ! Mes amis pensent vous installer dans un très grand laboratoire de New York où vous pourrez poursuivre vos recherches sur le VIH, mais également sur le Lupus-1. Vous aurez un grand appartement donnant sur Central Park, et disposerez de plus d'argent que vous ne pouvez en dépenser. Nous avons besoin de vous, Jorge ! Votre expérience et votre savoir sont précieux pour notre cause.

— Justement, quelle est donc la fameuse mission de vos amis ?

— Rien de moins que sauver le monde !

— Je peux y réfléchir?

— Non, Jorge. Dans quelques minutes, la lune commencera à exercer ses effets sur moi, et je me verrai contraint de vous tuer. Par contre, si vous buvez immédiatement cette camomille, vous ne serez pas tout de suite transformé en bête, mais l'animal en moi vous reconnaîtra comme un membre de sa meute. Ainsi, je quitterai paisiblement cet appartement, et j'irai vaquer à mes occupations de loup.

Le patron toussa. Deux filets de sang inondèrent ses commissures.

— Dans quelques instants, il sera trop tard! Jorge! Votre décision?

Ce soir-là, Jorge ouvrit la porte de son appartement et laissa sortir de chez lui un gigantesque loup au pelage épais.

Le lendemain, un coursier lui apportait un billet d'avion pour New York.

Table des matières